D0263971

Deux Sorcières pour un garçon

Sarah Mlynowski

Traduit de l'anglais (États-Unis)
par Marianne Bertrand

Du même auteur chez Albin Michel Wiz :

Sortilèges et sacs à main
Crapauds et roméos
Tout sur Rachel !

Titre original :
PARTIES AND POTIONS
(Première publication : Delacorte Press, Random House Children's Books,
Random House, Inc., New York, 2009)

À Wendy Loggia,
l'éditrice à la touche magique.

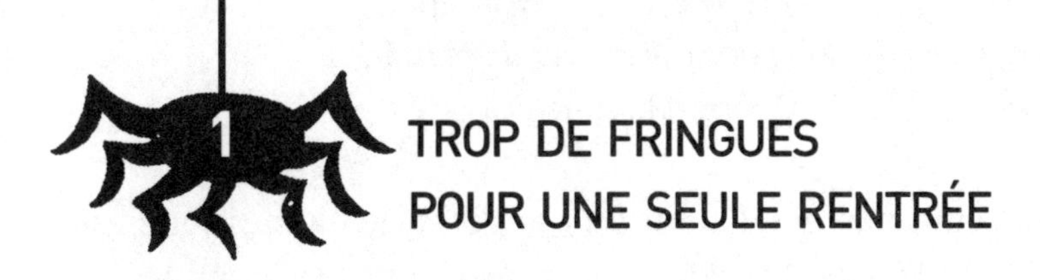

1 TROP DE FRINGUES POUR UNE SEULE RENTRÉE

C'est bien, en rouge ?

Je tourne sur moi-même devant le miroir. Oui, un chemisier rouge, ça pourrait fonctionner. Le rouge me fait les cheveux super-brillants, très glamour, et va très bien avec mon jean préféré.

Et si je le dis, c'est que c'est vrai.

Le chemisier est décolleté, avec d'adorables manches ballon. C'est mon haut de rentrée pour le grand, GRAND jour demain : ma rentrée en première ! La semaine dernière, je suis allée faire du shopping pour l'occasion avec ma meilleure amie, Tammy. Je sais que j'aurais pu faire tout simplement apparaître ce que je voulais, mais la règle numéro un de la sorcellerie est que toute chose vient d'autre chose. Je n'aurais pas voulu voler un chemisier neuf chez Bloomingdale's par accident.

J'aime le rouge. Il me va bien au teint. Mais je me demande s'il fait véritablement ressortir mon fabuleux bronzage. Hmm. Je touche le tissu qui me frôle la clavicule et je psalmodie :

Comme le neuf devient usé,
Comme le jour devient nuit,
Mon beau chemisier de rentrée,
Deviens blanc, je t'en prie.

J'ai remarqué que l'ajout du « je t'en prie » à mes sorts est d'une grande aide. Les Pouvoirs en place ont l'air d'apprécier que je demande poliment.

Un grand coup de froid se répand dans la chambre en me hérissant l'échine de chair de poule, et là : zap ! Le sort fait effet. Le rouge de mon chemisier s'efface rapidement du tissu, qui vire au fuchsia, au rose foncé, au rose pâle, pour finir aussi blanc que du Tipp-Ex.

Ah, voilà qui est mieux ! Oui. Blanc, c'est ce qu'il faut. Le blanc fait ressortir mon admirable bronzage estival.

Mon admirable bronzage estival *artificiel*. Évidemment. Voyez-vous, en plein Manhattan je ne dispose pas d'une piscine pour faire de la bronzette, et de toute manière il a fait bien trop lourd et humide dans cette ville ces derniers temps pour que l'on tienne plus de vingt secondes dehors, alors comment aurais-je pu me retrouver naturellement hâlée ? Malheureusement, mon bronzage de colo a disparu depuis longtemps. Mais à votre avis, mon bronzage factice sort-il d'un aérosol ? Nan. Vient-il d'une de ces cabines qui pourraient passer pour des chambres de torture médiévales ? Encore une fois, pas du tout.

Alors, comment l'ai-je obtenu ? Eh bien, j'appelle cela le Sort-du-bronzage-doré-parfait-qui-me-donne-l'air-d'habiter-en-Californie. (Marque déposée.)

Je l'ai inventé la semaine dernière et il a fonctionné immédiatement. Pour tout dire, au début j'ai eu l'air d'avoir de l'urticaire, ou peut-être une vilaine rougeole, mais dès l'après-midi suivant la couleur s'était stabilisée en un teint doré éclatant. Un éclat doré qui me donne l'air d'une véritable San-Franciscaine. À moins qu'on dise Franciscoise ? Francisquette ?

Tout ça pour dire que je contrôle parfaitement mes pouvoirs en ce moment. Depuis que Miri m'a appris à faire mes megels (on contrôle le flux de sa volonté brute en soulevant et en reposant des objets inanimés, par exemple des livres ou des oreillers. Pas des verres. N'essayez pas avec un verre. Croyez-moi, vraiment), mes muscles magiques sont bien plus forts.

J'ai fini par obtenir mon exemplaire personnel de l'A^2 (autrement dit l'*Authentique Anthologie des sortilèges prodigieux, des potions extraordinaires et de l'histoire de la sorcellerie de la naissance du monde à nos jours*), mais je suis tellement douée pour inventer mes sorts à moi que je ne m'en sers pas vraiment. Quand on sait cuisiner, est-ce qu'on a besoin de recettes ? Bien sûr que non.

Oui, il faut que mon chemisier soit blanc. Tout le monde sait que le blanc est la couleur la plus flatteuse quand on est bronzé. Demain, lorsque je ferai mon entrée au lycée JFK, tout le monde se demandera : « Qui est cette fille au bronzage parfait ? Rachel Weinstein, est-ce possible ? » ou encore : « Vous êtes au courant ? Elle sort avec le magnifique et merveilleux Raf Kosravi, l'une des stars du lycée ! N'est-ce pas qu'elle est incroyable ? »

Ah oui, ce sera une belle année. La meilleure du monde. Je vais l'appeler la Première Spectaculaire ! Ma comédie musicale à moi toute seule. Et demain, c'est la première représentation.

Et rien n'ira de travers car :

J'ai un superbe teint bronzé, j'ai un amoureux, et j'ai une nouvelle coiffure superglamourfantastique avec des tas de mèches dégradées totalement fabuleuses. Et en plus, je suis une sorcière.

Eh oui, je suis une sorcière. Évidemment. Sinon, comment pourrais-je changer la couleur de mon chemisier tant que je veux ? Ma mère et ma sœur aussi sont sorcières. Nous sommes des machines magiques qui psalmodient, chevauchent des balais et jettent des sorts d'amour. Miri et moi, du moins. Maman est, la plupart du temps, une sorcière non pratiquante.

Par chance, je n'ai pas eu besoin de sort d'amour pour que Raf tombe amoureux de moi. Eh non, il m'aime tout seul comme un grand. D'accord, il n'a pas encore prononcé les trois mots magiques. Mais il le fera un jour ou l'autre. Ne suis-je pas digne d'être aimée ? Moi je trouve que si. Et lui, alors, complètement.

C'est mon roudoudou d'amour.

Bon, d'accord, je ne l'ai encore jamais appelé comme ça en face. Mais je fais un casting de petits noms d'amour dans ma tête. Les autres possibilités sont « mon trésor en sucre » et « choubidou ».

Choubibi ?

Chou tout court ?

Même sans petits noms, nous rendons tout le monde malade. Pas malade à vomir, plutôt malade dans le sens « tant mieux pour eux ». Enfin je crois. Depuis que nous sommes devenus un couple à la colo, nous avons passé pratiquement toutes nos journées ensemble. À se balader à Central Park. À regarder la télé. À faire les magasins. (Il s'est acheté une sublime chemise en tissu nid-d'abeilles marron qui fait ressortir ses yeux noisette, sa peau mate et ses épaules carrées, et chaque fois qu'il la porte je lui redis à quel point il est sexy.) À s'embrasser. (Il y a eu beaucoup de baisers. Une quantité astronomique de baisers. Tellement de baisers que j'ai dû m'acheter du baume à lèvres ultra-puissant. Mais comme il avait goût de papier sulfurisé, je suis passée au gloss cerise ultra-brillant. Miam. Le problème étant que je n'arrête pas de le lécher tellement c'est bon. Et du coup j'ai les lèvres encore plus gercées. C'est un cercle vicieux.)

Comme je le disais, je n'ai pas besoin de sorts quand je suis avec Raf. Bon, d'accord, vous avez tout compris ; ce n'est pas tout à fait la vérité. La semaine dernière j'ai fait apparaître par magie une haleine fraîche après m'être gavée de pain à l'ail. Je n'avais pas envie qu'il se pince le nez en me roulant un patin. Mais c'est tout. Jamais je ne lui jetterais un sort d'amour. D'accord, d'accord, c'est encore un mensonge. Quand les pouvoirs magiques de Miri sont apparus, nous lui en avons jeté un. (Miri, ma sœur qui a deux ans de moins, a découvert avant moi qu'elle était sorcière. C'est pas injuste, ça ?) Mais en fait, sans le faire exprès nous l'avons jeté au grand frère de Raf, Will, donc il n'y a pas de mal. Enfin pas trop. Will et moi, on est sortis ensemble mais nous avons rompu au bal de fin d'année, quand je me suis rendu compte qu'en réalité il était amoureux de mon amie Kat.

Bien, qu'est-ce que j'étais en train de faire ? Ah oui. Le blanc !

Je fais comme si ma chambre était un podium et j'évolue d'un pas glissant jusqu'à l'autre bout de la pièce avant de revenir vers le miroir. C'est ça, le problème : le blanc, ça peut être méga-voyant, vu que tout le monde sait bien qu'on s'habille en blanc quand on veut exhiber son bronzage. De plus, allez savoir pourquoi, en blanc j'ai l'air d'avoir une grosse tête. Est-ce que j'ai une grosse tête ? Est-ce mal d'avoir une grosse tête ? Ou bien est-ce le signe d'une intelligence supérieure ?

Je devrais peut-être essayer en bleu. Ça me va bien, le bleu. Ça fait ressortir mes yeux marron. Oui ! Il faut que je fasse ressortir mes yeux ! Je m'éclaircis la voix et je lance :

Comme le jour naît de la nuit,
Comme la mer par le vent agitée,
Deviens bleu marine, je t'en prie,
Joli chemisier de rentrée.

Froid ! Zap ! Prouf !

Intéressant. Je pivote pour me voir de profil. Pas mal. Mais est-ce mieux que le rouge ? Parce que bon, je peux toujours me maquiller les yeux en bleu. Peut-être que mon chemisier se doit d'être rouge. Ou blanc. Ou peut-être quelque chose de brillant ? Doré ?

Comme le jour devient nuit,
Comme le neuf devient usé,
Joli chemisier, je t'en prie,
Pour la rentrée fais-toi doré !

Mon petit haut se met à palpiter de toutes les couleurs. Jaune ! Rouge ! Bleu ! C'est un arc-en-ciel de tissu !

– Rachel ! braille Miri en ouvrant ma porte à la volée et en me menaçant du doigt dans la glace. Ça suffit ! Ça fait trois quarts d'heure que tu y es ! Choisis une couleur une bonne fois pour toutes et prépare-toi pour ce soir !

Ah. Le seul événement pénible de la journée. Ma sœur de treize ans insiste pour que, au lieu de sortir avec mon doux choubibi ce soir, je l'accompagne à je ne sais quel dîner de Pleine Lune zarbi.

– Je suis presque prête, dis-je. Mais je veux préparer la tenue parfaite pour demain. Pas évident ! Tu crois que j'ai une grosse tête ?

Elle éclate de rire.

– Toi ? La grosse tête ? Jamais, tu penses !

Je claque de la langue.

– Non, mais est-ce que physiquement ma tête a l'air grosse ?

Elle s'assoit en tailleur sur ma moquette rose. Elle était orange, avant, mais lorsque notre chat Tigrou a eu des puces, les produits chimiques de l'exterminateur ont réussi à la faire virer au rose. Pas grave. De toute façon, j'aime bien le rose.

Je devrais peut-être colorer mon chemisier en rose ?

– Tu as une plus grosse tête que moi, dit-elle. Mais pas de beaucoup.

– Hum.

Ma grosse tête n'est que la deuxième de mes imperfections physiques, par ordre d'importance. La première, ce sont mes seins asymétriques. Le gauche est plus gros que le droit. Ce n'est pas l'idéal.

– Tu crois que je pourrais porter une couleur qui me fasse la tête plus petite ?

J'utiliserais bien un sort de modification corporelle, mais ma mère prétend qu'ils peuvent provoquer des dégâts assez graves. Comme par exemple me réduire accidentellement le cerveau ou me faire pousser une moustache.

Miri soupire.

– Tu es au courant que chaque fois que tu choisis une nouvelle teinte, mon édredon change de couleur ?

– C'est vrai ? C'est cool !

Comme je l'ai dit, avec la magie, toute chose vient d'autre chose. Si je fais apparaître des sandales neuves, elles doivent venir de quelque part. Si je m'enrichis de vingt dollars, il va en manquer vingt dans le portefeuille de quelqu'un. Si mon petit haut devient bleu marine, c'est qu'un autre tissu vient de se faire dépouiller de ses pigments bleus.

– C'est pas cool ! gémit-elle. En ce moment, mon édredon est d'une couleur dégueulis pâle immonde.

Je tire sur le chemisier et bombe le torse.

– Un peu d'esprit d'équipe, Miri.

– Mais je ne fais que ça, avoir l'esprit d'équipe ! De l'équipe Rachel. Tu as intérêt à rendre à ton chemisier sa couleur d'origine avant qu'on aille se coucher.

Sa couleur d'origine ? Comme si je m'en souvenais.

– Sinon ?

– Sinon...

Elle lorgne mon sac à main, se concentre dessus et le soulève doucement de son emplacement sur mon bureau.

– Sinon, je renverse toutes tes affaires par terre.

– Ouh, qu'est-ce que j'ai peur ! Et à part ça, on va dîner chez qui ce soir ? Gniarf, gniarf ! (Elle ne peut pas discuter tellement j'ai scandaleusement raison.) Wendaline, c'est ta fausse amie, c'est bien ça ? Je préférerais nettement sortir avec mes amis à moi, merci beaucoup.

Malheureusement, j'ai accepté ce dîner avant que Raf ne m'invite à une fête de prérentrée chez Mick Lloyd. J'ai raconté que j'avais une réunion de famille impossible à rater. Ce qui est plus ou moins vrai, en quelque sorte. J'ai juste omis les détails relatifs à la sorcellerie.

– Oui, c'est bien ça.

Miri a rencontré Wendaline sur Mywitchbook.com. C'est un réseau social, un peu comme Facebook ou Myspace, mais uniquement réservé aux sorcières. Il est envoûté afin que personne d'autre ne puisse y avoir accès. Liana, notre cousine, la fille de la sœur de ma mère, nous a demandé à toutes les deux d'être ses amies. J'ai décliné. Depuis qu'elle a tenté de me voler mon corps en colo, je me méfie de tout ce qui est lié à Liana. De toute manière, je n'ai pas le temps d'aller me chercher des amis sur le Web. Je suis bien trop occupée par mon choubi en sucre. Et par Tammy. Et par mon autre bonne copine, Alison, qui ne va pas au même lycée que moi mais qui va à la même colo. Je suis bien trop occupée pour avoir des amies sorcières. Surtout rencontrées sur Internet. Tout le monde le sait : un ami virtuel, ça ne compte que pour un quart d'ami réel.

Miri, pour sa part, adore l'amitié en ligne. Elle s'est fait trois amies le premier jour et elle est prête à tout pour s'en faire d'autres. La semaine dernière, pour son treizième anniversaire, elles lui ont toutes envoyé des e-balais. Ha-ha. Dans la vraie vie, elle a eu un portable. Comme cela fait pratiquement dix ans que nous harcelons maman pour qu'elle nous offre des téléphones, je suis enchantée qu'elle ait fini par céder. Je ne me plains pas que Miri en ait eu un et pas moi – pas encore – car mon anniversaire, c'est jeudi (plus que quatre jours ! Yahou ! Je vais réunir quelques amis pour fêter ça. Youpi !), et je suppose que je recevrai le mien à ce moment-là. Même si c'est un peu contrariant que ma petite sœur, qui est encore au collège, ait eu, avant moi, un portable, ainsi que des pouvoirs magiques et des seins. (Et contrairement aux miens, ses seins à elle sont assortis.)

Bref, une de ses amies Mywitchbook.com envoyeuses de balais – Wendaline, donc – habite ici, à Manhattan, et va en cours à JFK comme moi. C'est Wendaline qui nous a invitées au dîner de Pleine Lune chez elle ce soir. On verra bien ce que c'est.

Miri est folle d'impatience.

J'ai un peu peur que Wendaline soit folle tout court.

– Tu t'habilles comment ? me demande maintenant Miri.

– Pantalon noir et tee-shirt. Et des souliers magiques, au cas où je devrais claquer des talons vite fait pour rentrer.

– Rachel, ce n'est pas une folle ! C'est une sorcière !

– Précisément. Et si c'était une vilaine sorcière ? Comme celle de Hansel et Gretel, qui attire des enfants innocents en leur promettant à manger, tout ça pour les dévorer ?

– Elle n'est pas cannibale. Elle est super-gentille.

– Mais oui, c'est ça.

Quand Miri m'a réveillée au début de la semaine en m'annonçant le scoop qu'il y avait une autre sorcière à JFK, j'ai tout de suite redouté le pire.

– Dis-moi qui c'est, ai-je exigé de savoir, en imaginant la pire peste de ma classe. C'est Melissa ?

Melissa est mon ennemie jurée et l'ex de Raf ; elle essaie en permanence de me le piquer. Visiblement, elle n'était pas sorcière l'an dernier, sinon je serais déjà transformée en grenouille à l'heure qu'il est. Au grand minimum, elle aurait monté le lycée entier – que dis-je, le monde entier – que dis-je, l'univers entier – contre moi.

– Ma vie est foutue ! ai-je gémi en tirant les couvertures par-dessus ma tête.

– T'es vraiment dingue, m'a dit Miri. Ce n'est pas Melissa.

– Ah. Tant mieux.

J'ai repoussé les couvertures.

– Elle est en seconde. Elle s'appelle Wendaline.

– Non, vraiment ?

Miri, perplexe, a plissé le front.

– Quoi ? Pourquoi pas ?

– Wendy la sorcière ? Ça ne te dit rien ? Dans *Casper le gentil fantôme* ?

– C'est Wendaline, pas Wendy.

– On dirait quand même un personnage de fiction. Comme Hannah Montana. Ça sonne trop bien.

– Ça ne rime même pas.

– Ça a quand même l'air inventé.

– C'est ça, je lui dirai.

Quoi qu'il en soit, je dois faire connaissance avec Wendaline ce soir, à son dîner de Pleine Lune. Je n'ai toujours aucune idée de ce que « de Pleine Lune » veut dire. J'espère que cela n'implique pas de nudité ni rien de tel. Maman avait l'air de penser que c'était un peu comme le shabbat juif, mais en version sorcières. Et une fois par mois au lieu d'une fois par semaine, rapport à la pleine lune.

– Quel est son nom de famille ? a demandé maman.

– Peaner.

– Hmm, a fait maman, perdue dans ses pensées. D'accord. Vas-y si tu veux. Ça pourrait être très bon pour toi de rencontrer des gentilles sorcières (en clair : des sorcières qui ne vous volent pas votre corps).

C'est fou, je n'arrive pas à croire qu'elle nous laisse y aller. Non mais, des sorcières sur Internet ! On peut difficilement faire plus vague.

– Prête ? me demande Miri avec impatience tout en continuant de faire flotter mon sac à main au-dessus de sa tête. Je ne veux pas être en retard. Et ton sac commence à être lourd. Pourquoi tu trimballes autant de choses ?

– C'est comme ça, dis-je en ouvrant mon armoire. Deux secondes. Il faut que je me change.

– Tu ne peux pas garder ce que tu as sur le dos ?

– C'est mon petit haut de rentrée ! Il faut qu'il soit tout propre.

– Tu peux le rendre tout propre par magie demain matin.

– Une minute.

Je fais passer le chemisier par-dessus ma tête, l'accroche à un cintre et enfile un haut violet à col en V. Puis je retire mon jean pour mettre un pantalon noir. C'est plus indiqué pour un dîner de famille, non ? Je me jette un coup d'œil dans la glace. Pas mal. Bien suffisant pour aller rencontrer Celle-qui-a-un-nom-de-personnage-de-série-télé et sa famille.

Imaginez un peu, si moi j'étais un personnage de télé ! J'ai une vie plutôt fascinante. Ça ferait une série d'enfer. Une comédie sur deux sœurs sorcières à New York ? Qui ne regarderait ? Ça, c'est de la bonne télé. L'idée fonctionnerait bien aussi pour un reality show.

Ômondieu ! Je serais célèbre ! Je serais invitée à toutes les émissions ! Les gens m'arrêteraient dans la rue pour demander à me prendre en photo, et je murmurerais avec un sourire modeste : « Je dis oui à tout pour mes fans. »

Sauf que dans ce cas, tout le monde saurait que je suis une sorcière. Gênant.

Je pourrais peut-être quand même. Déguisée. Je porterais une perruque blonde. Même si cela cacherait mon superbe nouveau dégradé qui donne l'impression que j'ai de vraies pommettes. Ce n'est pas que je n'aie pas de pommettes. Bien sûr que j'en ai. Mais je ne les avais jamais remarquées avant qu'Este la coiffeuse-visagiste ait posé sur moi ses mains expertes. C'est Alison qui me l'a recommandée quand je me suis pointée chez elle à moitié chauve. J'avais tenté un tour de magie sur mes cheveux.

Ces jours-ci, j'essaie de convaincre Miri d'aller voir Este. Elle aurait bien besoin de pommettes.

À quoi pensais-je, déjà ? Ah oui. Une perruque. Je serais obligée d'en porter une si j'étais l'héroïne d'un reality show. Quoique, en principe, les spectateurs seraient sans doute capables de m'identifier d'après mon appartement de Greenwich Village, mon lycée et mes amis.

Mes amis, qui se demanderaient pourquoi je suis suivie en permanence par des caméras. Il faudrait bien que je leur dise la vérité. Sur l'émission... et sur ma double vie.

Imaginez un peu. Si tout le monde savait.

D'une certaine manière, ce serait un soulagement. Je ne serais plus obligée de garder mon grand secret écrabouillé au fond de moi comme du linge sale dans le fond du panier.

Dans le miroir, je regarde mon sac à main, toujours suspendu en l'air, trembloter avant d'aller s'écraser sur la figure de Miri. Chplouf.

– Ouille, gémit-elle.

Mais on me prendrait peut-être pour une attraction de foire. Ou on aurait peur que je jette des sorts d'amour qui ensorcellent des grands frères par accident.

Non, mon secret doit rester écrabouillé. Je frissonne et jette mon sac sur mon épaule.

– Que le spectacle (mon attraction de foire secrète) commence.

2 PLEINE LUNE SUR MANHATTAN

– On va devoir rester longtemps ? dis-je d'un ton plaintif tout en appuyant sur la sonnette d'un immeuble à l'angle de la 13e Rue et de Broadway. Ça dure combien de temps, ces trucs de Pleine Lune ?

– Quelques heures.

Miri me fait taire, tout en serrant une bougie – notre cadeau – contre sa poitrine. C'est l'objet le plus sorciéresque que nous ayons pu trouver. À part un chat. Mais apporter un animal comme cadeau quand on est invité à un dîner pourrait paraître un peu bizarre. Ou alors un animal en peluche ? Bizarre aussi.

– Arrête de faire le bébé, poursuit-elle. C'est excitant ! Notre première véritable expérience de sorcières ! Je regrette juste que tu nous aies mises dix minutes en retard.

La vérité, c'est qu'en fait je suis un peu surexcitée. Miri et moi, nous n'avons jamais été invitées à des événements liés à la sorcellerie. Dans la mesure où maman ne nous a parlé de nos pouvoirs que cette année (il l'a bien fallu lorsque Miri a ressuscité un homard par accident à un dîner officiel), nous n'avons jamais été en contact avec la communauté des sorciers. De fait, avant que Miri ne découvre Mywitchbook.com, nous n'étions même pas sûres qu'une telle chose existe.

Ce serait super d'avoir des gens à qui parler de toutes ces histoires de magie. Comme ça, le secret ne serait pas en permanence en train de bouillonner en moi, menaçant de déborder.

Je sonne une deuxième fois. La brise de début septembre traverse mon petit haut.

– Il n'y a personne. Tu es sûre que c'est la bonne adresse ?

Miri soupire.

– Sonne encore.

– Vas-y, toi, si tu es tellement sûre.

Elle sonne et nous attendons toutes les deux. Et nous attendons. Nous pouvons pratiquement entendre les cigales. Non pas qu'il y ait des cigales à New York. Mais c'est l'effet sonore qu'il y aurait dans mon émission de télé.

– Elles sont peut-être déjà sur le toit, dit Miri.

– C'est un peu malpoli de ne pas répondre, tu ne trouves pas ?

– C'est un peu malpoli d'arriver dix minutes en retard, rétorque Miri.

– Dix minutes, ce n'est pas être en retard. Tout le monde sait bien qu'on a un quart d'heure de marge.

– Évidemment, tu es toujours en retard. On n'a qu'à l'appeler. Tu as ton portable ? Oh, mais suis-je bête, tu n'en as pas. Moi, si.

Elle dégaine son téléphone, me l'agite sous le nez, puis compose le numéro.

– Allô, Wendaline ? C'est Miri. On est en bas. On a essayé de sonner, mais...

Je ressens comme une bouffée d'air, et une sorcière apparaît à mes côtés. Et je veux dire une vraie sorcière. Sur un balai. Cette fille porte un chapeau de sorcière noir et une robe assortie. Je fais un bond en arrière.

– Super ! Vous êtes là ! dit la sorcière en nous serrant fort dans ses bras, Miri et moi. Quel plaisir de te rencontrer enfin en personne, Miri ! Tu es encore plus jolie qu'en photo ! Et toi, tu dois être Rachel !

Je n'en reviens pas qu'elle vienne d'« apparaître » en plein Broadway, l'une des artères les plus animées de la ville. J'observe nerveusement les passants. Est-ce que quelqu'un a vu ? Vont-ils appeler la police ? Y a-t-il une loi contre les apparitions ? Par chance, visiblement personne ne nous regarde bouche bée. Après tout, on est à New York. Il se passe des choses étranges toutes les heures. Hier, un homme en monocycle a failli me rouler sur le pied.

– Enchantée, dis-je à Wendaline.

– C'est pour toi, dit timidement Miri en lui tendant la bougie.

– Comme c'est gentil ! Il ne fallait pas. Où sont vos balais ? ajoute-t-elle en regardant autour d'elle.

– On est venues à pied, dis-je en essayant de me faire une idée sur elle.

Elle est plus grande que nous, environ un mètre soixante-cinq, et elle est jolie. Le teint clair et la peau lisse ; de grands yeux de biche verts soulignés de khôl noir. Encore que les biches ont sans doute les yeux marron. Enfin bref. Ses lèvres sont nappées d'un joli gloss dans les tons violets. Les cheveux qui tombent en cascade de son chapeau pointu sont longs, bruns et bouclés. Chouette, quoique un peu « conte de fées ».

À y regarder de plus près, je remarque que sa robe est brodée. Et satinée. Comme les kimonos que mon père nous a rapportés d'un voyage d'affaires à Tokyo, mais en noir. Elle porte aussi des leggings noirs moulants et des babies vernies noires à talons d'au moins sept centimètres. Très « chic magique ».

– J'adore ta toge, s'écrie spontanément Miri.

– Merci ! On s'envole jusqu'au toit ? Ah non, pas de balais. Aucun souci, on peut prendre l'ascenseur. Vous êtes des grises ?

– Comment ça, « grises » ?

Je n'ai quand même pas zappé ma couleur de peau en même temps que celle de mon chemisier de rentrée, si ?

– Des sorcières grises, clarifie Wendaline. C'est pour ça que vous avez fait tout le chemin à pied ?

Miri secoue la tête.

– C'est quoi, une sorcière grise ?

– Eh bien, tu sais, quelqu'un qui essaie de ne pas trop employer la magie dans la vie quotidienne. Soucieuse de l'environnemagie. Conserver l'équilibre noir et blanc de l'univers et tout ça.

C'est clair qu'elle n'a jamais vu l'édredon de Miri.

Wendaline ouvre la porte.

– J'essaie de moins gaspiller, mais mes parents sont très vieux jeu, vous voyez ?

– Alors moi je suis complètement grise, dit ma fayotte de sœur tandis que nous suivons notre nouvelle amie à l'intérieur.

Telle que je la connais, elle va s'habiller tout en gris pour le reste de sa vie, rien que pour avoir raison.

Nous passons devant un couloir garni de miroirs, dans lesquels je jette un coup d'œil pour m'assurer que je ne suis pas réellement grise, puis nous nous envolons sur vingt étages jusqu'au toit. « S'envoler » au sens où l'entendent les simples mortels, c'est-à-dire en ascenseur.

Environ vingt-cinq personnes, assises autour d'une gigantesque table ovale magnifiquement dressée sous le ciel noir, nous attendent. Qui sont tous ces gens ? Je ne sais pas pourquoi, je m'imaginais qu'il n'y aurait que nous et la famille de Wendaline. Et ômondieu : tout le monde est en robe noire et chapeau pointu. Ce ne sont que des sorcières ? J'ai l'impression d'avoir mis les pieds dans une maison hantée. Je scrute les visages. Tout le monde a l'air normal. Pas de peau blafarde ni d'yeux injectés de sang. Pas de tueurs en série. Enfin j'espère.

– Tout va bien, nous dit Wendaline. Ils ne mordent pas.

Il faut croire que ce ne sont pas des vampires non plus, alors. Ha-ha.

– Bonjour bonjour ! s'exclame une femme en bout de table.

On dirait une version plus âgée de Wendaline. Mêmes cheveux longs, mais rayés de fils d'argent. Elle aussi porte une robe de satin noir.

– Joyeuse Pleine Lune ! Vous arrivez juste à temps. Nous allions commencer !

Wendaline nous guide jusqu'aux trois dernières chaises libres. Des chaises *su-bli-mes*. Elles sont dorées, étincelantes, et chacune est couverte d'un coussin brodé super-doux qui a l'air en plumes. Miri s'assoit sur celle du milieu, et Wendaline et moi prenons place autour d'elle. Ah ! C'est comme un massage pour mon derrière.

Ouah. Je n'ai pas vu de table aussi belle depuis le mariage de mon père. Il y a des saladiers et des plats d'apparat, des verres de toutes les tailles, et au moins cinq fourchettes différentes par personne. Au centre de la table trônent des centaines – c'est du moins l'effet que cela fait – de chandelles de tailles variées, les plus grosses larges comme une assiette, les plus petites comme mon petit doigt. Elle n'avait sûrement pas besoin qu'on lui en offre encore une. Tant pis. On a essayé. La prochaine fois, on apportera un chat empaillé. Je veux dire un animal en peluche ! Houlà, je suis vraiment une vilaine sorcière ou quoi ?

Une fois que j'ai fini de reluquer la table, je remarque la lune.

La lune pleine, ronde, lumineuse, suspendue au-dessus de nos têtes.

Bien sûr, j'ai déjà vu la pleine lune, mais jamais en ville. Une fois de temps en temps on aperçoit un fin croissant derrière un gratte-ciel, mais dans l'ensemble cette ville est assez dépourvue de lune. Vu depuis le toit de chez Wendaline, c'est stupéfiant.

Ensuite, j'observe l'homme à la barbe poivre et sel assis à ma droite. Lui aussi porte une grande robe noire et un chapeau de sorcière. Alors, ça veut dire... qu'il est une sorcière ! Un sorcier ? Un mage ? Je n'ai jamais rencontré de sorcière mâle. Je savais que cela existait. J'en ai entendu parler. Mais les voilà ! Juste à côté de moi ! Je jette un regard circulaire et je compte dix – oui, dix ! – hommes autour de la table.

Malheureusement, aucun n'a mon âge. Non que je sois à

la recherche d'un coup de foudre potentiel. J'ai déjà un amoureux, merci beaucoup. Et un amoureux parfaitement bien. Choubidounet ! Ou Choubibi. Ou tout ce qu'on veut. Mais tout de même, ce serait chouette de rencontrer une sorcière garçon ado.

– Écoutez tous, dit Wendaline. Voici Rachel et Miri.

– Bonjour, Rachel et Miri, dit tout le monde.

– Bonsoir, répondons-nous un peu timidement.

Je déplie ma serviette sur mes genoux et donne un coup de coude à Miri pour qu'elle fasse de même. Ces gens ont l'air à cheval sur les manières.

– Voici ma maman, Mariana, dit Wendaline en pointant le doigt, mon père, Trenton ; mon petit frère, Jeremiah. (Il doit avoir dans les six ans.) La sœur de ma mère, Rhonda ; mon oncle Alexander ; leurs filles, Edith et Loraine ; le frère de mon père, Tomas, et ma tante Francesca, mes cousines Nadine et Ursula, ma moga Pearl...

Je n'ai aucune idée de ce que peut bien être une *moga*, mais puisqu'elle désigne la plus vieille sorcière de la tablée, j'imagine que c'est une grand-mère. Ou peut-être simplement une personne âgée. Quoi qu'il en soit, je ne peux pas me retenir d'admirer le vernis à ongles noir très tendance de Wendaline.

– La sœur de mon père, Alana ; mon oncle Burgess ; mon autre moga, moga Gisela ; mes mogi Thompson (papy et mamie ?), les amis de mes parents Brenna et Stephen ; leurs enfants, Coral et Kendra ; et d'autres amis : Doreen, Jerry, Brandon, Nicola, Dana et Arthur.

Yowza !... Ça en fait, des noms. La plupart m'ont traversé la cervelle plus vite qu'un taxi essayant de passer à l'orange.

– Interrogation écrite après le dessert, dit Arthur, le type poivre et sel assis à côté de moi.

Le reste de la tablée s'esclaffe.

– Il est temps de commencer, dit la mère de Wendaline en faisant taire les convives d'un geste de sa longue main.

Eh bien, voilà ce que j'appelle des ongles noirs et pointus. Je crois que je sais de qui Wendaline tient ses astuces beauté. Sa mère se tourne vers ma sœur et moi.

– Aimeriez-vous dire le *Votra* toutes les deux ?

Hein ?

– Euh...

– Aucun souci, dit Wendaline qui a perçu ma gêne. Je vais le faire.

Elle se lève, agite les doigts en l'air, et dit :

Ishta bilonk higyg
So ghet hequi bilobski.
Bi redical vilion !

Ou un truc du genre. Je n'ai vraiment aucune idée de ce qu'elle a dit. Rien. Que dalle. Nib. Zéro. Je pivote vers Miri pour lui décocher mon meilleur regard « tu as compris ce qui vient de sortir de sa bouche ? », mais elle est trop occupée à dévorer Wendaline des yeux, pleine d'admiration. Il va me falloir un dictionnaire, par ici. Mais ça m'aiderait de savoir quelle langue elle parlait.

Une fois qu'elle a terminé, Wendaline renverse la tête loin en arrière, si bien que son visage est tourné directement vers le ciel, et déclame :

– *Kamoosh ! Kamoosh ! Kamoosh !*

Sur la table, toutes les bougies s'allument instantanément.

Ômondieu ! Je repousse ma chaise pour éviter de prendre feu. Malheureusement, elle tombe en arrière et j'atterris sur le dos dans un grand fracas. Oups.

La moitié de la tablée se précipite pour me relever.

– Je vais bien, je vais bien, parviens-je à murmurer. J'espère que je n'ai pas cassé cette belle chaise. Oh, ma tête !

Wendaline éclate de rire. Miri fait la tête, on dirait qu'elle voudrait ramper se cacher sous la table. Il semblerait que je lui aie fait honte devant ses amis Internet si sophistiqués.

Une fois que je suis remise sur pied et que tout le monde a regagné sa place, la mère de Wendaline claque trois fois des doigts et dit :

– *Ganolio !*

Tous nos bols se remplissent de soupe rouge. Cool ! Ça doit être de la soupe à la tomate, pas vrai ? C'est forcément ça. Je repense à ma blague sur Hansel et Gretel. Ce n'est pas de la soupe au sang. Impossible. Je me penche en avant pour renifler. De la tomate. C'est bien de la tomate.

Je crois.

J'attends que Miri ait goûté, juste au cas où.

La mère de Wendaline prend une cuillerée.

– Alors dites-moi, les filles, jouons un peu avec la généalogie. Comment s'appellent vos parents ? Les connaissons-nous ?

– Vous ne connaissez pas mon père, dis-je rapidement. Il n'est pas sorcière. Ou sorcier. Mage ?

– Mage, dit Arthur en sirotant son vin.

– Et votre mère ? demande sa mère.

– Carol, intervient Miri. Carol Graff.

– Carol Graff, Carol Graff... Non, je ne connais pas ce nom.

Elle trempe un morceau de pain dans sa soupe et en arrache une bouchée.

La tante Rhonda se penche carrément à travers la table, vers nous, et je reçois une bouffée de son parfum sucré et capiteux.

– Vous voulez dire Carolanga Graff ?

Je secoue la tête. C'est un nom, ça ? On dirait une maladie. Pauvre petite.

– Elle s'appelle Carol.

– A-t-elle une sœur nommée Sasha ? demande tante Rhonda.

Hum. C'est étrange.

– Carol Graff a une sœur qui s'appelle Sasha, dis-je.

– Ça ne peut être qu'elle, dit la tante Rhonda. Nous fréquentions les mêmes cercles. Il y a des années de cela. Peut-être a-t-elle changé de nom ?

– Je suppose, dit Miri, de plus en plus tendue.

Est-il possible que notre mère ait eu un autre nom sans jamais prendre la peine de nous en parler ? Comment aurait-elle pu faire une chose pareille ? Et pourquoi ? Aurait-elle une autre identité ? Une famille secrète ? Ou serait-ce un genre de programme de protection des témoins ? Venons-nous de détruire sa couverture ? Peut-être allons-nous devoir déménager dans un endroit perdu, comme le Wisconsin.

« Les sorcières du Wisconsin », pas mal comme nom de série télé. Ça sonne bien.

– Je me demande pourquoi elle a changé. Carolanga est un si beau nom, dit la tante Rhonda. *Langa* signifie « lumière » en brixta, le saviez-vous ?

Je n'ai rien compris à ce qu'elle vient de dire.

– Pardon, qu'est-ce que c'est, le brixta ? demande Miri.

La tante Rhonda en lâche sa cuillère de surprise.

– La langue antique des sorcières ? Vous ne le parlez pas ?

Miri hausse les épaules d'un air impuissant.

– Je ne savais même pas qu'il existait une langue antique des sorcières.

Notre mère de lumière nous a bien laissées dans le noir.

– Wendaline le parle couramment, vous savez, se rengorge sa mère.

– Alors, que devient votre maman ? demande la tante Rhonda. Il y a une éternité que je ne l'ai vue.

Miri hésite.

– Elle s'est un peu retirée du circuit de la sorcellerie depuis un moment.

– Faites-lui nos amitiés.

– Oh, nous n'y manquerons pas, dis-je en terminant ma soupe.

Un nom secret ? Une langue secrète ? Je vais lui faire plus que des amitiés. Je vais lui dire ma façon de penser.

Quand la soupe est finie, la mère de Wendaline claque des doigts et dit : « *Moosa !* » Les bols se volatilisent.

Comptez sur moi pour essayer ce truc à la maison. Peut-être la prochaine fois que maman fera son curry de pois chiches. Sauf que je le ferai avant de devoir en manger.

Lorsqu'elle s'écrie de nouveau « *Ganolio !* », une salade de poires, pignons et fromage de chèvre apparaît sur une nouvelle assiette. Le genre de salades que je préfère : pas de légumes.

Miri et moi parlons peu tout en mangeant ; nous avons bien trop à écouter.

Ils échangent des potins sur les gens qu'ils connaissent.

– Savez-vous que Mitchell Harrison s'est marié la semaine dernière ? demande la tante Rhonda, avant d'ajouter en chuchotant : À une *norcière*.

– Non ! s'exclame la tablée.

Je ne sais pas qui sont les norcières, mais histoire de m'intégrer je me compose une expression qui signifie « C'est pas croyable ! ». J'ignore si c'est incroyablement bien ou mal, mais il est clair que c'est incroyable.

– Oui, renchérit son mari. La semaine dernière.

– Quelle tristesse pour ses parents, ajoute la mère de Wendaline en poussant un gros soupir.

Incroyablement triste, alors. Je secoue la tête avec commisération.

– C'est sa vie, il fait ce qu'il veut, s'indigne Wendaline. S'il est heureux, vous devriez être heureux pour lui.

Je cesse de secouer la tête pour la hocher, puis je décide de ne plus bouger la tête et de me concentrer sur ma salade avant de me mordre la langue.

Ils parlent politique.

– Le Syndicat des sorcières ne sert plus à rien de nos jours, dit la tante Rhonda.

– Sérieusement, ajoute un membre de la famille. Y a-t-il quelqu'un de responsable là-dedans ?

Miri me presse le genou sous la table. Elle absorbe tout, et elle adore ça à chaque seconde. Du moins jusqu'à ce que la mère de Wendaline fasse apparaître d'un « *Ganolio !* » le plat de résistance, du veau à la parmesane. Je jette un regard inquiet à ma sœur végétarienne.

– Qu'est-ce que tu vas manger ?

Elle chipote dans son assiette du bout de sa fourchette.

– Tu n'as qu'à le retransformer en vache, ça n'étonnerait personne ici.

– Ha-ha.

– Le tien, c'est du tofu, Miri, lui dit Wendaline. Aucun souci. Je sais que tu ne manges pas de viande. C'est dit dans ton profil sur Mywitchbook.

Le bonheur est de retour dans les yeux de Miri. Ces sorcières savent comment réussir un dîner, y a pas à dire.

Nous attaquons toutes les deux nos assiettes.

– Allez-vous faire vos Samsortas cette année, les filles ? nous demande la mère de Wendaline entre deux bouchées.

– Pardon ? couine Miri. Qu'est-ce que c'est, un Samsorta ?

Les yeux de Mrs Peaner lui sortent de la tête.

– Votre présentation officielle ! s'écrie la tante Rhonda. Vous n'avez jamais entendu parler des Samsortas ?

Nous secouons la tête.

– C'est juste la plus grande soirée mondaine du calendrier, explique la cousine Ursula. Vous n'y êtes jamais allées ?

Nouveau non de la tête.

– Cela se passe le 31 octobre, explique la tante Rhonda. Les nouvelles sorcières du monde entier sont présentées aux gens de la sorcellerie. C'est une tradition.

– C'est vachement chouette, dit Wendaline. C'est comme un bal de débutantes, mais pour les sorcières.

– Cela dure depuis le Moyen Âge, ajoute sa mère.

– Je sais, dit la tante Rhonda. J'y étais.

Un « hein ?... » ahuri m'échappe.

Elle opine.

– C'était il y a six vies de cela, mais j'ai une excellente mémoire.

Euh...

– C'est de là que vient Halloween, explique Wendaline. C'est pour ça que les norcières et les norciers se déguisent. Ils se promènent en sorcières, et ils ne savent même pas pourquoi !

Bon, là, il faut que je pose la question.

– C'est quoi, les norcières et les norciers ?

– Oh ! Ce sont les non-sorcières et les non-sorciers.

Si seulement j'avais un ordi portable pour prendre des notes. Peut-être que mon père m'en offrira un pour mon anniversaire ? Ce serait trop cool.

– Alors, que se passe-t-il le 31 octobre ?

– Toutes les nouvelles sorcières se rassemblent à Zandalusha, l'ancienne nécropole, et se livrent à la cérémonie du Samsorta.

Un cimetière ? Pour Halloween ? Flippant.

– C'est à New York ?

Tout le monde pouffe de rire.

– Ici, dans le Nouveau Monde ? Pas vraiment, dit la tante Rhonda en pointant le nez en l'air. Zandalusha se trouve sur une petite île de la mer Noire, au large de la Roumanie. C'est là que nos illustres mères sont enterrées.

Un cimetière de sorcières en Roumanie. Flippant puissance mille milliards.

Wendaline a dû voir ma tête « beuh », car elle se dépêche d'enchaîner.

– C'est très beau. Je suis allée au Sam d'Ursula il y a quelques années et c'était extraordinaire. Très spirituel. On est présentée par une sorcière plus âgée qui a déjà fait son Samsorta, on ajoute une mèche de cheveux dans le Chaudron sacré, il y a une cérémonie aux chandelles, et on prononce une formule magique issue du livre d'origine en brixta.

Le livre d'origine, c'est l'A^2 ? Il existe aussi en brixta ? C'est déjà bien assez dur à lire en anglais, alors en brixta... Il y a beaucoup trop de chapitres.

– J'ai trop hâte que ce soit mon tour, poursuit Wendaline. J'ai commencé la préparation le mois dernier. Oh, vous devriez la faire aussi, les filles !

– Euh...

Un cimetière à Halloween, avec une bande de sorcières ? Merci mais non merci.

– On verra, dis-je.

Mais ce que je veux vraiment dire, c'est « hors de question ».

Pendant le dessert (gâteau au chocolat ! mini-crèmes brûlées ! tartelettes élaborées aux fruits exotiques !), Wendaline me pose plein de questions sur JFK.

– C'est très grand ?

– Non, pas trop.

– J'ai trop peur de me perdre.

– Ne t'en fais pas. Beaucoup de gens se perdent le premier jour.

Pas moi. Mais plein d'autres gens. Bon, d'accord, je me suis un peu perdue. Comment étais-je censée savoir que la salle 302 se trouvait au deuxième étage ? C'est logique, ça, peut-être ? Non, pas du tout.

– Je suis sûre que je vais me perdre. Je n'ai jamais mis les pieds en classe.

– Tu veux dire que tu n'as jamais mis les pieds au lycée.

– Non. (Elle se mord le coin de la lèvre inférieure.) Je ne suis jamais allée en classe. J'ai fait ma scolarité à domicile.

Quoi ?

– Sérieusement ?

Elle rit nerveusement.

– Ben, ouais. Beaucoup de sorcières font leur scolarité chez elles. Comme ça, nos parents peuvent équilibrer nos études de sorcellerie et nos études norcières.

La pauvre !

– Mais... comment tu rencontres des garçons ?

– Oh, tu sais : les rallyes, les fêtes, les camps d'ado...

Elle se fiche de moi ? Des camps d'ados pour sorcières ? Qu'est-ce qu'ils font, ils visitent des cimetières ?

– Mais tu n'as jamais mis les pieds dans un établissement scolaire ? lui demande Miri.

Elle a les yeux cernés d'inquiétude.

– Non.

– T'inquiète, dis-je en reprenant une bouchée de gâteau. Je te ferai visiter. Tu n'as qu'à me retrouver à la grande réunion de rentrée : je t'accompagnerai jusqu'à ta salle principale.

– C'est vrai ? me demande-t-elle, les yeux brillants. Merci, Rachel. T'es la meilleure !

Ben ouais, quoi. Je pourrais être son mentor, en quelque sorte. Suis-moi, ma petite. Appelle-moi Obi-Wan. Je vais la prendre sous mon aile. Lui montrer comment se servir d'un sabre laser.

Ou au moins, lui dévoiler les ficelles du lycée.

– Elle est trop cool, Wendaline ! s'exclame Miri.

Nous nous tenons par le bras et nous rentrons à la maison, moitié marchant, moitié flottant. Bien sûr, nous aurions pu faire apparaître nos balais, mais nous préférons rentrer à pied, en bonnes grises que nous sommes. Comment dire ? C'est notre style.

– Très cool, dis-je.

– J'aime bien sa manière de dire « Aucun souci ». Vous avez oublié de prendre vos balais ? Aucun souci. Vous nous avez apporté une bougie alors qu'on en a déjà quatre mille ? Aucun souci.

– Vous ne vous souvenez pas de vos vies antérieures ? dis-je. Aucun souci.

Nous pouffons de rire et je lui serre le bras.

– Tu es contente d'être venue ? me demande-t-elle.

– À cent pour cent contente. C'est vraiment un autre monde, là-bas, hein ?

– Je sais ! Elles sont tellement sophistiquées, tellement sorcières !

– Je n'en reviens pas qu'Halloween vienne de là !

J'adore Halloween. C'est ma fête préférée, de loin. Et c'est moi qui l'ai inspirée ! Enfin, pas exactement moi, mais les miens.

– Je sais ! (Elle s'arrête net.) On devrait peut-être le faire.

– Faire quoi ?

– Le Samsorta !

– Mais enfin, Mir ? Pourquoi faire un truc pareil ?

– Parce que ! Pourquoi pas ?

– D'abord, parce que ça fout les jetons. Et ensuite, parce qu'on ne parle pas charabia.

– Tu veux dire brixta, me corrige-t-elle en me donnant un coup de coude.

– Comme tu veux. Et enfin, parce que Wendaline a dit qu'il fallait être présentée par quelqu'un. Et malheureusement, maman n'a pas fait son Sam...

Attendez une samseconde ! Elle a menti sur son nom. Elle n'a jamais parlé du brixta. Ni des norcières. Ni des norciers. Ni de rien du tout. Je me tourne vers Miri.

– Tu crois que maman a fait son Samsorta ?

Nous terminons au pas de course.

3 LE BON VIEUX TEMPS

Nous sommes face à maman sur le canapé. Le regard noir. Ma sœur et moi avons toutes les deux les bras croisés.

Je prends la parole.

– M'man ! Tu nous déçois beaucoup. Tu ne nous as jamais dit que tu connaissais la tante de Wendaline. Tu ne nous as jamais dit que tu avais fait le Samsorta. Tu ne nous as même jamais dit ton vrai nom !

Je comprends, maintenant, pourquoi elle nous a laissées aller chez des inconnus pour un dîner de Pleine Lune. Ce n'étaient pas des inconnus ; c'étaient des amis d'enfance.

– Tu es notre vraie mère, au moins ? lui demande Miri en haussant un sourcil soupçonneux.

Maman se tortille dans son fauteuil.

– Pardon, pardon. Vous savez bien que je n'aime pas parler de tout cela. C'est du passé.

– Tu ferais mieux de cracher le morceau à présent ! lui dis-je, autoritaire, en fichant mes poings dans les coussins.

Elle soupire.

– Attendez. J'ai quelque chose à vous montrer.

Elle disparaît derrière le coin du mur. Je regarde ma montre. Déjà dix heures et quart. Il faut que je me couche tôt si je veux être parfaite pour le premier jour de la Première Spectaculaire ! Les cernes sous les yeux ne font pas partie du projet.

Maman revient avec un petit livret relié de cuir noir.

– Vous voulez voir mon album de Samsorta ?

Elle pose la question sérieusement ?

– Oui ! Pourquoi est-ce qu'on ne l'a jamais vu ? Où était-il ? Tu as une étagère invisible dans ta chambre, ou quoi ?

Elle se glisse entre nous deux sur le canapé.

– Il était là où vous n'osez jamais aller, vous deux. Le placard à produits d'entretien. Derrière le liquide à vitres.

– On a un placard à produits d'entretien ?

– Mais tout à fait.

Elle soulève la couverture noire, et Miri et moi nous étranglons devant un gros plan de la tête de ma mère adolescente. On dirait Miri ! Mais c'est ma mère ! Ma mère avec un front totalement lisse ! Et de l'eye-liner noir ! Et les cheveux relevés !

– C'est maman ado ! Et tu as les cheveux châtains !

– Bien sûr qu'ils sont châtains.

– Oui, eh bien, je n'avais jamais vu ta couleur naturelle. Tu sais, je crois que je n'ai jamais vu de photos de toi enfant. J'ai vu des photos à la fac et des photos de mariage, mais pas de photos d'enfance. Attends que je devine : tu as dû les cacher de papa et ensuite tu les as complètement oubliées ?

– Exactement.

Comme c'est triste... Elle a dû enterrer toute son enfance au fond d'un placard pour que l'homme à qui elle était mariée n'en voie jamais rien.

– Mais de toute manière, les sorcières ne prennent pas trop de photos, ajoute-t-elle. Ça ne fait pas partie de notre culture. Il y a une superstition qui dit que cela nous vole une partie de notre âme.

– Super, merci, m'man, dis-je. Il y a juste un milliard de photos de moi par ici. C'est gentil de me prévenir.

– Je n'en crois rien, évidemment. J'ai bien fait prendre celles-ci, non ?

Quelle rebelle, ma mère.

C'est vraiment bizarre de la voir en jeune fille. Je n'arrive pas à l'imaginer adolescente. Je n'arrive pas à l'imaginer comme une vraie personne sans enfants. N'est-elle pas sur cette planète pour être ma mère ?

– Tu étais jolie, dis-je.

– J'étais ? Sympa, merci !

– Tu *es* jolie, dit Miri. C'est ce qu'elle voulait dire.

– Absolument. C'est ce que je voulais dire.

Sur la photo suivante, j'ai un meilleur aperçu de sa tenue. Maman porte une robe en satin violine à manches longues. Elle est décolletée et on voit ses...

– Maman ! Tu avais des seins ! Tu avais quel âge quand tu as fait ton Samsorta ?

– Treize ans. L'âge de Miri.

– Mais ils sont énormes. Tu les as rembourrés ? J'en suis sûre, tu les as rembourrés.

Elle pouffe de rire.

– J'ai peut-être rembourré *un chouïa*.

Le haut de la robe est serré et la jupe s'épanouit en corolle, toute froncée. Elle regarde dans le lointain. Derrière elle, on voit la tour Eiffel.

– Tu as fait ton Samsorta à Paris ? Je croyais que ça se passait en Roumanie.

– Non, c'était bien en Roumanie. On est juste passés à Paris pour faire les photos.

On est passés. Tralala, je passerais bien par Paris sur le chemin du lycée. Histoire de prendre une baguette. *Merci beaucoup*.

Elle feuillette jusqu'à une double page. À gauche, on voit maman ado avec maman maintenant. Non, cela n'a aucun sens. À moins qu'il ne s'agisse de maman voyageuse spatio-temporelle.

– C'est grand-mère, ça ? demande Miri.

Ah. Elle est maligne, cette petite.

– Eh oui.

– On dirait exactement toi aujourd'hui, dis-je. À part les cheveux noirs.

– Oh oui, elle avait des cheveux superbes, noirs et épais. Je tiens les miens de mon père.

– Il est sur les photos ?

– Non. (La tristesse s'insinue dans sa voix.) Il se tenait à l'écart des histoires de sorcellerie. Il ne voulait pas gêner.

Lui, au moins, il a eu une chance de gêner. Pas comme papa.

Imaginez, si maman lui avait parlé – nous avait parlé à tous – de son Samsorta il y a des années, quand nous étions encore une famille unie. Nous quatre, blottis ensemble sur le canapé, en train de regarder les photos, de la taquiner, de rire, tout en sirotant un chocolat chaud au coin de la cheminée...

– Dis donc, maman, dit Miri, interrompant ma divagation

au pays de la réalité alternative, *moghol*, ça veut dire « grand-mère » ?

– On dit *moga*.

– C'est ce que je disais.

– Tu as dit « moghol », fais-je en ricanant.

– N'importe quoi. Photo suivante, *please*.

Sur la page suivante on voit maman ado... avec un garçon. Un garçon qui la regarde avec adoration.

Un sourire de petite fille apparaît sur son visage.

– Ça, c'est Jefferson Tyler.

Tiens doooonc.

– Et c'est qui, ça, Jefferson Tyler ?

– Mon tout premier petit copain, dit-elle.

Impossible.

– Tu as eu un petit copain avant papa ? fais-je d'une voix suraiguë.

– Mais oui, ma chérie.

Miri et moi, nous examinons la photo. Il a les cheveux bruns, courts et bouclés, et un grand sourire.

– Il est mignon, dis-je.

– C'est un sorcier ? demande Miri.

– Ouaip.

C'en est trop.

– D'autres hommes, d'autres noms... mais *qui* es-tu ?

Maman claque de la langue.

– J'ai eu une vie avant votre naissance, vous savez.

C'est ce qu'on dirait !

– Et tu es sortie avec lui combien de temps, au juste ?

– Je ne sais pas... Cinq ans, peut-être ?

– Quoi ? fais-je dans un cri perçant.

– Nous nous sommes rencontrés quelques mois avant mon Sam, et nous sommes restés ensemble jusqu'à mes dix-huit ans, par là.

– C'est une éternité, dit Miri en repliant ses jambes sous elle. Je n'en reviens pas que tu ne nous aies jamais parlé de lui !

– Tu l'as revu depuis ? Tu l'aimais ? Vous avez...

J'allais dire « couché », mais je me rends compte que je ne veux pas connaître la réponse. Pas du tout. Berk. Du coup je propose à la place :

– ... rompu ?

Ce qui n'a aucun sens. Évidemment qu'ils ont rompu.

Miri se moque de moi.

– Non, ils se sont mariés.

– Il voulait se marier, dit maman. Mais je voulais faire des études.

– Pas possible, dis-je. Je n'arrive pas à croire qu'un autre type t'ait demandée en mariage avant papa. À dix-huit ans. Hiii !

– Les choses étaient différentes à l'époque. Les sorcières se mariaient jeunes. Je voulais m'excommunier du monde de la sorcellerie ; il voulait s'y impliquer de plus en plus... Ma mère voulait que je l'épouse, bien sûr.

– Pourquoi ?

Miri ouvre des yeux comme des soucoupes.

– Elle voulait m'épargner les problèmes qu'elle avait rencontrés en épousant un norcier. C'est un...

– On a pigé, dit Miri en hochant la tête. Un non-sorcier.

– Voilà. Mais je voulais explorer toutes les possibilités.

– Et là, tu as rencontré papa, dis-je.

– Et là, j'ai rencontré votre père.

Aucune de nous ne dit mot. Nous pensons toutes : « Et voyez quelle réussite ça a été. » Du moins, c'est ce que moi je pense. Pour ce que j'en sais, elles pensent à des soutifs rembourrés. Ou à ce qu'a bien pu devenir Jefferson Tyler, car est-ce que ce ne serait pas super si après toutes ces années ils se revoyaient, retombaient amoureux et se mariaient ?

Trop cool.

Ouais, ouais, je sais, ça fait cinq mois maintenant qu'elle a un amoureux sérieux – tellement sérieux qu'elle lui a même raconté notre petit secret de sorcières –, mais quand même. C'est teeeellement romantique.

Il faut trouver Jefferson Tyler ! Il est peut-être sur Mywitchbook.

– Mais pour en revenir aux Samsortas, dit Miri, comment tu savais quoi faire ? Tu as eu un prof ?

Maman pousse un grognement.

– J'ai dû prendre des leçons, c'était affreux. À l'École des charmes.

Je rigole.

– Ça s'appelait vraiment l'École des charmes ?

– Non, le nom officiel était Charmori, mais tout le monde l'appelait comme ça.

– Ouah, fait Miri d'un air rêveur. Et c'est où, Charmori ? À New York ?

– En Suisse.

– Tu ne nous as jamais raconté que tu étais allée en Suisse, grommelle Miri.

– Mais, Miri, elle ne nous a jamais raconté quoi que ce soit. C'était une sorcière ! Évidemment qu'elle est allée en Suisse. Elle a sans doute visité tous les pays du monde.

Mais je me reconcentre sur le sujet.

– Tu faisais du ski ?

Maman éclate de rire.

– Je n'étais pas là pour skier ; j'étais là pour apprendre.

Quelle fayote.

– Il y avait des chocolats ? Je parie qu'il y avait de bons chocolats.

– Tu parles le brixta ? demande Miri. Dis quelque chose en brixta.

– Je ne crois pas que je me souvienne de grand-chose, dit-elle.

– Oh, allez ! lui dis-je. Dis « bonjour ». Tu sais dire « bonjour », quand même.

Elle ferme les yeux.

– *Kelli. Fro ki fuma imbo oza ge kiro ?*

La ferme ! Je lui presse le bras.

– Qu'est-ce que ça veut dire ?

– « Bonjour. Puis-je avoir encore un chocolat ? »

Vous voyez ? Je le savais.

– Cool, dit Miri.

– Une perte de temps, oui. J'ai passé plus d'un an à apprendre le brixta. Je ne m'en suis plus jamais resservie. À mon avis, toute la cérémonie du Samsorta est inutile. On n'obtient pas plus de pouvoirs ni de droits. Ce n'est pas comme passer le permis de conduire. On n'est pas plus sorcière après. Ce n'est qu'une exhibition publique.

– Alors pourquoi est-ce que les gens le font ?

Elle hausse les épaules.

– C'est une manière de se faire connaître du monde de la sorcellerie. De se lier avec d'autres sorcières.

Nous feuilletons en silence le reste des photos. C'est peut-être un gros gâchis, mais en tout cas elle est glamour. La robe somptueuse, le gros trait d'eye-liner noir, le chignon élaboré.

Je veux être aussi glam' que ça.

Ai-je envie d'un Samsorta ?

Je veux m'habiller chic. Je veux qu'on me maquille et qu'on me coiffe et qu'un garçon me regarde avec adoration. Mais le garçon dont je veux qu'il me regarde avec adoration, c'est Raf. Et comment pourrait-il venir à ma fête de sorcière s'il ignore que j'en suis une ?

Il ne peut pas. Alors, franchement, quel intérêt ?

Et à part ça, ai-je envie d'apprendre une nouvelle langue, puis de me soumettre à un rituel de zombies bizarre à la chandelle dans un cimetière pour Halloween ?

Pas des masses.

Je regarde de nouveau ma montre. Presque minuit ! Si je ne vais pas me coucher bientôt, c'est moi qui aurai l'air d'un zombie demain.

– Ne les recache pas dans ton placard secret, dis-je à ma mère en désignant les albums. J'aimerais les regarder encore. Mais il faut que je dorme. Et toi, Miri, tu as préparé ta tenue de rentrée ?

Elle lève les yeux au ciel.

– Contrairement à toi, je ne suis pas obsédée par mon look. Et, au fait, tu as rendu sa couleur d'origine à mon édredon ?

– Quoi ? Faut que je file !

– Rachel ! C'est une horreur !

Quelle pleurnicheuse.

– Tu ne le verras pas dans le noir.

– Tu as jusqu'à demain.

– Sinon ?

– Sinon je zappe ta chemise et tu te baladeras en édredon.

– Hou, je te crois, va.

Maman étire les bras au-dessus de sa tête.

– Pourquoi ton édredon a-t-il changé de couleur, au juste ? Qu'a fait ta sœur ?

– Chut, fais-je en embrassant Miri sur le front et ma mère sur la joue. Aucun souci.

4 FIASCO EN TROISIÈME

– J'adore ton nouveau chemisier, me glisse ma meilleure amie Tammy alors que nous entrons dans l'auditorium de JFK pour la réunion de bienvenue. Tu l'as acheté quand ?

– Mais la semaine dernière ! J'étais avec toi.

Son visage se crispe de perplexité.

– Ce n'est pas le haut que tu as acheté avec moi. Il était rouge. Le tien est bleu.

Houlà.

– Ah oui, euh, j'ai oublié. Je l'ai finalement pris dans une autre couleur.

– J'aime bien, dit-elle.

– Tu es sûre ? Parce qu'il était chouette aussi en blanc. Et en rouge. Et en doré.

– C'est trop tard, maintenant.

Ou pas. Je peux toujours filer aux toilettes avant la sonnerie. Sauf que Tammy risquerait de croire qu'elle a des hallucinations colorées.

À la seconde où nous entrons dans l'auditorium, mon

radar-à-Raf s'allume. Où est-il ? Où est donc ce choubibi ? Choupinou ? Choupipi ?

Hi-hi, j'ai dit « pipi ».

Faut que je me reprenne ! Je me dois d'agir en femme mûre, maintenant que j'ai un amoureux.

J'adore dire ça. Un amoureux. Ou, comme on dit en espagnol, que j'ai, si j'en crois mon emploi du temps, en deuxième heure, *mi amor*. Mon amour. Doit-on dire à son copain qu'on l'aime au bout d'un mois, seulement ? Ou convient-il d'attendre qu'il le dise en premier ? J'aimerais bien qu'il existe un manuel des amoureux au lycée, histoire de vérifier. Je parie que la question serait traitée dès le chapitre 1.

C'est lui ? Nan. Là ? Non plus. Attendez, le voilà, le voilà ! Il est installé dans l'angle de droite de l'auditorium avec un groupe d'amis.

Si !

Pourquoi est-ce qu'il ne lève pas les yeux ? Ne devrait-il pas être équipé d'un radar-à-Rachel ? Je devrais fabriquer un sort pour ça. En attendant, dois-je aller le voir ? Penserait-il que je le poursuis ? Je veux dire, on s'est vus pratiquement tous les jours depuis la fin de la colo. Mais est-ce que ça veut dire qu'on est censés s'asseoir ensemble pendant la réunion d'information ? Les amoureux doivent-ils prendre place côte à côte ?

Ce serait traité dans le chapitre 2.

Que faire, que faire ? Aller m'asseoir à côté de lui ou non ? Je regarde mes chaussures. Je regarde au plafond. Salut, lampes halogènes. Je rebaisse les yeux. J'ai mal au cou. Et si la transition de petit copain d'été à petit copain de lycée était trop bizarre pour lui ? J'a vu *Grease*. Je ne veux pas avoir à lui demander où est passé le Danny Zuko que j'ai rencontré à la plage. Encore que je n'aie pas rencontré Raf à la plage.

Mais une veste des Pink Ladies, ce serait chouette, quand même.

– Raf est là, dit Tammy en ouvrant la main et en pointant le doigt, ce qui est le signe pour dire « Allons par là » en plongée sous-marine.

Tammy a appris à plonger l'an dernier et de temps en temps elle aime à communiquer par pantomime amphibie. Ça ne me dérange pas. Si jamais je tombe dans l'océan, au moins je saurai comment dire aux gens que je me noie.

– Ah oui ? dis-je en feignant de n'avoir rien remarqué. Où ça ?

– Quelle menteuse ! Tu l'as repéré à la seconde où on est entrées.

Je m'esclaffe. Elle me connaît par cœur. À part mon côté sorcière.

– On y va ? Je ne voudrais pas avoir l'air de le traquer.

– C'est ton *petit ami*. On ne peut pas traquer son fiancé. Je suis sûre qu'il a envie d'être à côté de toi.

Tammy a une conception très mature des petits copains, principalement parce que le sien, Bosh, est très mûr lui-même. Il est en première année de fac. Il est à l'université de Pennsylvanie, mais ils se téléphonent et s'envoient des SMS aux moins dix fois par jour.

Tammy est assez mûre dans tous les domaines. Il n'y a pas grand-chose qui la déstabilise. Ses relations amoureuses. Ses relations amicales. Ses deux belles-mères. Ouais, elle en a deux. Son père s'est remarié, et sa mère s'est remariée... avec une femme. Et tout le monde s'entend bien. Ils sont partis en vacances ensemble cet été. En croisière. C'est pas dingue, ça ? Mes parents ne partiraient jamais en vacances ensemble. Enfin, ils le faisaient quand ils étaient mariés, évidemment, mais ils ne le feraient plus aujourd'hui.

Nous allions parfois skier à Stowes le week-end. Les trajets en voiture étaient infernalement longs, mais c'était marrant, on chantait à tue-tête sur des airs de comédies musicales et on jouait à faire de la géographie.

Et ensuite nous partagions tous une chambre d'hôtel, et on se moquait de mon père parce qu'il gardait ses chaussettes pour dormir.

Imaginez-nous tous les quatre – non, plutôt tous les sept (nous quatre plus Lex, le copain de ma mère ; Prissy, ma demi-sœur ; et ma belle-mère enceinte) – partant en croisière aujourd'hui. Pas possible. Je ne peux même pas nous imaginer tous les sept et demi dans la même pièce plus de quatre secondes et demie. Encore moins une semaine sur un bateau.

Raf lève les yeux et me sourit.

Pâmoison.

Je m'imagine très bien passant une semaine sur un yacht de croisière avec Raf. Je m'imagine passant une semaine en canoë avec Raf.

Hourra ! Il porte la chemise marron ! Celle qu'on a achetée ensemble ! Il doit vouloir que je le trouve sexy. Et il l'est. Ce sourire ! Ces yeux ! Ces lèvres !

Non mais sérieusement, il a des lèvres superbes. Douces, sucrées, parfaites. C'est l'homme qui embrasse le mieux de tout l'univers. Non pas que j'en aie embrassé tant d'autres que ça. Rien qu'un. Le frère de Raf. À l'époque de toute cette histoire de sort magique d'amour raté. Mais enfin bref. Raf embrasse incroyablement bien, alors qu'il est plus jeune que Will et moins expérimenté.

La seule autre qu'il ait jamais embrassée, c'est Melissa Davis.

Je fais la grimace. Quand on parle du loup... Je repère ses cheveux roux flamboyant à quelques rangs à peine de Raf. Je devrais vraiment lui jeter un sort isolant pour qu'elle ne puisse plus l'approcher à moins de vingt pas.

Elle est assise à côté de mon ex-PP (ex-pire pote), Jewel. Jewel, qui m'a larguée l'an dernier et remplacée par Melissa.

Melissa me jette de sales regards. Des sales regards roulés-dans-la-boue-et-sautés-aux-ordures.

Elle se penche pour dire quelque chose au groupe de filles assises devant elle. Un groupe de terminales. Je reconnais Cassandra Morganstein du défilé de mode de l'année dernière (en fait, c'était plutôt un spectacle de danse avec podium et fringues de créateur). L'année dernière, j'ai mis à profit la magie de Miri pour m'octroyer un don pour la danse et obtenir un rôle. Malheureusement, j'ai en quelque sorte gâché le spectacle lorsque j'ai trébuché et décapité la tour Eiffel. C'est une longue histoire. Le point positif, c'est que c'est là que Raf et moi avons fait connaissance. Bref, tout cela est dirigé par deux terminales chaque année, et cette année Cassandra est l'une des deux. Cassandra a des cheveux blonds incroyablement bouclés. C'est superbe vu de loin, mais terrifiant en gros plan : elle les sculpte avec tellement de gel que chaque boucle ressemble à une arme spiralée. Je m'efforce de l'éviter dans les couloirs de peur de perdre un œil. Aujourd'hui elle est tout en rouge : haut rouge, jean rouge, bottes rouges : visiblement, elle a adopté le look monochrome typique de London Zeal, l'odieuse réalisatrice du défilé de mode raté de l'an dernier. Dieu merci, elle a eu son bac en juin, celle-là.

Tammy la remarque aussi.

– Regarde Cassandra, me dit-elle. Je te parie qu'elle est en train de se proclamer chef de meute.

Chef de meute, chien femelle, chienne...

Bon, j'arrête là.

Je garde la tête baissée. Cette année, je vais garder mes distances avec les gens du défilé de mode. Ce ne sont que des peaux de vache, tous très beaux, et extrêmement intimidants. Tous, sauf Raf. Lui n'est que très séduisant. Peut-être qu'il ne voudra pas défiler cette année.

Pendant que nous traversons l'auditorium, j'ai l'impression qu'on m'observe. À moins que ce soit ma grosse tête qui parle. Je me demande si le fait d'avoir une grosse tête a le moindre rapport avec le fait d'avoir un gros ego. Ça vaudrait une étude scientifique, peut-être bien. Je proposerai ça en chimie, j'ai cours juste après le déjeuner. Est-ce bizarre d'avoir hâte de faire de la chimie ? Ça m'a l'air marrant. Vous savez, les potions qui bouillonnent, les tubes à essais qui explosent, tout ça.

J'inspire profondément et prends un moment pour me regonfler. Tu es fabuleuse ! Tu es fabuleusement belle ! Ton nouveau chemisier est extraordinaire ! Tu as Raf ! Tu as Tammy ! La vie est belle.

Plus que vingt pas avant d'atteindre Raf. Quinze pas. Dix pas ! Et maintenant, qu'est-ce que je fais ? Dois-je le saluer d'un baiser ? Sur les lèvres ? Sur la joue ? Vous le saurez en lisant le prochain numéro !

En préparation, je fouille dans mon sac et dépose sur mes lèvres une touche – oh, si subtile ! – de mon gloss à la cerise. Miam.

Cinq pas.

Et si je l'embrasse et qu'il ne s'y attend pas et que mon baiser finit en l'air et que tout le monde se marre ? Ou s'il ne veut pas m'embrasser devant ses copains ? Et si je l'embrasse et qu'il est horrifié et qu'ensuite il me déteste et me largue ce soir par téléphone ? Ou tout de suite ? Oh Seigneur, et s'il me larguait là tout de suite en plein auditorium ? Et Melissa rigolerait et rigolerait et ensuite je devrais sortir de la pièce en courant car de grosses larmes rouleraient sur mes joues et j'aurais la morve au nez et je sortirais en courant mais je n'y verrais plus clair et je me casserais la figure et il y aurait un gros silence dans la salle et je serais obligée de me tuer ? Alors, hein ?

Un pied.

Nous y voilà. Et...

Raf m'embrasse. Sur la bouche.

Pas à pleine bouche, mais il m'embrasse. Un baiser avec la langue serait déplacé dans ces circonstances. Je n'ai pas besoin de manuel pour savoir ça. Bref, son baiser annonce à tout le monde que je suis sa petite amie.

– Salut, me dit-il après ce contact labial. T'es belle.

Je. Suis. Belle. Le bleu était le bon choix.

– Merci, dis-je en m'asseyant à côté de lui. Toi aussi tu es beau.

Il me fait un clin d'œil.

– J'ai mis la chemise exprès pour toi.

Il est pas parfait ? Si, totalement parfait !

Je me demande si on peut s'embrasser chaque fois qu'on se croise. Voyons. Ça ferait au moins un baiser par jour, chaque matin. Plus toutes les fois où on se croise dans les couloirs. Plus au déjeuner. Donc mettons, cinq fois par jour ? Est-ce qu'on va s'embrasser pour se dire bonjour cinq fois par jour ? Attendez un peu, il faudrait s'embrasser pour se dire bonjour *et au revoir*. Pas seulement bonjour. C'est ce que font les couples, pas vrai ? Si on reste ensemble jusqu'à la fin du lycée, ça fait encore deux ans. Donc disons dix mois de cours par an sur deux ans, cela fait vingt mois, vingt jours par mois, ça nous fait quatre mille baisers. Plus, mettons, au moins deux baisers par week-end, cela nous fait en tout quatre mille cent soixante baisers ! Et je n'ai pas encore compté les étés. Plus les baisers supplémentaires pour les anniversaires (plus que trois jours avant le mien, yahou !), la Saint-Valentin et les commémorations.

Ça fait beaucoup de baisers, tout ça. Il va me falloir encore du gloss.

Tammy est en math niveau avancé, comme moi. Je lui invente des formules délirantes quand elle s'ennuie. Elle va adorer celle-ci.

– Rachel !

Je lève les yeux en entendant héler mon nom. Mais je ne vois pas d'où vient l'appel. Je l'entends de nouveau.

– Rachel ! Rachel Weinstein !

Oh non.

Oh non.

Oh non, oh non, oh pitié non.

Wendaline est au milieu de l'auditorium et elle me fait des grands signes. Elle porte la même tenue qu'hier. Collant noir. Kimono noir. Chapeau noir. Ômondieu.

– C'est Halloween, ou quoi ? persifle quelqu'un.

Je fais volte-face pour voir qui a parlé. Cassandra. Formidable.

Que fait Wendaline ? Elle est folle ? Elle essaie de faire de l'humour ? Elle essaie de me détruire ?

– C'est qui, ça ? demande Raf.

– Je reviens tout de suite, fais-je entre mes dents, les joues en feu.

Je la rejoins en toute hâte, l'attrape par le bras et suis sur le point de la traîner dehors lorsque Mrs Konch, le proviseur, tapote son micro.

– Pouvez-vous tous vous asseoir, s'il vous plaît ?

Que faire ? Je la change d'un coup de baguette ? Non. Les gens le verraient. Et si ses frusques étaient enchantées ou je ne sais quoi ? Et qu'elles explosaient ?

Je lui enlève son chapeau et le lui tends en lui ordonnant à l'oreille :

– Mets ça dans ton sac et ne le ressors plus. Tu as compris ? Tu ne le ressors *plus*.

Je suis tentée de la planter là afin que personne ne l'associe avec moi, mais à la différence des gens du défilé de mode, je ne suis pas si méchante.

– Attends, mais... je n'ai pas les cheveux tout aplatis par le chapeau ?

Elle secoue ses longues boucles.

Et c'est ça qui l'inquiète ? À bout de nerfs, j'emmène ma nouvelle amie surprise vers mon groupe.

– Assieds-toi, lui dis-je avec autorité.

Elle s'exécute. Je ne la regarde absolument pas. Comment peut-elle ignorer que sa tenue est strictement inacceptable ?

Comment est-ce possible ? Et alors qu'hier ses yeux charbonneux me semblaient jolis, aujourd'hui ils me paraissent juste... impossibles.

Cassandra et compagnie ricanent derrière nous. Je me retournerais bien pour la fusiller du regard, mais je ne veux pas attirer encore plus l'attention.

– Hé, toi, la raille Cassandra. La fille en toge noire !

Wendaline se retourne.

– Moi ?

Oh, super.

– Ouais. Tu l'as achetée où ? (D'une voix sirupeuse.) On ne voit pas ça tous les jours.

– Merci ! gazouille Wendaline.

Cassandra se passe la langue sur les lèvres.

– Tu vas à un bal costumé ?

Wendaline a l'air perplexe.

– Non, pourquoi ?

– Parce que tu as l'air d'une sorcière.

– Ah ça, c'est que... (à mesure que la voix de Wendaline continue, mon cœur sombre)... je *suis* une sorcière.

5 RÉPARATION EXPRESS

Elle ne vient pas de dire ça. *Elle ne vient pas de dire ça !* Elle ne vient pas d'annoncer à tout le bahut qu'elle est sorcière.

Peut-être que je l'ai imaginé.

Oui. J'ai dû l'imaginer. Ma cervelle de sorcière me joue des tours de sorcière.

– Pardon ? fait Cassandra d'une voix chargée de répulsion.

– Je disais : je suis une sorcière. Enchantée. (Elle tend la main.) Je m'appelle Wendaline. Je suis nouvelle. J'entre en seconde.

Cassandra la regarde fixement. Visiblement, elle ne sait pas bien si elle se trouve face à une dingue ou si elle se fait mener en bateau.

– Mais bien sûr.

Elle chasse de son épaule une boucle rigide et se détourne.

Ses copines ricanent.

Ce n'est pas bon, ça. Pas bon du tout. Wendaline vient de se mettre à dos la nouvelle star numéro un du lycée. Je sais ce que c'est d'être détestée par la star numéro un. Ça craint.

Mrs Konch traverse l'estrade. Je m'enfonce dans mon siège et compte les secondes jusqu'à la fin de la réunion.

Pendant tout le speech de « bienvenue/faites un bon accueil au nouveau prof de SVT/prière de ne pas laisser les vaches entrer dans le gymnase rénové cette année », j'ai les épaules tellement crispées qu'elles me rentrent pratiquement dans les oreilles. À la seconde où on nous dit de rejoindre nos salles de classe respectives, je marmonne « À plus » à Tammy et à Raf et repousse Wendaline dans son siège.

Je respire un grand coup.

– Bien, explique-moi, veux-tu, pourquoi tu t'es habillée comme ça ?

– Quoi ? La toge ?

– Oui ! La toge ! La toge de sorcière ! Au lycée ! On n'est pas à Poudlard, ici ! On est au lycée JFK ! À New York ! Pourquoi tu t'habilles comme ça ?

Ses yeux sont écarquillés d'ahurissement.

– Parce que... parce que... Miri trouvait ça chouette !

– Miri ? Ma sœur ?

– Ben oui !

Un frisson me traverse tout le corps.

– Ne prends jamais de conseils mode auprès de ma sœur. Jamais. Et tu peux me dire ce qui t'a autorisée à penser que tu pouvais porter ce chapeau ?

Elle serre son sac contre elle.

– J'avais les cheveux en pétard.

La première sonnerie résonne et je secoue la tête. Cette fille me met complètement hors de moi.

– Bon, et plus important, pourquoi avoir dit à Cassandra ce que tu lui as dit ?

Je ne veux même pas prononcer le mot à haute voix. Pas ici. Trop risqué.

– Comment ça ?

Cette fille a vraiment besoin qu'on la prenne entre quat'z'yeux.

– Faut qu'on entre en classe. Viens me retrouver au déjeuner, d'accord ? Je t'expliquerai tout.

– D'ac. Merci, Rachel.

– De rien, dis-je, magnanime. En attendant, ne dis à personne d'autre que tu es... (je baisse la voix)... une sorcière.

– Mais...

– Il n'y a pas de « mais ». Oh, et puis il faut vraiment que tu te changes !

Je reste avec elle jusqu'à ce qu'il ne reste plus que nous dans l'auditorium, je me concentre sur elle et je déclame :

Qu'à nos yeux, je vous prie, cette tenue se dérobe,
Que cette toge ici même soit transformée en robe !

Une bouffée de froid et... zap ! Je sais que je ne suis pas tout à fait réglo avec la magie, mais je n'ai pas le choix. Je n'ai plus qu'à espérer que la robe qu'elle obtient était pendue à un cintre et non sur une pauvre fille qui se retrouve en sous-vêtements.

La toge se transforme en longue robe-chemise noire. Très bien ! Elle porte toujours ses leggings, mais le haut a des petites manches ballon et un joli décolleté.

– Magnifique !

– Oui, mais...

– Qu'est-ce que je t'ai dit ? Il n'y a pas de « mais ». On va être en retard !

Je l'attrape par le bras et la traîne entre les portes battantes, le long du couloir à présent vide, et dans l'escalier.

– Tu vas là, lui dis-je en indiquant la salle 303. Je sais, ce n'est pas logique qu'elle soit au deuxième étage, mais c'est comme ça à JFK ! On se voit au déjeuner !

– Mais, Rachel...

– Y a pas de « mais » !

Je lui fais un signe de la main, grimpe l'escalier suivant à toute vitesse, traverse le couloir en courant, et me rue dans ma nouvelle classe et dans le siège vide à côté de Tammy juste avant la seconde sonnerie.

Ouf !

– Dis donc, dit Tammy en me lorgnant des pieds à la tête. Tu t'es changée ?

Je baisse les yeux. Je porte la toge de Wendaline sur mon jean. Mais en bleu.

Je soupire. Au moins, je ne suis pas en sous-vêtements.

– Je peux te piquer une frite ? me demande Tammy.

Il est onze heures du matin, c'est-à-dire malheureusement, pour les secondes et les premières, l'heure du déjeuner. Qui peut bien déjeuner à onze heures, je vous le demande ? Le lycée pourrait au moins appeler ça l'heure du brunch. Tammy et moi sommes à la cafèt' en compagnie de la très sérieuse

Janice Cooper, de la toute joyeuse Sherry Dolan, et de la très pulpeuse Annie Banks. Sérieusement, ses seins sont énormes. On dirait des pastèques géantes. Et ma jalousie est à l'avenant : géante. Bref, à nous cinq on forme une sorte de bande depuis l'année dernière. Mais pas une bande de vilaines. Pas du tout. Nous sommes gentilles, intelligentes, en dessous de la catégorie des stars, et fières de l'être.

Sauf que je suis un peu star quand même – on va dire que par rapport à la catégorie A, je suis A moins –, maintenant que je sors avec Raf. Parce que lui, il est star. Et quand on sort avec une star, ça déteint automatiquement un peu. Mais tout ça m'est bien égal, de toute manière.

D'accord. Ça ne m'est pas égal. Ça m'intéresse, mais juste un peu.

– Prends-en autant que tu veux, dis-je en poussant mon assiette vers elle. Je te préviens, elles ne sont pas terribles. Plutôt molles.

Je palpe ma tenue avec précaution pour vérifier qu'elle est encore là. Après la première heure, j'ai réussi à transformer ma toge en une minirobe plus indiquée. La personne qui s'est retrouvée avec la toge ne va pas apprécier (et va sans doute se demander ce qu'il lui arrive), mais bon. Il fallait bien que je fasse quelque chose.

– Tu veux encore du ketchup ? demande une nouvelle voix.

Tout le monde sursaute autour de la table. La voix émane de Wendaline, qui n'était pas à table il y a deux secondes. Mais qui s'y trouve à présent.

Elle a décidé de me donner une crise cardiaque, ou quoi ?

– Ouap, purée ! glapit Sherry. D'où tu sors ? Tu m'as fouty la pétochy !

Sherry adore mettre des « y » partout. Elle a tendance à en fourrer ici et là dans la conservation, quitte à en ajouter à des mots où ils n'ont rien à faire. Un peu comme la langue de feu, mais en moins créatif. Ça ne m'étonnerait pas que son vrai prénom soit Cher et qu'elle l'ait transformé en Sherry rien que pour agacer.

Tammy tousse et attrape son jus de pomme.

– Je crois que j'ai avalé une frite !

Il faut que ça cesse.

– Wendaline, je peux te parler en privé une seconde ?

– Bien sûr, dit-elle. Tu veux aller où ? Un endroit bien ? En ville ? Privé comment ? Je peux nous téléporter à...

C'est pas vrai, mais c'est pas vrai !

– Wendaline. *Non.* Allons juste à l'autre bout de la cafèt' une seconde, d'ac ?

Je désigne la fenêtre du menton.

Elle m'emboîte le pas.

– Quoi ?

Je pose les mains sur mes hanches, furieuse.

– C'est quoi, l'idée ?

– Comment ça ?

– Tu t'habilles comme ça ! Tu dis à tout le monde que tu es une sorcière ! Tu surgis en pleine cafétéria ! On ne fait pas ce genre de trucs au lycée !

– Pourquoi pas ?

Pourquoi ? Pourquoi moi ?

– Parce que ! Tu ne veux quand même pas que tout le monde sache que tu es une sorcière !

Elle cligne des yeux. Et recligne. *No comprendo.*

– Mais je *suis* une sorcière.

– Moi aussi, dis-je en articulant bien. Mais ça ne veut pas dire que je veux le crier sur tous les toits.

– Pourquoi pas ?

– Comment ça, pourquoi pas ?

– Ben, pourquoi pas ?

– Parce que... parce que... parce que...

Excellente question. Pourquoi pas ?

– Parce que tout le monde serait au courant !

Elle lance ses bras en l'air.

– Et alors ?

– Alors !

J'ai l'impression qu'on tourne un peu en rond, là.

– Pourquoi est-ce que les gens ne seraient pas au courant ? me demande-t-elle. Je suis bien une sorcière, non ?

– Je sais. J'ai compris. Mais vois-tu, eux, non. Ils n'ont jamais entendu parler de sorcières auparavant.

– Comment est-ce possible ? demande-t-elle. Il y a des centaines de séries télé, de films, de livres sur les sorcières ! On ne parle que de nous dans les médias ! Il faut vivre sur une île déserte pour n'avoir jamais entendu parler des sorcières.

– Wendaline, ce n'est pas parce qu'ils ont regardé *Ma sorcière bien-aimée* qu'ils *croient* à la sorcellerie. Tu as déjà vu *Ghost*. Est-ce que tu crois aux fantômes pour autant ?

Elle semble abasourdie.

– Tu n'as jamais rencontré de fantôme ?

Est-ce qu'il y aurait un mur dans le coin ? Pour que je puisse me taper la tête dessus ?

– Wendaline, avant que ma sœur ait reçu ses pouvoirs, je ne savais pas que les sorcières existaient pour de vrai. Je n'avais jamais rencontré de vraie sorcière.

Elle n'a pas l'air de me croire.

– Jamais ? Et l'*Hexaton*, alors ?

– Le quoi ?

– Tu n'es jamais allée à l'*Hexaton* ?

– Je n'ai même jamais entendu parler de l'*Hexaton*.

– Tu rigoles. Il faut que je t'y emmène ! C'est trop marrant. Toutes les vieilles sorcières mondaines y prennent leur thé. J'y vais depuis que j'ai six ans !

– Je ne savais pas que j'étais sorcière quand j'avais six ans.

– Ben, moi non plus, mais j'y allais quand même. Enfin, je savais que je deviendrais une sorcière. Pas toi ?

– Non ! Je ne m'en doutais absolument pas ! Je ne connaissais pas l'*Hexaton* ! Je ne connaissais pas le brixta ! Je ne connaissais pas les moghols ! Ou les mogis. Bref. C'est ce que je me tue à t'expliquer ! Ma mère ne nous a jamais parlé de magie. Je n'avais pas la moindre idée ! Comme tout le monde ici. Si tu leur dis que tu es une sorcière, ils vont te prendre pour une dingue. Tu comprends ? Une dingue.

Elle promène son regard dans la pièce, puis pousse un soupir.

– Eh bien, peut-être que je me fiche de ce qu'ils pensent. Je ne vais pas cacher qui je suis.

Elle a vraiment un problème, cette fille.

– Tu ne veux pas avoir des amis ?

– Bien sûr que si.

– Ça ne risque pas d'arriver si les gens savent que tu es une sorcière.

– Mais pourquoi ? me demande-t-elle, visiblement très exaspérée.

– Parce que soit on te prendrait pour une folle et on t'enfermerait à l'asile, ou alors, si on te croyait, on t'enfermerait pour t'étudier ! Te disséquer, même ! Ou alors on t'enfermerait parce qu'on aurait une trouille bleue de toi !

– C'est idiot. Pourquoi aurait-on peur de moi ? Jamais je n'utiliserais ma magie pour faire du mal à quelqu'un. Je suis une sorcière blanche.

Grise ? Blanche ? Qu'est-ce qu'elle a avec les couleurs ?

– Ça veut dire quoi, ça ?

– Que j'emploie ma magie à faire le bien. Ou du moins, j'essaie.

– Écoute, fais ce que tu veux. C'est ta vie. (Ou ton enterrement.) Mais ne dis à personne la vérité sur moi. Personne n'est au courant ici, et ça me plaît comme ça.

Je jette un regard vers ma table et remarque que tout le monde nous regarde en se demandant ce qui se trame.

– Et j'apprécierais vraiment que tu ne dises pas non plus à mes amis que tu es une sorcière. Parce que s'ils te croient – et seulement « si », et il n'y a aucune chance –, alors ils risquent de me soupçonner aussi. Compris ?

– Comme tu veux. C'est toi l'experte. Mais je dois dire que tout ça me paraît un peu bizarre.

Un peu bizarre ?

C'est vraiment l'hôpital qui se moque de la charité.

Au terme d'une première journée épuisante, je n'ai qu'une envie : me laisser tomber sur mon lit. Malheureusement, Miri est couchée sur ledit lit, *mon* lit, les jambes contre le mur en position verticale. C'est comme ça qu'elle réfléchit.

Je m'approche d'elle, les mains sur les hanches.

– Quoi ?

– Quoi « quoi » ?

– Qu'est-ce que tu veux ?

– J'ai pas le droit d'avoir envie de passer du temps avec toi ?

– Dis la vérité ou va-t'en. Je suis fatiguée.

– Bon... (Elle hésite.) J'ai envie de faire le Samsorta. Je veux qu'on le fasse toutes les deux !

Je pousse un gémissement.

– Ah bon ? Pourquoi ?

– Ça sera marrant ! On s'habillera chic et on se fera coiffer et maquiller ! On sera des débutantes ! On sera au centre de l'attention ! Tu adores être au centre de l'attention !

C'est vrai que j'adore être au centre de l'attention. Mais qu'a fait cette inconnue à ma sœur ?

– Mais pas toi. Alors, pourquoi veux-tu le faire, toi ?

– Hmm ?

– Tu détestes avoir l'air d'une princesse. Tu détestes être hyper-féminine. Tu fais du taekwondo. Explique.

– Quand on fait son Samsorta, on existe sur la carte.

Je me glisse sous les couvertures et pousse Miri contre le mur.

– Quelle carte ? Jamais entendu parler de cette carte.

– La carte des sorcières. Et je veux figurer sur cette carte. Je veux que les gens du monde de la sorcellerie sachent qui je suis.

– Ta carte a l'air de ressembler beaucoup à ma liste de vedettes du lycée.

– La question n'est pas d'avoir la cote, Rachel. C'est de compter. Je veux avoir ma place dans ce monde de sorcières. Et pour la première fois de ma vie...

– De tes treize ans.

– Pour la toute première fois, je crois que je pourrais vraiment m'intégrer.

C'est tout ce que je souhaite à ma sœur. Bien sûr.

– Alors fais-le. Tu n'as pas besoin de moi.

Elle pâlit.

– Bien sûr que si ! Je ne vais pas faire ça toute seule, t'es folle ?

– Pourquoi ? Ce serait très bien pour toi.

Elle secoue la tête.

– Je veux qu'on le fasse ensemble. Pour l'instant, c'est comme si on était membres d'un club, sauf que personne dans ce club ne sait qu'on est membres.

– Et personne à l'extérieur du club ne connaît son existence.

– Exactement ! fait-elle avec un sourire. Tu as tout compris ! Alors, tu le feras ?

Cimetière... Nouvelle langue... Encore du temps à passer avec l'étrange Wendaline... Se faire toute belle sans pouvoir se montrer à personne d'autre qu'à des sorcières...

– Je ne sais pas, Mir. C'est beaucoup de boulot, on dirait.

Beaucoup de boulot pour rien.

– Tu ne peux pas simplement rencontrer du monde sur Mywitchbook ?

– J'essaie ! Mais c'est dur ! S'il te plaît ? S'te plaît s'te plaît ?

Et si les sorcières parlent avec les morts ? Et si des zombies sortent des tombes ? Et s'ils ont tous des torses sans tête avec du sang qui gicle du cou ? Et si les vampires existent pour de vrai ?

– Mais ça a l'air d'un glauque...

– Mais pas du tout ! Ça sera magnifique ! On sera magnifiques !

Je ferme les yeux.

– Mais quel intérêt de me faire toute belle si Raf n'est même pas là pour me voir ?

– Et pourquoi Raf ne te verrait pas ? Il pourrait être ton cavalier !

Si seulement. Qu'est-ce qu'il serait sexy en costard ! Tellement sexy. Et bien sûr, il ne pourrait pas me quitter des yeux. Mais malheureusement, cela est strictement impossible.

– Miri, je ne peux pas inviter Raf à ma présentation de sorcière.

– Pourquoi ?

Allô, la Terre ?

– Parce qu'alors il saurait que je suis une sorcière !

– Eh bien, il saura. Et alors ?

Je fais sauter mon oreiller pour le retourner.

– Je vois que tu as parlé avec Wendaline.

– Elle n'a pas tort. Il n'y a aucune honte à être sorcière.

– Je n'ai pas honte. Mais simplement, je ne veux pas que Raf soit au courant. Je ne veux pas qu'il me prenne pour une cinglée. Ni qu'il ait peur de moi. Ni qu'il se dise que je l'ai envoûté avec un philtre d'amour.

– Tu parles du sort qu'on a jeté à Will sans faire exprès ?

Précisément.

– Par-dessus tout, je ne veux pas qu'il soit au courant de ça.

– Je te parie qu'il trouverait ça cool, dit-elle.

– Ou alors il me larguerait et il raconterait à tout le monde que je suis cintrée.

Miri se tait et je me demande si elle a renoncé. Mais c'est alors qu'elle ajoute :

– Il faudra bien que tu lui dises un jour.

Mon ventre se noue quelque peu.

– Non, jamais.

– Même si vous vous mariez ?

– Maman ne l'a jamais dit à papa.

– Et regarde le magnifique résultat. (Elle me regarde.) Elle l'a dit à Lex. Ça ne compte pas, peut-être ? Et une relation ne doit-elle pas être fondée sur l'honnêteté ?

C'est un bon argument. Mais qui sait si l'histoire entre Lex et maman durera ? Ça ne fait même pas six mois qu'ils sont ensemble. Et si leur relation refroidissait comme un chaudron inutilisé ? Que se passerait-il alors ?

– Peut-être, je dis bien *peut-être* que je lui dirai si on se marie. Ou si on se fiance, à la rigueur. Mais il n'est pas question que je lui en parle maintenant.

Pas question. On ne s'est même pas encore dit « Je t'aime ». Il faut bien que ces mots soient prononcés avant que je lui dise que je suis une sorcière.

– Non, pas question que je l'invite à mon Samsorta.

Elle me regarde avec de grands yeux remplis d'espoir.

– Ça veut dire que tu le feras ? Mais juste sans inviter Raf ?

– Quel intérêt, dans ce cas ?

– Moi ! dit-elle. C'est moi, l'intérêt. Tout ne tourne pas autour de Raf, dans la vie. Je veux qu'on le fasse ensemble !

Ouille. C'est une idée fixe.

Une seconde. Maman ne voudra jamais. Elle a dit que c'était un colossal gaspillage de temps et de magie. Et elle ne nous a même pas laissées regarder *un seul* des films de la série des *Halloween*. Jamais elle ne nous laissera batifoler avec des morts-vivants.

– Bon, d'accord, dis-je. Si tu y tiens vraiment, je le ferai.

– Alors, c'est oui ? répond-elle, triomphante. Cent pour cent oui ?

Je hoche la tête. Heureusement que je suis sûre à deux cents pour cent que maman dira non.

6 OPÉRATION SAMSORTA

Nous effectuons une manœuvre d'approche dans la cuisine.

– Maman, commence Miri. On a réfléchi à quelque chose.

– Oui, mon cœur ?

Elle est en train d'éplucher un avocat pour faire une salade. Miri me donne un coup de coude pour m'encourager à continuer.

– On voudrait participer au Samsorta, dis-je en me glissant sur une chaise de cuisine.

Maman en laisse tomber son tranche-avocat.

– Depuis quand ?

– Depuis qu'on en a entendu parler, dit Miri.

– Oui, dis-je en m'efforçant de garder une voix neutre et dénuée d'émotion. (Salut, Robot-Rachel !) Ce-se-rait-marrant.

– Rachel, allons, dit maman en se remettant à préparer la salade. C'est une de ces choses qu'on dit parce que ça a l'air amusant, et puis on s'en lasse en moins d'une semaine.

Exactement ce que je pensais. Pas question.

– Tu te souviens du piano électronique ? continue-t-elle. Tu disais que tu voulais prendre des cours, on t'a acheté le piano, et tu n'en as joué qu'une fois.

Je me penche par-dessus la table.

– Je n'arrivais jamais à me rappeler toutes ces notes.

Maman ouvre un sachet de salade, qu'elle verse dans un grand saladier blanc. Un saladier qui fait parfois office de chaudron.

– Et le taekwondo ? Tu voulais en faire, on t'a acheté la tenue, tout ça pour que tu décides que finalement tu voulais faire de la danse classique. Et on se rappelle tous ce qui t'est arrivé au cours de danse.

J'ai fait pipi par inadvertance dans mon tutu pendant un plié. Que dire ? La danse, c'est pas mon truc. Mais c'est sympa de sa part d'en reparler.

– Qu'est-ce que tu essaies de dire, au juste ? Tu me traites de dégonflée ?

– Tu n'as pas trouvé chausson de danse à ton pied... Et le Monopoly, tu te souviens ? Tu ne parlais que de cela. Monopoly par-ci, Monopoly par-là, Jewel a un Monopoly, je veux un Monopoly. On a fini par te l'acheter, et tu n'as jamais fini une partie.

– Mais ça, c'est parce que les vingt premières minutes sont marrantes, et ensuite on ne fait que tourner en rond pendant des heures !

Minute. Pourquoi est-ce que je me justifie ? Je n'ai même pas envie de faire le Samsorta ! Je demande uniquement pour faire plaisir !

– Tout ce que je dis, c'est que je ne pense pas que le Samsorta soit une bonne idée. C'est un engagement sérieux.

Je me réjouis. En silence, bien sûr.

Miri a l'air toute déçue.

– Mais je n'ai pas laissé tomber le taekwondo, moi ! J'en fais toujours !

Maman farfouille dans le frigo et en sort une tomate et un poivron vert.

– Je sais bien, ma chérie, mais tout de même. C'est beaucoup de travail. Et tout ça pour quoi ? Juste pour recevoir la lettre d'information ?

Mimi se ragaillardit.

– Quelle lettre d'information ?

– Oh, vous savez, tout ce qui se passe dans le monde des sorcières. Pas moyen de se désabonner. Elles vous retrouvent où que vous soyez. C'est franchement irritant.

– Et où sont-elles, ces lettres d'information ? demandé-je.

Maman hausse les épaules.

– Dans le placard à produits d'entretien.

Il faut vraiment que j'aille jeter un œil dans ce placard. Qui sait ce qu'il y a d'autre là-dedans ? Des diamants ? Une nouvelle voiture ? Pas de squelettes, j'espère.

– Ce n'est pas seulement pour la lettre d'information, dit Miri. Même si j'aimerais bien la voir. C'est pour faire partie d'une communauté.

Maman ouvre le robinet pour rincer ses légumes et élève la voix pour couvrir le bruit de l'eau.

– Précisément. C'est bien le problème. C'est trop mondain. Après ton Samsorta, toutes les sorcières savent qui tu es. Tu es sorcière au vu et au su de tout le monde. Tu ne préférerais pas voler à l'insu des radars, pour ainsi dire ?

Elle coupe l'eau, pose ses légumes de végétarienne sur la planche et se met à les découper.

– Miri, j'aurais cru que toi, surtout toi, tu serais contre. Ça gaspille beaucoup de magie. Est-ce que tu ne me disais pas justement hier soir que tu voulais être une sorcière grise ?

– Ouais, marmonne-t-elle. Je crois bien.

– Bien, alors oublions toutes ces histoires. (Elle verse les légumes dans le saladier.) Qui met la table aujourd'hui ?

Bravo, maman. Je préférerais garder nos squelettes soigneusement enfermés au placard.

Et qu'il n'y ait pas de légumes dans ma salade.

– Ça craint, dit Miri en donnant un coup de pied dans la porte de mon armoire.

– Tu peux toujours rencontrer des gens sur Mywitchbook. Plus marrant, moins de gâchis.

– C'est pas la même chose, chouine-t-elle.

– Non, sans doute. Désolée.

Je m'installe à mon bureau et ouvre mon livre de chimie.

– Vraiment ? Tu n'as pas l'air désolée, poursuit-elle avec un regard assassin. Tu ne t'es pas donné beaucoup de mal pour la convaincre.

– Parce que je ne meurs pas d'envie de le faire.

Bon, où en étais-je ? Ah oui. Page 1. Le tableau périodique des éléments.

– Je suis en première, moi. J'ai beaucoup de responsabilités. Si je ne me concentre pas sur ce graphique, je risque de faire sauter tout le lycée par accident.

– Ouais, ouais, c'est ça.

Elle est allongée sur mon lit à plat ventre.

Je la regarde du coin de l'œil.

– Comment ça ? Même pas une blague pour t'étonner que je n'aie pas déjà fait sauter le bahut ?

– Si tu veux.

Je vais la rejoindre avec ma chaise de bureau, qui n'est pas facile à faire rouler sur la moquette.

– Miri ! Je ne supporte pas de te voir aussi abattue ! Souris !

Elle tourne brusquement la tête pour me faire face. Sa lèvre inférieure tremblote.

Oh non.

– Miri, ne sois pas triste.

– Tout va bien.

– Ben non.

– C'est juste qu'on a déjà raté tellement de magie, que je ne supporte pas de rater ça aussi.

Elle n'a pas tort, je suppose. Je soulève mes pieds du sol et pose les talons en équilibre au bord du lit.

– Miri, si tu y tiens vraiment, tu peux la convaincre.

Elle lève les yeux vers moi.

– Tu crois ?

– Je t'aiderai à la persuader, mais moi, je ne tiens pas à le faire. Tu devras le faire toute seule. D'ac ?

– Tu m'aiderais ? Vraiment ? demande-t-elle, pleine d'espoir.

– Oui. (Ça sert à ça, les grandes sœurs, non ?) Viens que je t'explique ce que tu dois faire.

Nous sommes mardi (c'est-à-dire à deux jours de mon anniversaire !), avant les cours. Nous rôdons devant la chambre de maman, prêtes à nous embarquer dans l'opération Convaincre-maman-de-laisser-Miri-faire-son-Samsorta.

J'adore les opérations. (Pas les vraies, évidemment. Personne n'aime se faire charcuter. Sauf peut-être ceux qu'on voit dans les émissions du genre « Je veux ressembler à une célébrité ».)

– À vos marques ?

J'articule en silence.

– Prête ?

Une pause pour renforcer l'effet.

– *Go !*

J'ouvre la porte de maman et pousse Miri et son plateau de victuailles à l'intérieur. C'est l'heure du petit déjeuner au lit, et nous n'avons pas lésiné : tartines, confitures, muffins aux myrtilles, café, jus d'orange fraîchement pressé. Puis je me jette au sol afin que maman ne me voie pas. Comme je l'ai expliqué à Miri, un bon marionnettiste ne montre jamais ses ficelles.

J'inhale un mouton de poussière. Quand maman a-t-elle aspiré pour la dernière fois par ici ?

– Bonjour, fait Miri d'une voix chantante en posant le plateau au pied du lit. Je t'ai préparé ton petit déjeuner ! Tu es ma maman préférée au monde !

Comme je le lui ai expliqué hier soir, il existe cinq techniques pour manipuler ses parents au mieux : fayoter, présenter un raisonnement intellectuel, organiser un guet-apens émotionnel, promettre de passer plus de temps avec eux, et les embêter. Les meilleures attaques combinent au moins trois des éléments susmentionnés.

Pour l'instant, elle s'en tire plutôt bien côté fayotage. Je relève discrètement la tête pour observer le déroulement de l'action.

Maman ouvre un œil.

– Je suis ta seule mère au monde.

– Faux. J'ai une belle-mère. Elle compte. Mais c'est toi la mieux.

– Elle compte plus ou moins. C'est quoi, tout ça ?

Maman se redresse, s'adosse à la tête de lit et mord dans un muffin.

– Un gage de ma reconnaissance.

– Et pourquoi es-tu reconnaissante ?

– Parce que tu es merveilleuse. Et parce que tu vas prendre le temps de réfléchir à ce que je vais dire.

Maman hausse un sourcil.

– Oui ?

– Je voudrais que tu reviennes sur ta décision pour le Samsorta. J'y ai réfléchi toute la nuit, et c'est une chose que je veux vraiment faire. Hier soir, tu as pu avoir l'impression que l'idée venait uniquement de Rachel, mais ce n'est pas le cas. Rachel ne veut même pas le faire. C'est moi qui veux un Samsorta.

– Ah, dit maman entre deux bouchées. Je ne m'en étais pas rendu compte.

Miri me jette un regard hyper-détaché avant l'étape suivante.

J'articule en silence : « Raisonnement intellectuel ! »

Elle se retourne avec nonchalance.

– Je sais que tu ne veux pas t'impliquer dans la communauté de la sorcellerie, et je le respecte. Mais en tant que sorcière en pleine maturation, j'ai besoin de prendre cette décision pour moi-même. Et avant de prendre une décision, j'ai besoin de recevoir une éducation.

Vas-y, Miri l'intellectuelle, vas-y !

– Tu nous as toujours appris à commencer par rassembler les faits, et c'est ce que je m'efforce de faire. Apprendre. L'expérience du Samsorta serait une excellente occasion de m'instruire.

Maman pose son muffin.

– Je vois.

Miri se penche en avant, super-impatiente.

– Alors, je peux ?

– Laisse-moi le temps d'y réfléchir. Je ne dis pas non. Mais je ne dis pas oui.

Mimi hoche la tête d'un air solennel.

– Je comprends. Bonne journée. Je t'aime.

Elle me marche dessus en sortant.

Je glapis. En silence.

Maman sirote son café.

– Et dis à ta sœur de ne pas rester par terre.

Opération Convaincre-maman-de-laisser-Miri-faire-son-Samsorta, phase deux !

J'emprunte son portable à Tammy et me dirige vers l'escalier du lycée. Par chance, la fin de mon heure de déjeuner coïncide avec le début de celle de Miri. Je m'assure d'être seule sur les marches avant d'appeler ma sœur.

– T'es prête ? je lui demande. Remontée à bloc ?

– Je n'arrive pas à croire à ce que je vais faire.

– Tu veux faire ton Samsorta, oui ou non ?

– Oui, oui.

– Alors fonce. Mets-toi en téléconférence.

– D'ac, quitte pas.

Elle tape les numéros, puis nous entendons le salut chaleureux de maman :

– Soleil de miel, bonjour, Carol à l'appareil !

– M'man !

– Miri ? Tout va bien ? Où es-tu ?

Nous ne l'appelons jamais au travail pendant la journée et elle semble idéalement paniquée.

– Tout va bien. Je me demandais juste si tu avais réfléchi au Samsorta. Je veux vraiment le faire. J'adorerais rencontrer d'autres sorcières de mon âge...

– Miri, pas d'appels sur ton portable au collège ! Tu vas te le faire confisquer !

– Oh, ne t'en fais pas. Je suis dans mon coin spécial.

– Quel coin spécial ? Tu n'as pas quitté l'enceinte du collège, j'espère ?

– Bien sûr que non ! Je suis aux toilettes du deuxième étage. La cabine du fond. Quelquefois je viens déjeuner là. Tu sais, quand personne ne veut s'asseoir à côté de moi ?

Badaboum ! Guet-apens émotionnel ! Pile comme prévu. Sortez vos mouchoirs.

Ma mère s'étrangle.

– Oh, Miri.

– Ne t'en fais pas. Ça m'est égal. Bien sûr, les toilettes, ce n'est pas terrible comme table : ma brique de lait tombe parfois dedans. Mais ce n'est que quelques fois par semaine. Quatre au maximum.

On n'a même pas répété ! C'est de l'impro totale !

– Enfin bref, je vais te laisser travailler, conclut Miri. Je t'aime !

Nous raccrochons, et elle me rappelle tout de suite.

– J'étais comment ?

– Tu es faite pour ça.

– Je sais, t'as vu ? Tu crois qu'elle va céder ?

– Absolument. Après les cours, redis-lui à quel point c'est important pour toi. Dis-lui que tu te sens très seule et que ça te ferait énormément de bien.

Quelque chose clignote au pied des marches. Wendaline.

– Faut que j'y aille, dis-je entre mes dents. Ta copine sorcière se téléporte dans tous les coins. Dis à maman que je vais chez Tammy après les cours mais que je serai rentrée pour le dîner.

– D'accord. Je t'aime.

– Moi aussi. Attends... Mir ?

– Ouais ?

– Euh... tu ne déjeunes pas vraiment sur le siège des toilettes, si ?

Elle éclate de rire.

– Mais non, ne sois pas dégueu.

Je mets fin à la communication et fourre le téléphone dans ma poche arrière.

– Wendaline, il faut que tu arrêtes de faire ça en public !

Elle se frappe le front de sa main ouverte.

– Oups, désolée ! J'oublie tout le temps. Je volais partout à ta recherche. J'ai commencé par la cafétéria, mais tu n'y étais pas.

Super. Et si quelqu'un l'a vue ?...

– J'y étais encore il y a cinq minutes.

– Aucun souci. J'ai dû repasser chez moi chercher mes affaires de gym. Je les avais oubliées.

Par « passer », j'imagine qu'elle entend « se téléporter ».

– Alors, que dis-tu de ma tenue aujourd'hui ? me demande-t-elle en tournant sur elle-même.

Elle porte une jupe en tulle noir avec un col roulé en velours, un collant résille et des bottes noires.

– C'est mieux ?

– Mieux, dis-je.

Pas de beaucoup.

– Très gothique.

– Je sais ! C'est marrant, hein ?

– Et d'abord, où est-ce que tu les trouves, tes fringues ? Dans un catalogue pour sorcières ?

– Mais non, andouille ! Dans la 8e Rue. Chez ma cousine Ursula. Elle ne t'en a pas parlé ? Elle tient une boutique de vêtements et de bijoux. Elle a fait le FET et tout. Aucun souci.

– Le FIT, tu veux dire ? Le Fashion Institute of Technology ?

– Non ! le FET. Fantômes, enchantements et talismans. Un cursus de troisième cycle en sorcellerie qu'on peut suivre à Paris l'été. C'est elle qui a fait ça, dit-elle en tirant sur son pendentif. Tu aimes ?

– C'est un balai en argent ?

– Ouais ! Une amulette-balai ! Marrant, hein ? On peut en ajouter autant qu'on veut : grimoires, baguettes, chats...

– Mignon.

Du moins quand on veut que les gens vous prennent pour une tarée.

– Elle en vend des tonnes. C'est devenu très à la mode.

La première sonnerie retentit.

– Je monte, lui dis-je alors qu'un troupeau d'élèves s'engouffre dans la cage d'escalier. Et toi ?

– Je descends. Il faut que j'aille aux toilettes avant d'entrer en classe. Je n'avais pas compris qu'il fallait demander la permission pour y aller. C'est ridicule, non ?

Je m'esclaffe.

– Qu'il faille demander ou que tu n'aies pas été au courant ?

– J'ai tellement de choses à mémoriser !

Une vague d'air froid souffle dans le couloir et Wendaline disparaît.

Si seulement elle pouvait se rappeler qu'il faut emprunter l'escalier !

– Elle a dit oui ! hurle Miri lorsque je rentre de chez Tammy.

Elle se jette à mon cou.

– Hourra, hourra, hourra !

Nous exécutons une danse de victoire devant la porte.

– T'es géniale, m'acclame-t-elle. C'est la promesse de rapprochement qui a fini par la décider. Je lui ai dit qu'en faisant mon Samsorta je me sentirais bien plus proche d'elle ! Je suis si contente ! Tu es la meilleure frangine du monde entier !

– Je sais, dis-je en envoyant valser mes chaussures. Maman est là ?

– Non, elle est sortie dîner avec Lex. Elle nous a laissé de quoi acheter une pizza. Oh, et je t'ai pris des biscuits noir et blanc. Tes préférés. Tu en veux un ?

– Merci !

Dites donc, c'est chouette d'être appréciée. Je laisse tomber mon sac par terre près du placard et entre tête baissée dans la cuisine.

– Je suis surexcitée. Ça va être génial ! Je vais rencontrer des tas de gens ! Je vais avoir une vaste vue d'ensemble sur la magie ! Ce sera le couronnement parfait de mon entraînement.

Elle apporte à table une assiette pleine de biscuits et une tasse de chocolat fumant. C'est toujours chouette quand maman sort avec Lex. On prend le dessert avant le plat principal, Miri et moi.

– Au fait, dit Miri, je voulais te demander : ça se passe bien, ta formation ?

– Ma quoi ?

– Ta formation de sorcière ? Avec maman ? Tu sais, celle qu'elle m'a fait faire l'an dernier et que j'ai presque terminée ? Tu ne pensais quand même pas qu'elle te laisserait y couper, si ?

– Oh, bien sûr. La formation. Eh bien, on n'a pas vraiment commencé.

Je prends une bouchée de délice. Miam. Je ne vois absolument pas ce que ma mère pourrait bien m'apprendre ; j'ai l'impression d'être plus calée en magie qu'elle-même.

– Bientôt, peut-être.

– Je crois l'avoir entendue parler de commencer la semaine prochaine.

– Sérieux ?

Je prends une gorgée de chocolat chaud. Miam ! Miri a mis des mini-marshmallows dedans !

– Eh ouais. Je me suis beaucoup rapprochée de maman.

Je lève les yeux au ciel.

– Ça ne prend pas très longtemps, poursuit Miri. Seulement trois heures, ou à peu près.

J'attaque le biscuit numéro deux.

– Trois heures par semaine, ça va.

– Non, dit-elle avec force. Trois heures par jour.

Hiii ! Miri a passé tant de temps que ça à s'entraîner l'an dernier ? Ça n'a pas l'air très marrant.

– Je suis sûre qu'elle fera une version accélérée avec moi.

Je suis plus intelligente. Ou du moins, plus vieille.

– Peut-être. Dis, tu sais quoi ?

Je reprends une bouchée de biscuit.

– Quoi ?

– La préparation au Samsorta, ce n'est qu'une fois par semaine. Si tu la faisais, je parie que maman trouverait ça suffisant.

– Oui, mais alors, est-ce qu'il ne faudrait pas que je fasse mon Samsorta ?

– Bah, une fois la préparation faite...

Une seconde ! Les gâteaux, le numéro de « la meilleure frangine du monde », le raisonnement intellectuel malin, la menace de rapprochement parental... je tape des deux poings sur la table de la cuisine.

– Tu te sers de mes techniques de manipulation ! Contre moi !

Elle se couvre le visage du bras.

– M'man a dit que je ne pouvais le faire qu'à la condition que tu le fasses aussi !

– Miri !

– S'il te plaît, Rachel ! S'te plaît, s'te plaît ? Elle dit qu'elle ne veut pas s'inquiéter de me savoir là-bas toute seule. Elle pense que tu me garderas à l'œil et que tu m'empêcheras d'avoir de mauvaises fréquentations. Apparemment, je ne suis pas toujours très douée pour évaluer les autres.

C'est vrai qu'à cause d'elle on m'a volé mon corps cet été. Mais quand même.

– Je ne sais pas, Miri...

– Oh, s'il te plaît !

Elle ouvre les yeux tout grands, tout tristes.

– Je veux juste avoir quelqu'un avec qui passer du temps. Tu es allée chez Tammy après les cours. Maman est sortie avec Lex. Moi, je suis restée toute seule à la maison à regarder la télé. Toute seule. Une fois de plus.

– Arrête un peu.

– J'aimerais juste avoir des gens à qui parler, dit-elle de sa voix ultra-haut perchée, quand tu sors avec tes amis et que tu me laisses tomber.

Je pousse un grognement.

– Si tu n'arrêtes pas, je vais te faire manger ce biscuit aux toilettes.

– S'il te plaît ? Comment peux-tu me dire non après tout ce que j'ai fait pour toi ? Les megels, le sort de danse, le philtre d'amour, le...

– Tu vas me culpabiliser ?

– S'il te plaît ! S'il te plaîîîît !

Je sais que je finirai par regretter, mais... je crois que c'est vrai que j'ai une dette envers elle.

– Booooon, d'accord, Miri. Si c'est tellement important pour toi, on va faire notre Samsorta.

– Ouais ! (Elle donne un coup de poing victorieux en l'air.) Qu'est-ce qu'on va s'amuser !

Vous parlez d'une folie, sans Raf, dans un cimetière. Yahou.

– Qu'est-ce que je dois faire ?

– Rien, dit-elle joyeusement. Maman appelle l'École des charmes demain pour nous inscrire toutes les deux. C'est là que va Wendaline.

– Tu savais que je dirais oui, hein ?

Elle m'envoie un baiser.

– J'ai été à bonne école.

7 TOUJOURS SURVEILLER SES ARRIÈRES

Nous sommes mercredi (autrement dit, la veille de mon anniversaire), entre la deuxième et la troisième heure, et là je sais que nous allons avoir un problème.

Je repère Wendaline dans le couloir, vêtue d'une monstruosité à pois noirs et rouges, et je lui fais signe.

Elle me salue de la main.

Au moins, elle ne porte pas sa toge. Non pas que cet accoutrement vaille beaucoup mieux. Mais au moins, elle n'apparaît pas et ne se téléporte pas n'importe où. Pas de souc', pas vrai ? Tout est normal. Jusqu'à ce que je regarde, frappée d'horreur, un élève de première tendre son pied chaussé d'une Converse devant elle. Elle s'étale par terre. Un cahier à spirale et une trousse volent dans deux directions différentes.

Le garçon ricane. Ses copains rigolent.

Je me précipite sur le lieu du désastre et l'aide à se relever.

– Ça va ?

– Aucun souci. Je vais bien. C'est trop bizarre. Je n'arrête pas de tomber aujourd'hui. Je dois avoir un problème d'équilibre.

Quelle naïveté !

– Wendaline ! Ce n'est pas toi qui as un problème ! Ce crétin t'a fait un croche-pied !

– Non !...

– Mais si. Je l'ai vu.

Elle secoue la tête.

– C'était sans doute un accident, vu ? C'était un accident ?

– Euh...

Elle tressaille.

– Tu ne crois pas que c'était un accident ?

– Non. Je ne crois pas.

– Mais pourquoi me faire un croche-pied volontairement ?

Elle se baisse pour ramasser son cahier abondamment piétiné.

Je vois un papier jaune collé dans son dos. « Faites-moi un croche-pied », est-il écrit dessus au marqueur noir. Je le détache et le lui tends sans un mot.

Elle en reste bouche bée.

– Mais pourquoi me faire ça ?

Soupir.

– Par méchanceté.

– Mais pourquoi ? C'est tellement horrible ! Ça n'a pas arrêté de toute la journée ! J'ai les coudes en compote !

Elle se frotte le bras pour ponctuer son propos.

Je ramasse sa trousse tout aussi en compote par terre et l'attire dans une salle de classe vide. Je respire un grand coup.

– Wendaline, c'est à cause de ta façon de t'habiller.

Elle me regarde d'un air consterné.

– Parce que je ne suis pas en jean et tee-shirt comme tout le monde ?

– Ouais.

Elle lève les bras au ciel.

– Mais c'est ridicule ! J'ai le droit de m'habiller comme je veux !

– Bien sûr que tu as le *droit*. Mais peut-être que tu as tort de le faire. (Je désigne ma tenue : jean et tee-shirt.) Parfois, il vaut mieux se fondre dans le paysage.

– Mais c'est mon style, pleurniche-t-elle. Je ne veux pas me fondre dans le paysage. Je veux être moi-même !

J'agite le papier jaune.

– Être toi-même, ça veut dire te prendre des croche-pieds.

Elle m'arrache le papier et le froisse en boule.

– Plus à partir de maintenant.

– Fais gaffe, dis-je, mal à l'aise. Protège tes arrières.

– Au sens propre, apparemment.

Et, les épaules voûtées, elle s'éloigne à la hâte dans le couloir.

La cafétéria est particulièrement noire de monde à cause de la pluie qui tombe à torrents dehors. Quand il pleut à Manhattan, il ne pleut pas à moitié. Il tombe des hallebardes.

Des hallebardes. Qu'est-ce que c'est que cette expression zarbi ? Pourquoi pleuvrait-il des armes médiévales ? Si je devais inventer une expression dans laquelle il pleut autre chose que de l'eau, j'utiliserais au moins des êtres volants, par exemple des pigeons ou des moustiques.

Depuis notre table, je vois une fille de seconde heurter involontairement Wendaline dans la file d'attente.

– D'où tu la connais, Wendaline ? me demande Tammy qui a suivi mon regard.

Je tripote mon sac en papier alors que Wendaline fait volte-face en dévisageant l'autre seconde d'un air soupçonneux. Oh là là. Elle croit que tout le monde lui en veut, maintenant.

– C'est une vieille amie de ma famille, je réponds entre mes dents.

Je crains que ma vieille amie de famille Wendaline soit sur le point de péter un câble et de transformer l'innocente seconde en pigeon d'une milliseconde à l'autre.

Tammy boit son jus de fruits à la paille.

– Ah bon. C'est vrai que c'est une sorcière ?

J'en recrache presque mon sandwich. Teuheu, teuheu ! Au secours, je m'étrangle !

– Je connais la manœuvre de Heimlich et je n'ai pas peur de m'en servir, fait une voix bien connue derrière moi.

Raf.

– Ça va, dis-je rapidement en sifflant mon verre d'eau cul sec. Tout est arrangé. Salut. Pas de plateau ?

Il m'embrasse rapidement, s'installe à côté de moi et laisse tomber un sac en papier froissé sur la table.

– J'ai apporté mon déjeuner de chez moi aujourd'hui. Un reste de poulet au citron. Salut, Tam.

– Miam, j'adore la cuisine chinoise.

J'adore aussi parler de bouffe chinoise, du moment que cela détourne la conversation de Wendaline. Ce que je préfère, c'est le poulet façon Général-Tso. Délicieux. C'est ça que j'aurais dû commander hier soir au lieu de la pizza.

Je baisse les yeux sur les deux parts que j'ai apportées de chez moi. Parle, parle, Rachel, ne t'arrête pas.

– Je mange beaucoup trop de pizzas. Je vais finir transformée en pizza.

– Tu ferais une adorable pizza, dit Raf. Avec des yeux en chorizo et des lèvres en tomate. Je vais échanger avec toi, par mesure de précaution.

– C'est vrai ?

Tellement romantique. Il me tend sa boîte de poulet, je lui tends ma pizza – et mon cœur avec.

Ouais, je sais, c'est dégoulinant tout ça (ha-ha !), et ça m'est égal.

– Dis donc, Raf, dit Tammy. J'étais en train de demander à Rachel des renseignements sur l'amie de sa famille. Celle qui raconte qu'elle est sorcière, tu sais ?

Tammy ! C'est bon, remets-toi, maintenant !

– Wendaline est une vraie déconneuse, dis-je en agitant la main. Crois-moi. Elle plaisantait. Elle raconte tout le temps des blagues.

Ha-ha.

– Elle n'avait pas l'air de plaisanter, dit Raf en déballant ma pizza. Elle avait vraiment l'air de se prendre pour une sorcière.

– Elle plaisantait à cent pour cent.

Mon cœur bat comme un tambour. Si nous n'étions pas à l'endroit le plus bruyant du monde, ils l'entendraient à cent pour cent.

– C'est peut-être vrai qu'elle est sorcière.

Tammy hausse les épaules, comme si tout ce débat était sans grande importance, et non pas la conversation la plus terrifiante de mon existence.

Raf se marre.

– C'est ça. Et moi, je suis un vampire.

Ha-ha. Ha.

– Tu ne crois pas aux sorcières ? demande Tammy.

Mon cœur s'arrête carrément. Il ne bat plus. Je suis à peu près sûre que je suis morte à l'heure qu'il est, ou, au bas mot, dans le coma.

– Tu plaisantes ? lui demande Raf en faisant la grimace. Tu y crois, toi ?

Stop, stop, cette discussion doit cesser immédiatement. Je vais tomber dans les pommes.

– Je ne sais pas, continue Tammy. Peut-être. Pourquoi pas ? Ce n'est pas parce que j'ignore l'existence d'une chose qu'elle n'existe pas, n'est-ce pas ?

Raf prend une énorme bouchée de sa part.

– Je serais plutôt du genre « Je ne crois que ce que je vois ».

– Sérieux ? lui demande Tammy. Pas moi. Je pense qu'il se passe plein de trucs dont on ne sait rien. Comme dans l'eau. Quand tu vas plonger, tu découvres tout un monde dont tu ne soupçonnais pas l'existence depuis la surface. Des hippocampes ! Des seiches ! Des poissons perroquets ! Des barracudas ! C'est énorme. Tu es à bord d'un bateau, et la minute d'après tu te retrouves nez à nez avec un requin-marteau.

– Ouais, eh bien, je crois que je vais rester au-dessus de la surface, dit Raf en riant. Pas sûr de vouloir affronter un requin.

Est-ce qu'on me compare à un requin, là ? Je suis légèrement perplexe, mais soulagée que nous soyons passés à autre chose. Plus ou moins.

– Ils ne mordent pas, dit Tammy. Enfin pas très fort. Enfin bref, tout ça pour dire qu'on ne sait jamais. Si elle dit qu'elle est sorcière...

Oh, allez, Tammy ! On a changé de sujet ! Du requin-marteau, donne-moi encore du requin-marteau !

– ... alors c'est peut-être qu'elle l'est.

Wendaline a fini de faire la queue et se dirige à présent vers notre table. Elle ne peut pas s'asseoir ici. Non. C'est trop risqué. Le sang me monte brusquement à la tête. Et si elle leur raconte encore qu'elle est sorcière ? Non, si elle zappe un truc et qu'elle leur *prouve* qu'elle est sorcière ? Et si elle leur dit que j'en suis une aussi ? Et s'ils se mettent à avoir peur de moi ? Et s'ils s'imaginent que je vais mordre ?

Wendaline doit se faire ses propres amis et rester à distance des miens.

– Rachel, dit Raf en me tapotant le genou. Et toi, qu'est-ce que tu en penses ? Tu crois à la magie ?

Le sang. À la tête.

– Je... je... je...

Je crois que j'ai intérêt à intercepter Wendaline avant qu'elle prenne cette conversation en route et détruise ma vie. Je me lève comme une fusée.

– Je vais acheter un paquet de chips.

Je chope Wendaline et son plateau à mi-chemin. Je respire un grand coup pour me calmer.

– Wendaline ! Salut.

– Salut, Rachel ! Merci beaucoup de m'avoir sauvée. Ça fait une heure que je n'ai pas mordu la poussière, grâce à toi.

– Oh, ce n'est rien, dis-je faiblement.

– C'est la pire journée de ma vie. J'ai encore oublié le règlement pour aller aux toilettes et je me suis fait engueuler par Mr Stein !

Super, voilà qu'elle me fend le cœur à nouveau. Ce n'est pas en lui disant « S'il te plaît, ne viens plus t'asseoir à côté de moi » que je vais lui remonter le moral.

– Oh, j'ai une bonne nouvelle.

– Les bonnes nouvelles, j'aime bien.

– Miri et moi, on s'inscrit. On va faire le Samsorta !

– C'est vrai ? Génial ! Ça, c'est une bonne nouvelle ! On va pouvoir fêter ça ensemble ! On te prend à l'École des charmes ?

– Ma mère les appelle aujourd'hui.

Elle déplace ses mains pour bien tenir son plateau.

– Allons nous asseoir. Je meurs de faim et ce truc pèse une tonne.

Et voilà le moment fatidique.

– Attends. Il faut que je te dise un truc. (Je prends ma respiration.) Tu ne voudrais pas te faire plutôt des copines dans ta classe ? M'enfin, tu peux manger avec moi, bien sûr.

Mais je t'en prie, n'en fais rien. S'te plaît, s'te plaît ? Un « S'il te plaît » couronné d'une cerise confite et de chantilly ?

Elle hausse les épaules.

– Je n'ai pas parlé à grand monde dans ma classe.

– Tu devrais peut-être faire encore un effort. (Parcourant la salle des yeux, je repère les tablées de secondes.) Est-ce que tu reconnais des filles de ta classe ?

Elle montre du doigt un groupe de filles au look hyper-pointu. Je veux dire : balayages intégraux, jeans et tops de créateurs, le nez en l'air au point de pratiquement toucher les nuages, ou au moins le plafond.

– Elles, elles sont dans ma classe.

Hmm. Pas sûr que ce soit le meilleur départ.

– Personne d'autre ?

Elle regarde un peu partout.

– C'est tellement dur de distinguer tous ces gens. Ils sont tous habillés pareil. Ah, je crois que celles-là sont avec moi en arts plastiques.

Les filles qu'elle me désigne ont l'air un petit peu moins snobs. L'une d'elles porte un grand jupon mauve et une blouse assortie qui dénude l'épaule, l'autre a une grosse mèche rose dans les cheveux et un anneau argenté dans le nez. Jupon-Mauve est écroulée de rire à cause de ce que lui dit Mèche-Rose. Oui, voilà déjà un bien meilleur choix pour des amies potentielles. Puisqu'elles ne portent pas l'uniforme traditionnel de JFK, il est clair qu'elles sont déjà quelques degrés à l'ouest du tout-venant.

– Parfait, dis-je. Va les saluer. Dis-leur que tu es dans leur classe. Demande-leur si tu peux déjeuner avec elles. Si elles te parlent mal, tu ramasses ton plateau et tu viens déjeuner avec moi. D'ac ?

– D'ac. Merci, Rachel. Une fois de plus. Tu me sauves la vie.

Elle se redresse et fonce sur les filles.

– Attends ! dis-je dans un souffle. Wendaline !

Elle se retourne.

– Oui ?

– Ne leur dis pas. Pour... tu sais quoi. Pas pour l'instant. D'ac ?

– Mais... D'accord.

Je la regarde se rapprocher d'elles timidement.

– Salut, dit-elle. Je suis avec vous en arts plastiques. Je peux me joindre à vous ?

– Bien sûr, répond Mèche-Rose. Comment tu t'appelles ?

Oooh, trop mignon.

C'est vrai que je sauve des vies. Sauf que ce n'est pas celle de Wendaline que je m'attache à sauver.

C'est la mienne.

Miri se jette sur ma mère à la seconde où elle passe la porte.

– Alors ? Alors ? Qu'est-ce qu'ils ont dit ? On est inscrites ?

– J'ai une bonne et une mauvaise nouvelle, commence maman en posant son parapluie dégoulinant par terre contre la porte. Eh bé, il pleut des cordes, dehors !

– Il pleut des pigeons et des moustiques ?

– Hum, non, dit-elle en me jetant un regard perplexe. Ça devrait ? Tu n'as pas jeté un sort à la météo, quand même ?

– On peut revenir aux nouvelles, s'il vous plaît ? demande Miri.

– Bien, répond maman en retirant son imper et en l'accrochant. J'ai appelé l'École des charmes, mais les cours ont commencé en août dernier. Donc c'est trop tard pour cet automne, mais ils se font un plaisir de vous inscrire pour l'année prochaine.

Yahou ! Un an de répit. Je suis sûre que d'ici là, Miri aura oublié ce projet insensé.

– Oh non ! geint Miri d'un air déconfit. C'est *cette année* que je veux le faire. Wendaline le fait cette année, elle.

– Ce sera toujours aussi bien l'an prochain, dis-je. Même mieux, parce qu'on aura tout notre temps.

Au lieu d'écouter mes sages conseils, ma sœur déblatère toute seule.

– Il doit y avoir d'autres endroits pour faire cette préparation. C'est vrai, quoi, des sorcières du monde entier participent ! Il ne peut pas y avoir qu'une seule école. Je vais poser la question sur Mywitchbook.

Elle se précipite dans sa chambre.

Maman soupire.

– Elle est vraiment enragée, hein ?

– On dirait bien.

Est-ce que je suis une sœur horrible si j'espère qu'une improbable panne d'électricité la prive de sa connexion Internet ?

Au dîner, maman nous sert des *burritos* végétariens aux haricots noirs particulièrement infects. Je tente de faire disparaître le mien d'un « *Moosa !* », comme au dîner de Pleine Lune, mais l'assiette ne fait que passer de la table au comptoir de la cuisine.

Maman rit sous cape.

– Bien essayé.

Après l'avoir aidée à faire la vaisselle, je me retire dans ma chambre pour lire ma leçon d'histoire américaine. Bonjour, guerre de Sécession ! Je suis en train de rêvasser sur les robes à crinoline de Scarlett O'Hara lorsque Miri s'écrie :

– Lozacea !

– À tes souhaits ! je lui lance.

– J'ai trouvé quelque chose ! Il y a un endroit dans l'Arizona qui propose aussi des cours collectifs ! Et ça ne commence que la semaine prochaine ! Je les appelle tout de suite !

Maman et moi la rejoignons dans sa chambre pendant qu'elle compose le numéro.

Je monte sur son lit tandis qu'elle fait les cent pas, le combiné pressé contre son oreille.

Maman s'appuie au chambranle de la porte.

– Tu veux que je leur parle ?

Miri secoue la tête. Elle ne plaisante pas, ma sœur.

– Ça décroche. Allô ? Je m'appelle Miri Weinstein, et je vous appelle parce que ma sœur et moi voudrions nous renseigner sur vos cours de Samsorta... C'est vrai ? Vous avez de la place ? Formidable.

– Oui, on a toutes les deux nos pouvoirs. J'ai treize ans, et elle, quatorze.

– Quinze !

Plus qu'un jour ! Plus qu'un jour !

– Bien sûr, continue-t-elle. Ce serait très bien. Nous avons hâte de vous connaître, Matilda.

Elle raccroche.

– Youpi ! On est inscrites !

Elle se trémousse dans toute la pièce.

– Hum. Chouette ?

– Je meurs d'impatience ! glapit-elle en se pendant à mon cou. On va à Lozacea !

Maman croise les bras.

– Pas avant que je me sois renseignée.

– Ils ont très bonne réputation, lui assure Miri. Tiens, voilà leur numéro.

Maman prend le téléphone, compose le numéro et se retire dans le couloir.

Pendant ce temps Miri danse – si on peut dire – dans sa chambre. Manifestement, elle n'a pas non plus hérité d'un don pour la danse.

– On est inscrites ! crie-t-elle d'une voix stridente. Il suffit de réussir le test !

Euh. Je hausse les sourcils.

– Quel test ?

– Matilda, du bureau des inscriptions, m'a dit qu'elle devait juste vérifier qu'on avait bien nos pouvoirs. Apparemment, il y a des gens qui ont tenté de simuler. Elle passera dans la semaine.

Une interro surprise ? Merveilleux.

– Passer où ? Ici ? Au lycée ? Où ça ?

– Aucun souci !

Ouais, c'est ça. Je ne suis pas simplement inquiète. Je suis morte d'inquiétude. À vrai dire, je suis même franchement nauséeuse, là maintenant.

Mais c'est certainement à cause de l'im-moosable *burrito* aux haricots noirs.

8 UN AMOUR D'ANNIVERSAIRE

Joyeux anniversaire, moi ! Je me réveille en chantant en mon honneur. *C'est ma fê-te, et je chante si ça me plaît !*

J'ai quinze ans. Vachte, c'est vieux. Je suis à mi-chemin de mon adolescence ! À un an du permis de conduire. À trois ans du droit de vote. À six ans de la permission de boire. À douze ans du mariage ! (Oui, j'y ai beaucoup réfléchi, j'ai envisagé quelques formules, et je crois que vingt-sept ans est l'âge idéal pour se marier.)

Après ma douche d'anniversaire, j'enfile ma tenue d'anniversaire (ha, ha ! À ne pas confondre avec ma tenue de naissance, car je ne suis pas toute nue), mon jean préféré et un haut super, modifié par magie, et je me dirige tranquillement vers la cuisine.

– J'ai quinze ans ! je braille. Oyez mon rugissement !

Ma mère me sert une assiette de pancakes à la banane, mes préférés.

– Joyeux anniversaire, ma chérie ! Tu préfères ouvrir ton cadeau maintenant ou ce soir ?

– Hmm, ce soir, c'est très bien, dis-je, impassible.

Avant d'éclater de rire.

– Je veux l'ouvrir à la seconde même, qu'est-ce que tu crois ? Allez, fais péter le portable !

Elle me tend une petite boîte enveloppée de papier à rayures. Je le déchire et c'est... une paire de chaussettes.

Je rigole ! C'est un portable ! Un magnifique portable argenté tout petit !

– Yahouou !

Appelez-moi sur mon portable. Pardon, je crois que mon portable sonne. Enchantée ; tenez, voilà mon numéro de portable.

– Ce n'était pas une surprise, cette année, dit maman. Pas de folies avec tes appels et tes SMS. Vous partagez un forfait, Miri et toi.

– Maman chérie !

Je l'embrasse sur la joue.

Miri me tend un paquet-cadeau rectangulaire.

– À moi !

J'arrache le papier en deux secondes pour découvrir un adorable étui à portable rose décoré de strass.

– Parfait ! Merci, Miri ! Les plus beaux cadeaux de ma vie !

– Tu peux le changer s'il ne te plaît pas, me dit Miri. Il y a d'autres couleurs.

– Miri, je l'adore !

– Il est rembourré pour si tu le laisses tomber, dit-elle.

Je glisse le téléphone dans l'étui sur-le-champ. Fantastique. Je serre mon nouveau gadget contre mon cœur.

– Je ne le laisserai pas tomber ! Il est trop précieux !

– Juste au cas où, dit-elle. Compris ? Au cas où.

– Gna gna gni gna gna gna !

Elle s'adosse à sa chaise et attaque ses pancakes.

– Alors, qui vient ce soir ?

Ma mère m'a autorisée à inviter quelques personnes pour partager mon gâteau d'anniversaire, bien qu'il y ait école demain. J'aurais pu convier plus de monde samedi soir, mais nous allons chez mon père à Long Island ce week-end. Comme toujours, un week-end sur deux. L'inconvénient n° 107 d'avoir des parents divorcés. Je veux dire, j'adore mon père, tout ça, mais c'est vraiment râlant de rater toutes les sorties un week-end sur deux.

Parmi les inconvénients, au hasard : des parents qui ne sont plus mariés, un père qui ne vit plus à la maison, des problèmes relationnels à vie, et être boudinée de force dans une robe de demoiselle d'honneur rose genre meringue pour le remariage de vos parents, entre autres joyaux.

L'unique avantage ? Deux cadeaux d'anniversaire parentaux. Dont je recevrai le second samedi. Youpi !

– Allô allô ? dit Miri. Rachel ? Tu es encore parmi nous ? Qui est invité ?

– Oh, pardon. Raf, Tammy et Alison. Plus toi, Lex et maman, évidemment.

Bien sûr, ce serait chouette si j'avais pu inviter papa, Jennifer et Prissy, mais ça mettrait tout le monde mal à l'aise, surtout moi.

Elle promène une tranche de banane dans son assiette.

– Pas Wendaline ?

– Je préfère qu'on reste entre proches. J'aime bien Wendaline, mais elle fait des trucs de sorcellerie bizarres en public.

– Sois sympa avec elle, Rachel. Elle n'avait jamais mis les pieds dans une vraie école.

– Je sais, je sais, mais je préfère quand même garder un peu de distance entre elle et mes potes. (Je lui fais un clin d'œil.) Au cas où.

Je passe une journée grandiose. Comment le contraire serait-il possible ? C'est ma journée !

Des tas de gens me souhaitent un joyeux anniversaire. Tammy m'apporte un petit gâteau au déjeuner. Tous mes amis chantent.

Je ne laisse tomber mon portable que deux fois.

– Je ne savais pas que c'était ton anniversaire ! dit Wendaline en s'approchant de notre table pour me rendre une rapide visite.

Heureusement, ses nouvelles amies sont apparemment toujours là. Heureusement, elle ne leur a pas encore révélé son état de sorcière.

– Si j'avais su, je t'aurais envoyé un e-balai !

Tout le monde la regarde avec des yeux ronds. Je lui envoie un regard appuyé.

– Tu veux dire une e-carte, Wendaline ?

– Mais oui ! Une e-carte ! Pourquoi je t'enverrais un e-balai ? Ce serait plutôt étrange !

Et voilà exactement pourquoi elle n'est pas invitée ce soir. C'est vrai, quoi, ce n'est pas méchant ! Je ne la connais que depuis une semaine.

D'accord, je suis un peu vilaine, mais tant pis. C'est ma fê-te, et j'ai le droit d'être vilaine si je veux.

Joyeux anniversaire, Rachel... Joyeux anniversaire ! Meilleurs vœux !

Cette chanson, on ne s'en lasse pas, n'est-ce pas ?

Le tour de la pièce à cloche-pied, le tour de la pièce à cloche-pied, chante Alison.

De quoi parle-t-elle ? Je ne saute pas à cloche-pied.

Tu n'auras pas la paix, continue Alison, *tant que tu n'auras pas fait le tour de la pièce à cloche-pied !* Allez, Rachel, c'est une chanson que j'ai apprise en colo.

– Mais il n'y a pas de place pour sauter à cloche-pied ! C'est une cuisine new-yorkaise, ici !

– *Le tour de la pièce à cloche-pied ! Tu n'auras pas la paix tant que...*

Je repousse ma chaise et tente de faire le tour de la pièce à cloche-pied tout en évitant de marcher sur la queue de Tigrou.

Hmmmm. Il n'était pas gris, Tigrou ? Depuis quand est-il noir ? Depuis quand a-t-il pris dix kilos ? Ce chat aurait sérieusement besoin d'un régime. Ce chat a l'air d'avoir avalé Tigrou.

Attendez une minute. Ce n'est pas mon chat !

– Qu'est-ce que c'est que ça ? fais-je d'une voix stridente en le montrant du doigt.

Le gros chat noir a de grands yeux verts, le poil velouté, et il serre quelque chose de brillant entre ses dents.

– Comment un chat errant est-il entré dans l'appartement ? demande Tammy.

– Il doit être à un voisin, dit maman. Allez, dehors, minou minou ! Miri, tu peux lui montrer le chemin ? Qui veut du gâteau ?

Le chat frotte son petit nez contre ma jambe. Il est plutôt mignon. Mais qu'est-ce qu'il a entre les dents ?

Je m'accroupis. C'est un emballage cadeau rose. Devant, calligraphié en noir, on peut lire : « Rachel Weinstein ».

Hein ?

Qui peut bien m'envoyer un cadeau *via* un chat ?

Une sorcière. L'interro surprise ? Ce soir ? Ou alors... Wendaline ! Elle m'a envoyé un cadeau ! *Via* un chat !

– Je le tiens ! dis-je en le soulevant doucement et en l'emportant dans le couloir.

Il se blottit contre mon sein. Intelligent, l'animal : il a choisi le plus gros. Je retire le paquet de sa gueule, le pose par terre et vérifie son collier. « Clochette. » Oh, c'est une fille. Au verso, il est écrit : *Ne t'inquiète pas pour moi. Je suis envoûtée et retrouverai mon chemin !* Cette chatte doit appartenir à Wendaline. Qui d'autre annoncerait l'envoûtement de son chat au monde entier ?

Faut-il que j'envoûte Tigrou ? Remarquez, il ne sort jamais de l'appartement. Quel flemmard. À partir d'aujourd'hui, il fera toutes mes courses.

Quand j'ouvre le minuscule paquet, un ballon de baudruche rouge s'élève jusqu'au plafond. Puis un jaune. Puis encore d'autres, argentés, dorés, blancs et bleus.

Puis je sors une carte :

Joyeux anniversaire, Rachel !
Je te souhaite une journée magique !
Bisous et meilleurs vœux, Wendaline.

Enfin, je découvre un petit écrin noir. Je l'ouvre et trouve une breloque finement ciselée en argent, en forme de balai. Oooh, trop mignon. Quelle délicate attention ! Je ressens un pincement au cœur de ne pas l'avoir invitée.

Quel manque de tact de sa part, me faire culpabiliser pour mon anniversaire !

Il faut que je cache ce charme avant que Tammy, Raf ou Alison ne le voient. Et en plus, il faut que je me débarrasse de Clochette. Sauf que... où est passée Clochette ? Elle n'est plus par terre. Où se cache-t-elle ?

– Minou minou, Clochette ! fais-je à voix basse. Où es-tu passée ?

Pas de Clochette. Il faut croire qu'elle a disparu. Pourquoi est-ce que ça ne m'étonne pas ?

Tammy m'offre des livres (*La Mouche sur le mur*, *Nuits d'enfer au paradis*, le tome I des *Sorcières de Spence*).

– Ils parlent tous un peu de paranormal, explique-t-elle.

Allons, bon. Comme s'il n'y avait pas assez de paranormal dans ma vie.

Alison m'offre un adorable bas de pyjama en flanelle rose.

– Pour la colo, me dit-elle, même si je suis sûre que tu vas le porter toutes les nuits jusqu'à la prochaine colo tellement il est mignon et douillet.

J'attends qu'il ne reste plus que Raf pour ouvrir son cadeau. Ma mère et Lex sont dans la cuisine, en train de ranger ; Miri est dans sa chambre, à essayer de se faire encore des amies sur Mywitchbook ; et nous sommes blottis sur le canapé. J'ouvre d'abord la carte.

Chère Rachel,
Joyeux quinzième anniversaire.
Je te souhaite tout ce qu'il y a de meilleur.
Avec amour, Raf.

Ômondieu. Je relis la dernière ligne.

Avec amour, Raf.

Et encore : *Avec amour, Raf.*

Il a écrit : *Avec amour*. Amour ! Il m'aime ! Il n'aurait pas écrit ça s'il ne m'aimait pas, hein ? Je veux dire, je sais que c'est assez courant comme formule, mais quand même. *Avec amour*. Amour ! Il a bien dit « amour » ! Il m'aime ! Je coule un regard dans sa direction pour voir s'il attend une réaction. Que dois-je faire ? Manifester du bonheur ? De la joie ? Dois-je jeter la carte et crier : « Moi aussi, je t'aime ! » ? Ou peut-être : « Moi aussi, je t'aime et, au fait, je suis une sorcière. »

Non. Non !

Je ne lui dirai pas. *Jamais*.

Du moins pas avant que nous soyons fiancés.

Et d'ailleurs, il n'a pas dit « Je t'aime ». Il a juste signé la carte « Avec amour ». Comment savoir si ce n'est pas une pratique courante chez lui ? Peut-être qu'il signe toutes ses cartes « Avec amour ». Les cartes d'anniversaire. Les cartes d'anniversaire de mariage. Les cartes de Fête des mères. Évidemment qu'il signe ses cartes de Fête des mères « Avec amour ». Quel fils ne signerait ses cartes de Fête des mères « Avec amour » ? Un pauvre type. Et Raf n'est pas un pauvre type. Peut-être qu'il signe ses cartes de Fête des mères « Avec tout mon amour ». Ou « Avec amour, pour toujours ». Peut-être que « avec amour » est un cran en dessous. Mauvais signe ! Peut-être est-il en train de me larguer. Peut-être...

– Hum, Rachel ? me demande Raf en me pressant l'épaule. Tu n'ouvres pas ton cadeau ?

Ah oui.

J'ôte délicatement le papier rouge. Encore un écrin ! À l'intérieur, une fine chaîne en or, à laquelle est suspendu un petit cœur en or.

Ômondieu. Il m'a donné son cœur ! Sérieusement ! Il m'aime, absolument ! Je crois que je vais me mettre à pleurer !

– C'est magnifique, dis-je en clignant des yeux pour refluer les grandes eaux.

– C'est vrai ? Il te plaît ?

– Je l'aime...

(Non, toi ! Toi, je t'aime !)

Il m'aide avec le fermoir.

Et ensuite... eh bien, disons simplement que mes calculs étaient justes. Pour les anniversaires, il y a bien un supplément de baisers.

9 PAUSE FUTUR BÉBÉ

– Alors, qu'est-ce que tu vas faire tout le week-end ? je demande à Raf grâce à mon portable.

Miri et moi, nous sommes dans le train, en route pour Long Island.

– Te parler au téléphone ?

– Oui, mais à part ça ?

Pourquoi mon sac à dos a-t-il décollé du sol ? Je jette un coup d'œil à Miri et la vois agiter les doigts en direction de mes affaires.

– Arrête de faire du megel avec mes affaires ! je lui articule.

Elle me tire la langue.

– Mon père m'a demandé si je pouvais donner un coup de main au magasin demain, dit Raf.

Il parle de *Kosa Coats and Goods*, l'usine et boutique familiale de vestes en cuir. Ils fabriquent leurs propres vestes et les vendent à des chaînes de grands magasins comme *Saks* et *Bloomingdale's*.

– Ensuite, je vais à la fête chez Dave Nephron demain soir. Tu veux venir ?

– Ne remue pas le couteau dans la plaie. Tu sais bien que j'ai envie de venir.

Malheureusement, pendant que je serai coincée dans la chambre meringuée en jaune que je partage avec Miri chez mon père, Raf sera entouré de toutes les filles de JFK qui voudraient sortir avec lui. Genre Melissa Davis.

– Interdiction de parler aux autres filles, d'ac ?

Ômondieu ! Je n'en reviens pas d'avoir dit ça ! Je ne le voulais pas ! C'est Miri qui me déconcentre.

Il rit.

– Les autres filles ne m'intéressent pas, Rachel. Je me fiche complètement des autres filles qui seront à cette fête.

Mon cœur s'emballe.

– Il y aura Melissa à la fête. Elle t'intéressait, avant.

Je garde une voix légère et enjouée, mais bien sûr je crève d'impatience d'entendre ce qu'il va répondre. Nous n'avons jamais vraiment parlé de la raison pour laquelle il m'a choisie de préférence à elle.

Mon sac à dos recommence à léviter. J'agrippe les doigts de Miri et je serre fort.

– Ouille ! gémit-elle.

– Melissa n'est pas mauvaise, dit Raf. Mais simplement, elle n'est pas celle qu'il me faut.

– Et pourquoi donc ?

Je retiens mon souffle. Et les doigts de Miri.

– On n'est pas sur la même longueur d'onde, tu comprends ? J'étais avec elle parce qu'on se disait qu'on ferait un bon couple, pas parce qu'on en formait vraiment un. C'était superficiel.

Waouh. C'est la chose la plus intense que Raf m'ait jamais dite. Malheureusement, je n'ai pas toute la cervelle qu'il me faudrait pour traiter l'info, car Miri remue le bout du nez et fait en sorte que mon sac à dos vienne me frapper la figure.

– Rachel ? dit-il. Tu es encore là ?

– Une seconde.

Puis je chuchote à Miri :

– Qu'est-ce que tu veux ?

– Je m'ennuie.

– Une minute. Ensuite je raccroche. Cette conversation est très importante.

Elle croise les bras et s'enfonce dans son siège.

– Désolée, fais-je calmement. Revenons à nos moutons. Tu disais que Melissa était superficielle.

Il éclate de rire.

– Ce n'est pas elle qui est superficielle. Nous formions un couple superficiel. Toi et moi, on a quelque chose de plus... réel. Tu comprends ce que je veux dire ?

– Absolument, dis-je d'une voix douce. Quelque chose de réel. J'aime beaucoup ça, que ce soit réel et tout.

– Et moi je t'aime beaucoup, répond-il.

Je sens la chaleur envahir mon visage. Bon, d'accord, ce n'est pas « Je t'aime », mais pas loin. Juste à un mi-cran.

– Moi aussi, je t'aime beaucoup.

Je l'entends se racler la gorge. Ooh, trop mignon ! Il est gêné !

– Alors, tu reviens à quelle heure, dimanche ? demande-t-il.

– Vers les huit heures.

– Mais le week-end prochain tu seras là, pas vrai ?

– Ouais.

– On fait quelque chose samedi ?

– Rendez-vous est pris.

Miri me bourre les côtes.

– On a cours de Samsorta le week-end prochain.

Je couvre le micro du téléphone.

– Miri ! Tu écoutes ma conversation ?

Du moins je crois que c'est le micro. Je ne comprends pas encore complètement comment fonctionne ce machin.

– Apprends à régler le volume de ton téléphone, me rétorque-t-elle sèchement. C'est pas ma faute.

– Ça ne dure pas toute la journée, les cours de Samsorta, si ? fais-je à voix basse.

Elle secoue la tête.

– C'est de treize à seize heures.

Je lève les yeux au ciel.

– Super. Il y en a juste pour tout l'après-midi.

– Tu pourrais raccrocher, là, s'te plaît ? me supplie-t-elle. Je m'ennuie à mourir.

– Plus qu'une minute, je lui promets.

– Tu as dit ça il y a dix minutes ! Ça fait une heure que tu parles avec Raf ! crie-t-elle, pas très discrètement. On partage le forfait !

– Y a pas de risque que tu l'épuises, fais-je dans ma barbe.

Son visage se décompose. Oups ! Ça, c'était vraiment méchant. J'ai intérêt à raccrocher.

– Raf, je peux te rappeler plus tard ?

– D'ac. Bonne soirée.

– Toi aussi. Amuse-toi bien à la fête. Mais pas trop. Bye.

Je t'aime beaucoup. Je t'aime.

Bien sûr, je n'ai pas dit ça tout haut. Non, parce que j'ai beaucoup réfléchi à toute cette question du « Je t'aime », si je devrais le dire ou non, et j'en ai conclu qu'un cœur en or et une salutation sur carte d'anniversaire n'équivalent pas à un « Je t'aime ». J'en suis assez sûre. Enfin je n'en sais rien. Comment pourrais-je savoir ? Je ne suis pas un garçon. Je ne comprends rien au fonctionnement du cerveau des garçons.

J'aimerais bien que Miri soit un garçon. Comme ça, elle – je veux dire « il » – pourrait m'expliquer. Si Miri était un garçon, elle ne serait pas aussi sensible. En ce moment, elle ne serait pas en train de me faire la tête et de regarder fixement par la fenêtre.

Je devrais vraiment faire gaffe avec mes vœux bizarres. Imaginez, si elle se retournait et qu'elle avait la barbe ?

– Pardon, lui dis-je. C'était méchant, ce que j'ai dit. Sur le forfait. Et quand j'ai secrètement regretté que tu ne sois pas un garçon. Mais ne t'inquiète pas pour ça. J'ai annulé mon vœu.

Elle hausse les épaules mais refuse toujours de se retourner.

Je laisse tomber mon téléphone sur ses genoux.

– Tu vois ? J'ai raccroché. Je suis toute à toi. Parle-moi.

Toujours rien.

– Allez, c'est bon, quoi ! Je me suis excusée.

– Ce n'est pas toi, dit-elle. Tu as raison. Quel intérêt pour moi d'avoir un portable ? Je ne m'en suis pas servie une seule fois !

– Faux. Je t'ai appelée à l'école. Et tu m'as mise en téléconférence avec maman. Et tu as appelé Wendaline pour lui dire qu'on était en bas de chez elle. Ça fait trois personnes.

Elle se mord la lèvre.

– Le total de mes appels se monte à trois minutes.

– Tu veux me rappeler maintenant ? Je bavarderais avec plaisir. Ce voyage en train est parfaitement rasoir.

Elle me concède enfin un petit sourire.

– Miri, dis-je. Ton téléphone va sonner à s'en péter le micro à partir de la semaine prochaine. C'est pour ça qu'on fait ce Samsorta, non ? Pour que tu te fasses des amis !

Elle baisse les yeux sur ses genoux.

– Ce n'est pas juste les amis... Tu crois que j'aurai un amoureux un jour ?

Ômondieu ! Miri me questionne sur les garçons ! Abracazam !

– Tu craques pour quelqu'un et tu ne me l'as pas dit ? Raconte-moi absolument tout !

Elle vire au rouge tomate.

– Il n'y a rien à raconter. De toute manière personne ne craque pour moi au collège.

– Dans ce cas, ce sont des crétins. Au suivant ! Ou alors, on pourrait toujours pimenter un peu leur boisson ! On verse un philtre d'amour dans leur bouteille d'eau, hé, hé !

J'agite les sourcils de manière ultra-suggestive.

– Je sais à quel point tu aimes les philtres d'amour. Sinon, peut-être qu'on peut fabriquer ce parfum d'amour que maman a utilisé l'an dernier. Comme ça tu aurais des milliards de soupirants, tout comme elle. Ou alors...

– J'ai changé d'avis, dit-elle en me coupant la parole.

– Tu veux essayer le philtre d'amour ?

– Non, fait-elle en me rendant mon téléphone. Je veux que tu rappelles Raf et que tu me lâches la grappe.

À notre arrivée, Prissy, papa et une Jennifer enceinte nous attendent à la gare.

Non pas qu'elle ait l'air enceinte. Elle n'en est qu'à deux mois. Mais moi je le vois, je le jure. Sans doute parce qu'elle n'arrête pas de se frotter le ventre.

– Vous voilà ! hurle Prissy en bondissant comme si elle était sur un trampoline. On vous attendait, et j'ai faim, et...

– Bonjour, les filles ! dit papa en nous prenant dans ses bras. Vous m'avez manqué !

– On s'est vus il y a quinze jours, dit Miri en pouffant de rire.

Je lui tapote la calvitie. C'est ma façon à moi de lui dire bonjour.

– Deux semaines sans mes filles, c'est trop long, dit-il avant qu'on s'entasse dans la voiture.

– Comment tu te sens ? dis-je à Jennifer.

Elle ouvre sa fenêtre.

– Oh, ça va. J'ai un peu de nausées matinales, mais c'est très supportable.

– C'est une fille, maman ? demande Prissy.

Elle pousse un gémissement.

– Je te l'ai dit, ma chérie, je ne sais pas.

– Je veux une fille.

– Je sais, chérie, mais ça ne dépend pas de moi.

– Je ne veux pas de garçon. Pas de frères. Non.

Un frère, hein ? Peut-être que lui pourrait m'aider à comprendre un peu mieux les garçons. Mais pas tout de suite, évidemment. Dans quelques années.

Avec un peu de chance, avant que j'aie vingt-sept ans et que je me marie.

Les deux jours qui suivent passent aussi lentement qu'un balai cassé.

Mon père et Jennifer m'ont offert... un vélo.

– Oh !

Ce n'est pas un ordinateur portable. Même si je ne m'attendais pas vraiment à un ordi, c'est super-cher. Mais les vélos aussi ! Et j'ai besoin d'un ordi portable. Je n'ai pas besoin d'un vélo. Je n'aime même pas tellement faire du vélo. Mais comme je ne veux pas leur faire de peine, je tente de simuler l'enthousiasme.

– Génial ! Merci !

Mais quelle idée de m'avoir acheté un vélo !

– Je me rappelle que tu adorais faire du vélo, avant, dit mon père. Je me suis dit que tu pourrais faire des balades dans le coin. Je t'emmenais partout... (Il laisse sa voix s'éteindre, plongeant dans ses souvenirs.) Miri, on pourrait t'en offrir un pour Hanoukka, si tu veux. Pour que vous puissiez en faire ensemble, les filles.

Oh, je vois, elle a le choix, elle ? Elle pourrait peut-être se faire offrir un ordi, et on échangerait. J'ai l'air ingrate, pas vrai ? Mais c'est juste que je n'ai pas fait de vélo depuis un million d'années. (À part la fois où on est allées en ville en faisant voler notre vieux vélo jaune canari pour le transformer par magie en voiture. Mais ce n'était pas une balade de plaisir.) Mon père ne me connaît pas mieux que ça ?

Enfin bref. Un nouveau vélo. Youpi youpa.

Au lieu de faire du vélo, je passe le week-end à m'angoisser au sujet de l'interro surprise de magie qui me pend au nez. Ce sera quand ? Et si mon père est impliqué dedans ? S'il se fait transformer en crapaud et que je dois inverser le sort ? Surprise ! Tu es un crapaud ! Surprise ! Ta fille est une sorcière ! Aïe aïe aïe.

J'apprends aussi à taper des SMS sur mon portable. Je me mélange un peu dans les lettres, mais si le reste du monde y arrive, je peux y arriver aussi.

Mais comment se fait-il que je ne comprenne pas comment taper les espaces et la ponctuation ?

Je passe aussi beaucoup de temps à penser à ce que m'a dit Raf sur le fait que notre histoire est « réelle ». Sommes-nous réels ? Comment pourrions-nous l'être alors qu'il ne connaît même pas mon secret ?

Devrait-il connaître la vraie moi ?

Puis-je lui dire la vérité ? Après tout, il m'a plus ou moins dit qu'il m'aimait. Ou du moins, il a employé le verbe « aimer » en relation avec moi. Ça compte, non ?

Presque. Très bien, peut-être qu'il n'est pas encore prêt pour la vérité, mais un jour peut-être ?

Je lui envoie un SMS le samedi soir.

Moi : ctkomentlafete.

Raf : Pas marrant sans toi. Aujourd'hui c'était plus intéressant.

Moi : chétonpère.

Raf : Oui. J'ai dessiné une veste.

Je voudrais écrire « !!!! », mais comme je ne sais pas comment faire, je l'appelle.

– Tu as quoi ?

Il éclate de rire.

– Je ne sais pas, je gribouillais des croquis, l'un des stylistes est tombé dessus et ça lui a plu.

– Sérieux ?

– Ben oui. C'est marrant, non ?

– Non ! C'est trop cool !

Comment expliquez-vous que Raf sache créer une veste, et que moi je n'arrive même pas à faire un point d'exclamation ?

En posant mon sac dans mon casier le lundi matin, je ne peux pas m'empêcher d'être mal à l'aise. La seule idée de l'interro surprise de magie me rend toujours fébrile. Je passe toute la matinée à regarder par-dessus mon épaule. Vais-je me faire zapper au beau milieu d'une phrase ? Va-t-il me falloir un mot d'absence ? Et des accessoires ? Une tenue spéciale de sorcière ? Des chaussures de sorcière ?

Est-ce que ça existe, des chaussures de sorcière ?

Il y a bien des chaussures de golf et de tennis. Il doit probablement y avoir des chaussures de sorcière.

Des souliers magiques, peut-être ?

– Tu ne sais pas du tout quand elle va se pointer ? je demande à Miri ce soir-là.

– Aucun souci ! Dans la semaine.

– Mais quand ? En plein jour ? Le soir ?

– Aucun souci !

Si j'entends encore une seule fois « Aucun souci », je transforme l'expression en pagaie et je cogne ma sœur sur la tête avec.

Maman me dit de ne pas tant m'inquiéter. Elle est passée à Lozacea samedi pour voir comment c'était, et semble satisfaite.

Mais moi ? Je suis encore un paquet de nerfs tout le mardi et la plus grande partie du mercredi. Et ça n'arrange rien quand, environ quatre secondes après la sonnerie du déjeuner le mercredi, Wendaline m'aborde devant mon casier.

– Rachel, il faut que je te parle !

Elle porte une autre robe longue en velours noir et – oh là là – des gants en satin noir. Je soupire et lui fais signe de me suivre hors de la cafétéria, jusqu'aux toilettes des filles.

– Qu'est-ce qu'il y a ?

Elle me tend sa paume gantée. Dessus, il y a un crapaud.

Je hurle.

– Qu'est-ce que c'est que ça ?

– Un crapaud.

– J'ai vu, merci. Mais qu'est-ce qu'il fait là ?

Oh non.

– Tu n'as quand même pas transformé un prof en crapaud, hein ?

– Non ! Je te l'ai dit, je suis une sorcière blanche. Je ne ferais pas une chose pareille.

Croâ-ââ.

– Quelqu'un l'a mis dans mon casier.

Croâ-ââ.

– Quelqu'un a mis un crapaud dans ton casier ? fais-je, incrédule. Qui pourrait faire ça ?

– J'en sais rien ! dit-elle, et son visage s'assombrit. Ça pourrait être cette terminale, là. Celle qui s'habille toujours d'une seule couleur.

Mon cœur coule à pic.

– Cassandra ?

– Ouais. On a parlé de crapauds hier matin.

– Wendaline, comment se fait-il que tu aies parlé crapauds avec Cassandra ?

– Je suis obligée de passer devant son casier pour aller en SVT. Lundi, elle m'a dit que j'avais besoin de me faire couper les cheveux. Hier, elle m'a craché dessus.

– Non !

Elle caresse la tête de l'animal.

– Je lui ai demandé de me laisser tranquille.

Je pousse un gémissement.

– Mais là, elle a dit que si j'étais vraiment une sorcière, je l'arrêterais moi-même en la transformant en crapaud ou autre. Dis-moi, pourquoi les gens croient-ils toujours que les sorcières transforment tout en crapaud ?

Je hausse les épaules.

– Et alors, qu'est-ce que tu as fait ? Tu l'as transformée en crapaud ?

Je sais que ce serait une transgression de ma règle « pas de magie au bahut », mais cette gonzesse mériterait vraiment une petite crapaudisation.

– Bien sûr que non ! Je lui ai dit que j'étais une sorcière blanche.

Ah ouais, je suis sûre qu'elle va en faire dans son froc monochrome.

– Et alors ?

– Je suis partie. Et maintenant, je viens de trouver ça.

Croâ-ââ.

– Si tu veux qu'elle te fiche la paix, il faut que tu apprennes à te fondre dans le paysage.

Elle regarde dans sa main et soupire.

– Qu'est-ce que je dois faire ?

– D'abord, ne dis jamais à personne que tu es une sorcière. Et n'oublie pas : dès le moment où tu passes les portes de JFK, tu n'es plus une sorcière. Tu es une fille parfaitement normale. Compris ?

Elle ouvre la bouche pour dire quelque chose, puis la referme. Puis la rouvre.

– Très bien.

– Bon. Et il faut qu'on fasse quelque chose au sujet de ton look.

J'évalue sa tenue.

– Laisse-moi deviner, dit-elle. J'ai besoin d'un relooking.

J'observe tout l'ensemble : la robe extravagante, les gants extravagants.

– Non, mon amie, dis-je en passant le bras autour de son épaule. Il te faut un délooking.

Je prévois de passer le dimanche à faire du shopping avec Wendaline. Je la transformerais bien d'un coup de baguette magique, mais vu ce qui s'est passé la dernière fois, j'ai peur de finir on ne sait comment en robe à pois et gants de satin.

Quand vient le vendredi, j'espère que cette Matilda nous a complètement oubliées, moi et mon interro surprise. Désolée les gars, pas de Samsorta pour moi cette année ! Je reste sur la planète Déni pendant tout le déjeuner et jusqu'au cours de maths en dernière heure. C'est alors que la poubelle de recyclage explose dans un nuage de fumée rose.

Je pousse un hurlement. Évidemment. Puis je me demande : pourquoi est-ce que personne d'autre ne hurle ?

En regardant autour de moi, je découvre que personne ne *peut* hurler. Ils sont tous figés. Comme à la colo, quand le mono crie « Plus un geste ! » et que tout le monde doit rester dans la même position, et que le premier qui bouge débarrasse la table.

Lorsque le nuage rose se dissipe, j'avise une femme dans la poubelle à recyclage, en train d'arranger sa robe. Elle me fait un signe de la main.

– Salut, Rachel !

– Matilda ?

– Oui, c'est moi. Prête pour ton test ?

Elle plaisante ? Elle n'en a pas l'air. Elle a l'air de sortir bel et bien de la poubelle. Je recule ma chaise et me lève.

– Tout de suite ?

– Pourquoi, tu as des choses à faire ?

Je balaie du regard mes camarades figés.

– J'étais un peu en plein cours de maths, là.

– Ne t'en fais pas. Tu ne vas rien rater. Ta prof reprendra là où elle s'est arrêtée. Elle ne s'apercevra même pas qu'elle a été mise sur pause.

Sur pause, hein ? Cool ! J'ignorais qu'on pouvait mettre le temps sur pause. Je pourrais le mettre sur pause quand je n'ai pas fini une question dans un contrôle ! Je pourrais le mettre sur pause pour mon prochain anniversaire, afin de le faire durer plus longtemps ! Je pourrais mettre le temps sur pause en plein baiser avec Raf, puis essayer différentes positions pour l'embrasser. Il faut que je me trouve de ce machin rose.

– Je n'avais jamais vu personne mettre le temps sur pause.

– Et tu n'en verras jamais. C'est impossible. Je n'ai arrêté que les gens dans cette pièce. (Elle tire sur le lobe d'une oreille.) Écoute.

J'entends les klaxons des taxis à l'extérieur, ainsi que le bruit des élèves de l'autre côté du mur.

– Compris.

Donc ça ne marchera pas sur les contrôles ni sur les anniversaires, mais ça peut quand même fonctionner pour les baisers.

Matilda relève les manches de sa robe.

– Il n'y en a pas pour longtemps. Je dois juste m'assurer que tu as les qualifications requises.

Mon cœur accélère.

– Ça arrive que quelqu'un ne les ait pas ?

Et si je ne les ai pas ? Et si je n'ai pas vraiment de pouvoirs magiques ? Et si tout ce qui s'est passé ces quatre derniers mois n'était que le fruit de mon imagination ? Et si j'étais complètement folle ?

Est-ce que les fous savent qu'ils sont fous ?

Les gens sur pause savent-ils qu'ils sont sur pause ?

Sans doute que non dans les deux cas. Ômondieu. Est-ce qu'on m'a déjà mise sur pause ?

Elle hoche la tête avec gravité.

– Tu ne serais pas la première ici. Bon, voyons voir. En général, j'essaie de trouver les ingrédients sur place. Hmm. (Elle scrute méthodiquement la salle de classe.) Je vois de la craie.

Des règles. Des calculatrices. Ta prof a peut-être une pomme. Les élèves n'apportent pas des pommes à leurs professeurs ?

Je hausse les épaules.

– On est à New York.

Puis je me demande qui ne s'est pas qualifié. Quelqu'un dans cette classe ? Quelqu'un à JFK ? Miri ? Elle a intérêt à se qualifier.

Matilda ouvre le tiroir du bureau de Miss Barnes et farfouille dedans.

– Qu'est-ce que vous faites ? dis-je, paniquée. Vous ne pouvez pas fouiller dans son tiroir !

Hum, hum. C'est sûr, je vais récolter une retenue ensorcelée pour insubordination. Je me demande ce que peut être une retenue ensorcelée. Il n'y a que l'embarras du choix ! Elles peuvent vous enfermer dans une oubliette ou vous envoyer d'un coup au Kenya. Elles peuvent vous coincer en pleine guerre de Sécession si elles le veulent.

J'aurais une robe à crinoline, au moins ?

Matilda ricane.

– Une sorcière dotée d'une conscience, dit-elle. Impressionnant. Que dis-tu de ça, alors ?

Elle claque des doigts, et tout le contenu du tiroir privé de Miss Barnes se retrouve exposé sur son bureau.

– Comme ça, nous ne fouillons plus dans son tiroir.

Un moyen créatif de résoudre le problème. Je pense que je vais la boucler, maintenant.

– Voyons voir… Nous avons un paquet de crackers, un Twix… On peut travailler avec ça. Rachel, ouvre ton livre de sorts à la page sept cent cinquante-trois, je te prie.

Je cale.

– Vous voulez dire l'*Authentique Anthologie des sortilèges prodigieux, des potions extraordinaires et de l'histoire de la sorcellerie de la naissance du monde à nos jours* ?

Matilda hausse les sourcils.

– Ça doit être ça.

– Ici ?

– Bien sûr, ici.

Houlà.

– Je ne l'ai pas apporté en cours.

Elle claque de la langue.

– Même un jour de test ?

– Je ne savais pas que c'était le jour du test.

J'ai attendu le test toute la semaine !

– Je le fais apparaître ?

– Non, j'écrirai l'incantation.

Elle jette un sort au tableau, et l'équation que j'étais en train de recopier disparaît. Elle lève le doigt et inscrit magiquement sur le tableau (à la craie, j'espère, et non au marker blanc indélébile) :

1/2 craie de couleur

1 morceau de chocolat

1 tasse

Mettre le chocolat dans la tasse. Broyer la craie et la saupoudrer sur le chocolat tout en récitant :

Promptement apparaîtra
Un gâteau au chocolat.
Qu'il soit bien moelleux,
Coloré et savoureux.

Je relis le sortilège et jette un coup d'œil à la pendule. L'heure de cours va se terminer dans deux minutes à peine. Et si je n'ai pas fini à temps ? Et si les élèves du cours suivant déboulent en pleine pause générale ?

– Prends ton temps, dit Matilda.

Je ne crois pas, non !

Je fonce vers le bureau et m'empare d'une craie verte, de la barre chocolatée de Miss Barnes (pardon, Miss B. ! Je vous en rachèterai une, promis !) et de sa tasse à café. Je jette son café à la poubelle et rapporte les trois éléments à ma place. Je déballe le chocolat, le place dans la tasse. Il est temps de broyer la craie. Il me faut quelque chose de dur. Calculatrice ? Je ramasse la mienne, place la craie debout sur mon bureau et tente de l'incruster dans le bureau. Pas mal. Une fois que c'est fait, je fais glisser la craie dans ma paume puis déclame le sortilège tout en saupoudrant la poudre dans la tasse.

La température chute dans la pièce et les ingrédients se contractent, tourbillonnent, puis se mettre à enfler. Kazam ! Une petite bouchée chocolatée se matérialise sur mon bureau. Dessus, en minuscules lettres de sucre vert, il est écrit *À samedi !*

Waouh !

Matilda applaudit.

– Félicitations, Rachel. Je me réjouis de t'avoir comme élève cet automne.

Sur ce, elle remonte dans la poubelle à recyclage, jette de la poudre rose en l'air et disparaît aussitôt.

Je crois que c'est tout. Bien joué, moi-même !

Tout le monde dans la classe se remet sur *play*. Y compris Miss Barnes, qui a l'air intensément perplexe. Parce qu'au lieu d'une équation mathématique, sur le tableau, il y a un sortilège pâtissier. Sans parler du fait que le contenu de son tiroir se retrouve sur son bureau, exposé aux yeux de tous. Et diminué d'une barre chocolatée.

– Mais qu'est-ce... commence-t-elle.

Je me concentre sur le tableau et pense :

Ce sort est complètement déplacé,
Que le tableau soit bien vite essuyé !

Comme si les gens n'étaient pas déjà assez troublés, une bouffée d'air froid traverse la pièce et le sort disparaît du tableau.

Tammy montre du doigt mon bureau. Non, plutôt le petit gâteau sur mon bureau. Oups.

– T'en veux ? lui dis-je.

Elle secoue la tête, manifestement perplexe. Je hausse les épaules et l'engloutis. Miam. Que dire ? Il fallait bien faire disparaître les preuves.

– Alors, dis-je en laissant tomber mon sac à dos par terre dans la cuisine après les cours. T'as réussi ? Elle s'est pointée en plein cours d'éducation civique ? Elle s'est servie de la poudre rose pour mettre tout le monde sur pause ?

Miri est vautrée sur une chaise, ses pieds en chaussettes posés sur la table.

– Elle s'est pointée pendant le déjeuner ! Elle a figé toute la cafèt' pendant un quart d'heure !

– Pas possible !

– Je te jure. Quand elle a dégivré tout le monde, ça a sonné et personne n'a compris ce qu'il avait fait pendant son heure de déjeuner. (Elle a un petit rire en cascade.) C'était super-d'enfer !

– Super-d'enfer ? redis-je en riant.

– Oui ! Avoue : tu trouves ça excitant aussi.

– Je n'avoue rien du tout, dis-je en m'asseyant à côté d'elle. Je réserve mon jugement jusqu'à demain.

Elle lève les yeux au ciel.

– Au fait, en parlant de demain, je ne veux pas être en retard. Le cours commence à treize heures, alors prévoyons d'y être à midi et demi. On se téléporte, bien sûr, puisque c'est dans l'Arizona. J'aimerais bien partir à midi, d'ac ?

– D'ac, dis-je en m'agitant sur ma chaise.

Bon, d'accord, j'ai un peu hâte de voir ça. Ce sera peut-être marrant. Peut-être même génial. Voire super-d'enfer.

– J'espère qu'on pourra prendre des notes ! dit Miri, les yeux rêveurs.

Ou super-zarbi.

10 BIENVENUE DANS LE MONDE DES SORCIÈRES

Miri entrouvre la porte de la salle de bains.

– Je t'avais dit que je voulais partir à midi ! Si tu voulais te raidir les cheveux, fallait pas faire la grasse mat' !

– Je suis prête, je suis prête, dis-je en débranchant mon Chi (j'ai nommé le meilleur fer à lisser du monde). Qu'est-ce que tu mets pour y aller ?

J'ouvre la porte en grand. Miri est en jean et tee-shirt.

– Il ne fait pas chaud dans l'Arizona ? fais-je. On ne devrait pas plutôt mettre un short ?

– J'ai froid quand je voyage, me répond-elle. Tu veux qu'on y aille ensemble ou séparément ?

– Ensemble. Mes piles sont mortes.

– Tes piles sont *toujours* à plat. C'est tellement dur d'en racheter ? Ça se vend partout. Il y en a au drugstore du coin.

– Je sais, je sais. Je voulais le faire.

– Tu y es allée pas plus tard qu'hier. Tu as acheté des chewing-gums.

– C'est vrai. Une fois que j'y suis, je n'arrive jamais à me rappeler tout ce qu'il me faut.

– Pourquoi tu ne fais pas de listes, comme les gens normaux ?

– Pourquoi tu es tellement obsédée par les listes ?

Ma sœur les tape à la machine et les punaise au panneau au-dessus de son bureau dans sa chambre. *Devoirs du mois ! À acheter au drugstore ! Raisons pour lesquelles je suis ringarde !*

Enfin bref, mis à part l'achat des piles, le sortilège de télé-portation est facile. On pense à l'endroit où on se rend ; on tient deux piles au lithium l'une contre l'autre, charges positive et négative face à face ; on prononce l'incantation ; et hop, c'est parti.

Une fois que j'ai fini de m'habiller (jean, mon chemisier de rentrée, et mes sandales d'été que je n'ai pas vues depuis au moins deux semaines... Coucou, sandales !), nous disons au revoir à maman et empoignons notre exemplaire de l'*A*². Miri chope ses piles, je prends l'adresse, et nous voilà parées !

Ou presque.

– Qu'est-ce que tu fais ? me demande Miri avec irritation.

– J'envoie juste un Texto à Raf.

– Dépêche !

Elle s'accroupit sur la moquette.

À tout' ! 19 h 30 ! Rachel.

Il m'a finalement montré comment taper la ponctuation, et je suis devenue une machine à SMS. La reine du SMS. La maîtresse de ma technologie. La...

– Rachel ! Grouille ! C'est pas confortable !

Je tape « envoyer ».

– Voilà. Hé, tu veux me passer les piles ? Ça ne me dérange pas de faire le cheval.

Elle se relève d'un bond, je m'accroupis, et elle saute sur mon dos. Je prends les piles, une dans chaque main ; je serre les poings, croise les pouces, et je dis :

Que je sois transportée jusqu'au lieu dans ma tête,
Le pouvoir dans mes poings fera poudre d'escampette.

Je visualise l'adresse, 122 East Granger, et une décharge électrique me parcourt le corps, comme si je venais de me ficher le doigt dans une prise. Mon corps devient léger comme l'air, comme si j'étais un astronaute dans un vaisseau spatial, et j'ai la peau chaude et sèche, comme soufflée par mille sèche-cheveux tous réglés sur « maximum ». Le canapé beige et le parquet du salon font place à un kaléidoscope de points et de spirales bleus, rouges et jaunes. Enfin, le vent se calme, les couleurs se stabilisent pour former un champ plat désertique et un vaste ciel bleu, et mes pieds touchent...

Aïe !

... le sommet d'un mini-cactus-raquette. Cent épines au bas mot s'enfoncent dans mon talon droit. Ouille, ouille, ouille, ouille ! Pourquoi suis-je en train de marcher sur des épines de cactus ? Baissant les yeux, je vois un pied en sandale et un pied nu posé sur une rangée de cactusses. Ou de cacti ? Enfin bref, ça fait mal !

– Descends, descends, descends ! je hurle à Miri. C'est pire avec toi !

Elle saute de mon dos et fait un pas en arrière.

Je décolle mon pied du cactus. Je suis un porc-épic humain. Ouille. J'entreprends d'ôter lesdites épines. Ouille, ouille, ouille. J'espère bien que celle-ci est la dernière... Ouille !

Bon. Où est ma chaussure ?

– J'ai perdu une sandale !

– Où ça ?

– Si je savais où elle est, elle ne serait pas perdue, tu ne crois pas ?

Je m'éloigne en sautillant de la plante agressive et regarde autour de moi. Nous sommes à une dizaine de mètres d'une petite maison blanchie à la chaux.

– Ce que je veux dire, c'est : est-elle en Arizona ?

– Elle a pu tomber en chemin.

Elle pourrait être n'importe où entre Chicago et Topeka.

– Alors, qu'est-ce que tu veux faire ?

– La retrouver, dis-je d'un ton plaintif.

– On n'a qu'à jeter un sort de multiplication sur celle qu'il te reste. Attends, que je le retrouve. Je crois que c'est page sept cent deux.

Ouille. Ouille. Ouille. Je la rejoins à cloche-pied.

– J'ai trop mal au pied. Je n'arrive pas à réfléchir !

J'arrache encore une épine. Et une autre. Et encore une autre.

– Bizarre, dit-elle. J'aurais juré qu'il était là. Mais à la place, il y a un sort de chaleur page sept cent deux ! Mais où est passé ce sort multiplicateur ? Je suis complètement perdue.

– Miri, tu ne peux pas simplement inventer quelque chose ?

Ouille. Ouille, ouille, ouille.

– Tu sais bien que je préfère suivre les sorts du livre, dit-elle d'un ton supérieur. Ils sont bien plus stables.

Laissez-moi rire.

– Tu sais ce qui me rendrait plus stable ? Une deuxième chaussure. Allez, vas-y !

– Très bien, attends. Je vais essayer.

Elle respire un grand coup, ploie un genou, touche ma sandale et dit :

Chaussure orpheline,
Donnez-moi sa copine !

Prouf ! Une seconde sandale éclot par terre.

– Yahoo, Miri ! Bravo ! Je suis vraiment fière de toi.

Elle se rengorge.

– Merci. Je trouvais ça plutôt adroit moi aussi.

Je glisse mon pied dedans, mais il y a quelque chose de bizarre. Mes orteils dépassent à l'autre bout. Que se passe-t-il ? Oh. Elle a dupliqué la sandale d'origine. Les deux sont faites pour mon pied gauche.

– Elle te va ? me demande Miri.

– Ouais ! Impec, dis-je rapidement.

Aucune raison de miner sa confiance en elle. Il doit bien exister un sort pour remettre la droite à l'endroit. Pas vrai ? J'arrangerai ça plus tard aux toilettes. Je glisse mon bras sous le sien.

– On y va ?

Nous nous avançons vers la petite maison.

– Ça ne paie pas de mine, dit-elle tandis que nous approchons du bâtiment blanc, sans étage, quelconque.

– Tu t'attendais à quoi ? Des étincelles ?

Elle a un petit rire.

– Quelque chose comme ça.

Lorsque nous arrivons devant la porte, je constate qu'il n'y a pas de sonnette.

– Je vais frapper, dis-je.

Pas de réponse.

– Miri, on ne va pas être toutes seules dans ces cours, si ?

– J'espère que non, dit-elle. Le but de l'exercice, c'est de rencontrer des gens. Peut-être qu'on n'est pas au bon endroit. Regarde.

Elle désigne une fenêtre sur la gauche. Les rideaux sont tirés, mais il a l'air de faire sombre à l'intérieur.

– Je parie que tu nous as emmenées à la mauvaise adresse.

– Vas-y, dis tout de suite que c'est ma faute. C'est peut-être toi qui as noté la mauvaise adresse.

Elle incline la tête sur le côté.

– Il y a un peu plus de chances que ce soit toi qui te sois plantée, non ? Ne nie pas que je suis la meilleure sorcière de nous deux.

Oh, pitié ! J'envoie balader ma deuxième chaussure gauche.

– Ah ouais, Miss Supérieure ? Est-ce que j'ai l'air d'avoir deux pieds gauche ?

Elle pique un fard.

– Bah, j'ai vu comment tu danses.

– Bonjour, vous, fait une voix basse derrière nous.

Une voix masculine.

Nous faisons volte-face pour nous trouver face à un garçon. Il est plutôt petit – peut-être un mètre soixante-cinq –, mince, avec des cheveux châtain clair en bataille. Il porte un jean délavé et une chemise verte sortie du pantalon.

Et il est mignon.

– Tu habites ici ? lui demande Miri. Parce que si oui, on n'est pas au bon endroit. Parce que tu ne devrais pas être là. Enfin, je veux dire...

Mais qu'est-ce qu'elle raconte ? Il faut que cette fille apprenne à parler aux garçons !

– Non pas que ta présence soit un problème, dis-je. Ni l'endroit où tu habites...

Je regarde Miri. Je ne fais pas beaucoup mieux qu'elle.

Il nous adresse un grand sourire.

– À voir les piles au lithium que tu as dans les mains, je pense que vous êtes au bon endroit.

Il ouvre ses poings et nous montre deux piles.

– Le sort de téléportation, hein ?

Ômondieu ! C'est un *garçon* sorcière. Un garçon sorcière *mignon*. Je *parle* avec un garçon sorcière mignon.

– Tu es un sorcier ? lui demande Miri ? Trop cool ! On n'avait encore jamais rencontré de sorcier de notre âge.

– Vous avez quel âge, les filles ? demande-t-il en faisant un pas vers nous.

Oh, regardez-moi ces yeux bleus. De grands yeux bleus qui se plissent quand il sourit !

– J'ai douze ans, et Rachel quatorze, dit Miri. Enfin treize. Je veux dire que j'ai treize ans, et que Rachel...

– Quinze. Je viens d'avoir quinze ans, jeudi.

Il m'envoie un sourire plis-au-coin-des-yeux.

– Bon anniversaire, Rachel.

Il connaît mon nom ! Comment peut-il connaître mon nom ? C'est un sorcier omniscient ! Ah non, c'est vrai, Miri vient de le dire.

– Merci.

Et nous voilà en train d'échanger un sourire. C'est curieux. Faut que ça cesse !

– Je m'appelle Adam, dit-il en me tendant la main.

Adorable ! Nous allons nous serrer la main. Je tends la mienne, et nous serrons. Je ne m'attendais pas à ce que sa main soit si... tiède.

– Et voici ma sœur Miri.

Et maintenant, ils se serrent la main. Ça serre à tout-va, par ici. Est-ce qu'il me sourit toujours ? Oui ! Je baisse le nez vers mes chaussures identiques.

– Enchanté, dit-il. C'est la première fois que vous venez ici, c'est ça ?

– On est des bleues, dis-je.

– Vous venez d'où ?

– New York, répond Miri.

– New York City, je précise.

Il faut qu'il sache que nous sommes des citadines, donc hyper-branchées.

– Et toi ?

– Salt Lake City.

Oh ! Un citadin aussi ! Lui aussi est hyper-branché !

Est-ce que les gens branchés savent qu'ils sont branchés ? Ou bien devient-on automatiquement ringard quand on veut être branché ?

– Alors, Adam, qu'est-ce que tu fais ici ? lui demande Miri. Ce n'est pas ici qu'on suit des cours de Samsorta ?

– Je prépare mon Simsorta.

– Ton quoi ? je demande.

– Je prépare mon Simsorta, répète-t-il.

– Oui, j'ai entendu. Mais je me demandais ce que c'est qu'un...

– On pourrait continuer à l'intérieur ? nous interrompt Miri en se tortillant. Je ne veux pas être en retard.

– Miri, on n'est pas en retard. On est arrivées.

– Ce n'est pas à une heure, le Samsorta ? demande Adam.

– Si, c'est ça, dit Miri. Et il est déjà moins le quart.

Adam tapote sa montre.

– Il n'est que dix heures moins le quart. Il y a trois heures de décalage horaire.

Miri ouvre des yeux ronds.

– J'avais oublié ce détail.

J'éclate de rire.

– Beau boulot, Miri.

– Alors je vais vous faire visiter, dit-il. On entre ?

– J'ai essayé de frapper, dis-je. Mais personne n'est venu.

– Tu as essayé le paralhuis ? demande Adam.

Je ne sais que faire de cette phrase.

– Il pleut ?

Il éclate de rire.

– Pas parapluie. *Paralhuis*. Ça veut dire « ouvrir » en brixta. C'est le code secret.

Il faut croire que Matilda était trop occupée à mettre tout le monde sur pause pour nous donner le mot de passe.

– Regardez.

Il s'approche de la porte, frappe trois fois et dit : « Paralhuis ! » La porte s'entrouvre en grinçant. Il la pousse.

Miri et moi nous étranglons sur place. Cet endroit qui avait l'air d'une maisonnette de l'extérieur est gigantesque à l'intérieur. C'est grand comme mon lycée. Nous suivons Adam sur le seuil, descendons deux marches et entrons dans l'atrium. Alors que de dehors on ne voyait rien dedans, de dedans on voit tout dehors. Les murs et le plafond sont des vitres. C'est bleu partout. On se croirait suspendus en plein désert. Waouh. Je respire un grand coup. Ça sent l'encens à la cannelle. Autour de moi, j'entends des carillons à vent. Des carillons à vent et...

Des ados. Des sorcières et des sorciers ados. Des garçons qui rient ! Des filles qui papotent !

– Tu es sûr qu'on est au bon endroit ? chuchote Miri.

Des garçons et des filles qui flirtent sur les rebords de fenêtres !

Adam rit.

– Bienvenue au CCSL. Le Centre communautaire de sorcellerie de Lozacea.

Des garçons et des filles qui flottent au-dessus des rebords de fenêtres !

Miri me presse la main.

– Qui sont tous ces... ces... gens ?

– Des sorcières et des sorciers.

– Mais qu'est-ce que vous faites tous ici ? demande-t-elle. Vous venez prendre des cours ?

– Les garçons préparent leur Simsorta. Et il y a une salle de jeux en bas. Et un cours de brixta niveau avancé qui commence à onze heures, y en a qui sont venus pour ça.

– Oh, on devrait le faire ! dit Miri. Il faut qu'on apprenne un peu de brixta pour le Samsorta.

– Le cours pour débutants ne commence pas avant le semestre prochain, dit Adam. Je l'ai suivi l'an dernier.

– Mais c'est quoi, un Simsorta ? finis-je par demander.

– Dites donc, c'est vrai que vous êtes des bleues, remarque-t-il. Un Simsorta, c'est un Samsorta. Pour les garçons.

– Aha.

– Sauf que comme on n'a pas le droit de participer à la cérémonie de groupe du 31 octobre...

– Hein ? dis-je. Et pourquoi ça ?

Il hausse les épaules.

– Réservé aux filles. La tradition.

– Ça m'a l'air un peu sexiste.

– M'en parle pas. Donc, vu que les garçons ne peuvent pas aller à la fête principale, c'est devenu une tradition de tenir nos propres cérémonies individuelles le vendredi soir, toute l'année. La mienne a lieu le mois prochain, c'est pour ça que je viens ici m'entraîner. Et pour rencontrer de jolies sorcières, ajoute-t-il avec un sourire.

J'ai les joues en feu. Suis-je une jolie sorcière ? Je crois bien que oui !

– Je vais vous montrer la cafèt'.

Nous le suivons à travers l'atrium, jusque dans un couloir.

– C'est ici, dit-il en ouvrant une nouvelle porte.

Un groupe de petites tables de bar rondes se trouve au centre de la pièce, chacune entourée de quatre tabourets noir et blanc. La moitié des tables environ sont occupées, filles et garçons, et tout le monde mange. Mais je ne vois pas où ils ont acheté leur nourriture. Pas une dame de cantine en vue.

– Il y a une cuisine ? je demande en regardant autour de moi. Je ne vois nulle part où acheter à manger.

– Regarde, dit-il.

Il s'assied sur l'un des tabourets, pose ses deux mains à plat sur la table et s'écrie :

– Orange pressée ! Omelette fromage-champignons ! Frites ! Bacon croustillant ! Ketchup !

La table remue, gronde, et – prouf ! – son petit déjeuner surgit devant lui avec des couverts.

Cool !

– Je peux vous commander quelque chose, les filles ? nous demande-t-il. Tout est gratuit.

Miri a les yeux comme des soucoupes.

– Rien pour moi. On a mangé il y a trois heures. À New York. Quand il était en fait dix heures.

Et alors ? J'ai hâte d'essayer ce truc. J'étale mes mains sur la surface lisse.

– Un grand déca crème moka chocolat blanc ! Avec de la chantilly ! Et du sucre roux !

Prouf !

– Youpi ! fais-je d'une voix stridente en trempant l'index dans la crème mousseuse. Ça a marché ! Qu'est-ce que je peux faire encore ?

Je remets mes mains en place. Quelque chose de marrant ! Un truc dingue !

– De la barbe à papa !

Prouf ! Ômondieu, elle est en cornet ! Comment ont-ils su que c'est comme ça que je l'aime ?

– C'est génial, ce truc ! Comment ça marche ?

– Va savoir, dit Adam en avalant une bouchée d'omelette. Les fondateurs de cet établissement ont pensé à tout.

– Sans blague. Alors, parle-moi encore de ces Simsortas. Ça se passe aussi en Transylvanie ?

– En Roumanie, dit Miri.

– Peu importe.

Je prends une grosse gorgée de ma boisson. Aïe ! C'est chaud ! Vite, quelque chose de froid ! De l'eau ! Non... du yaourt glacé. Je pose mes deux mains sur la table.

– Un *Pinkberry* !

Prouf ! Abracazam. Mon yaourt glacé favori apparaît pile devant moi. J'en ingère une cuillerée. Miam.

Adam m'observe, visiblement amusé.

– T'es un sacré numéro, toi, dit-il.

Je reprends une cuillerée de yaourt.

– J'aime faire rire, dans la vie. Mais revenons aux Simsortas. Ça se passe où ?

– Un peu partout. Le mien, ce sera au pont du Golden Gate.

J'en lâche ma cuiller.

– Sérieux ?

J'ai toujours rêvé d'aller à San Francisco ! Maintenant que je l'ai amusé, peut-être qu'il va m'inviter.

– Eh ouais. Erik Bruney a fait le sien à Disney World hier soir. On pouvait faire tous les manèges qu'on voulait. J'ai fait Space Mountain au moins dix fois de suite.

– Waouh...

– Ils ont loué tout le parc ? demande Miri. Ça a dû coûter une fortune.

Il plisse les yeux.

– Ils ont *enchanté* tout le parc. Je ne pense pas que ça ait coûté un centime.

Miri fait une grimace.

– Ça ne m'a pas l'air très gris, tout ça.

– Ça ne l'était pas, concède Adam. Eh, les filles, vous connaissez Amanda Hanes ? Elle vient de Manhattan. Elle était là hier soir.

Allô allô, tu sais combien de personnes vivent à New York ? Genre... euh, je ne sais pas combien au juste, mais beaucoup. Nous secouons la tête.

– Elle a mon âge, dit-il. Seize ans.

– Oh ! Je n'avais pas réalisé que tu étais plus vieux que nous, dis-je. Tu es en terminale ?

Il acquiesce.

– Comment se fait-il que tu ne fasses ton Simsorta que maintenant ?

– En général, les garçons acquièrent leurs pouvoirs plus tard que les filles. Vous connaissez Michael Summers ?

– On ne connaît personne, je réponds.

Et soudain je suis irritée contre ma mère. Pourquoi fallait-il qu'elle nous garde tellement à l'écart ? On ne va jamais gagner en généalogie des sorcières. On est les pires candidates qui soient !

– On connaît Wendaline Peaner, intervient Miri. Et toi, tu la connais ?

– Bien sûr ! J'ai fait un voyage d'été avec elle l'an dernier.

– Ah oui ! Elle nous a parlé d'un camp d'ados, dis-je. Mais je croyais qu'elle plaisantait !

– Non, c'était pour de vrai.

– Vous êtes allés où ?

– On a visité toutes les Merveilles du monde.

– Ça vous a pris combien de temps ? demande Miri. Tout l'été ?

– Non, seulement quelques jours. Mais en sautant l'avion, évidemment.

Évidemment.

– Mais Wendaline va à l'École des charmes, c'est bien ça ? demande Adam.

– Ouais, fait Miri d'un air triste. Notre mère y a aussi fait ses études.

– Alors vous avez de la chance de l'avoir persuadée de vous laisser venir ici, dit-il. C'est un million de fois plus marrant que l'École des charmes.

– Ah bon, pourquoi ? demande Miri.

– On a ping-pong, dit-il, et la cafèt' la plus cool de l'histoire du monde. Et contrairement aux Charmes, c'est mixte.

Oui, c'est un avantage certain.

– Vous connaissez Praw ? demande-t-il ensuite.

– Non, dis-je en me concentrant de nouveau sur mon yaourt. Il est de New York lui aussi ?

– Non, fait une nouvelle voix. Mais je viens de m'asseoir à votre table. Salut, tout l'monde !

– Salut, Praw, dit Adam. Quoi de neuf ?

Je lève les yeux de mon en-cas pour regarder le nouveau venu. Il est plus jeune qu'Adam, plus jeune que moi, il a peut-être treize ou quatorze ans. Les cheveux blond-roux et le teint pâle couvert de taches de rousseur. On dirait pile Archie, le personnage de BD ! Non... on dirait Ron dans *Harry Potter* !

– Salut, je m'appelle Rachel. Enchantée. Voici ma sœur, Miri.

– Salut, Rachel.

Il se tourne vers Miri.

– Marie, c'est ça ?

Au lieu de réagir, ma sœur couine.

Praw se penche vers elle.

– Pardon ?

– Couiiic, couine-t-elle de nouveau.

– C'est Miri, je réponds à sa place en lui lançant mon regard « Ça va pas la tête ? ».

– Joli nom, commente-t-il.

Un fard rouge vif envahit le cou de Miri. On dirait qu'elle fait une réaction allergique. Ou peut-être qu'elle a avalé quelque chose de travers ? Il faut que je lui trouve à boire. Je repose mes deux mains sur la table. « De l'eau ! » Prouf ! Un jet d'eau se met à jaillir du milieu de la table. Houlà.

– Arrêter l'eau ! dit Adam.

L'eau s'arrête.

– Il faut que tu sois plus précise. J'ai fait ça plus d'une fois, moi aussi.

Je réessaie.

– Une bouteille d'eau !

Prouf ! Ça marche. Je tends la bouteille d'Evian à ma sœur, qui est toujours cramoisie. C'est marrant !... Je me demande si je peux demander du rab pour en rapporter à la maison.

Miri avale une longue goulée et nous adresse un sourire forcé. Elle devient ensuite encore plus rouge. Plus rouge que les cheveux de Praw. Non, plus rouge que la bouteille de ketchup.

– Tu prends des cours de Samsorta ? lui demande Praw.

Elle hoche la tête très lentement. Mais qu'est-ce qu'elle a ? Je sais qu'elle devient bizarre en présence d'un garçon, mais en principe elle ne devient pas muette.

– Je suis là pour le cours de brixta niveau avancé, dit-il.

– Tu fais ton Simsorta, toi aussi ? fais-je pour alléger un peu le malaise ambiant.

– Pas avant l'an prochain. Je n'ai eu mes pouvoirs que cet été.

– Et toi, Adam, tu les as eus quand ?

– En septembre dernier.

– Tu es presque un vétéran, dis-je pour le taquiner.

– Et vous vous êtes connus comment ? demande Praw.

Il me regarde, mais ses yeux n'arrêtent pas de se reporter sur Miri. Il lui sourit. Il a un joli sourire. Avec des fossettes. Elle reprend une gorgée d'eau.

– Oh, ça fait un bail, dit Adam.

– Trèèèèès longtemps, dis-je. Des années.

– Des lustres, renchérit-il.

– Des vies entières.

Hi, hi ! Adam est peut-être bien mon nouveau meilleur ami. Mon nouveau meilleur ami garçon *et* mignon. Je n'ai jamais eu de meilleur ami garçon. Chic ! Quelqu'un à qui parler, quelqu'un d'autre que mon demi-frère ou sœur peut-être mâle mais pas encore né pour m'aider à comprendre le fonctionnement interne du cerveau masculin. Adam sera comme un frère pour moi ! Mais sans lien de famille. Et mignon. Un PPG (pire pote garçon) à moi toute seule. Un ami. Petit, certes. Mais pas petit ami pour autant. Vous saisissez la différence ?

Une fille entre d'un pas glissant dans la cafétéria.

– Adam, dit-elle, où étais-tu passé ? Je t'ai cherché partout.

– Salut, Karin, dit-il. Tu es restée tard hier soir ?

– Ouais. J'suis décalquée.

Elle rejette ses longs cheveux blonds derrière son épaule droite. Qu'est-ce que vous dites de ça ? C'est la première sorcière blonde que je rencontre. Elle mesure aussi quelque chose comme un mètre quatre-vingts, et elle est hyper-bien foutue. C'est Barbie Sorcière. On ne devrait pas avoir le droit de ressembler à Barbie et d'être une sorcière en plus. Ça devrait être l'un ou l'autre. C'est pas juste.

Et qu'est-ce qu'elle veut à mon PPG, Barbie Sorcière ? Ils sont en couple ? Je parie qu'ils sont en couple. Pas que ça me dérange. J'ai moi-même un amoureux, vous savez. Un amoureux avec qui j'ai rendez-vous ce soir à dix-neuf heures trente.

– Salut, Praw, dit Barbie Sorcière en lui pinçant les joues. Quoi de neuf, beau mec ? Et vous êtes qui, vous ? nous demande-t-elle en s'incrustant entre nous à la table.

Je regarde Miri pour voir si elle va répondre, mais apparemment elle est encore dans le coma.

– Je m'appelle Rachel. Et elle c'est Miri, ma sœur.

– Enchantée. Comment se fait-il qu'on ne se soit jamais vues ? Vous venez d'arriver aux États-Unis ?

– Non, dis-je en soupirant.

– Je croyais qu'on connaissait toutes les jeunes sorcières du pays, dit Adam en riant.

Sérieusement, je vais tuer ma mère.

– On a été plus ou moins gardées au secret jusqu'à l'an dernier, dois-je avouer.

– Ben alors, bienvenue ! dit Karin. J'adore rencontrer de nouvelles sorcières.

Praw saute de son tabouret.

– Faut que j'aille en brixta. À plus, tout l'monde ! Karin, prends mon siège.

– Merci !

– Je dois y aller aussi, dit Adam. Plus qu'un mois avant mon Sim et je ne sais pas encore du tout ce que je fais. On se retrouve plus tard, les filles ?

– Absolument, dis-je. Amuse-toi bien !

Miri couine pour dire au revoir.

Toutes les trois, nous regardons partir les garçons. Karin nous serre les mains.

– Alors, vous aussi, vous faites la préparation au Samsorta ?

– Ouais, dit Miri qui a enfin retrouvé sa voix.

– Mais c'est super ! gazouille-t-elle. Je veux que vous me racontiez tout. Qui sont vos parents ? Ont-ils tous les deux des pouvoirs ? Quand avez-vous reçu les vôtres ?

La session de questions-réponses se poursuit pendant les deux heures qui suivent. Karin fait une pause rapide pour dévorer sa salade César, mais reprend aussitôt la dernière bouchée avalée.

J'ai peur qu'elle continue comme ça à l'infini, mais les lumières se mettent à vaciller.

Et quand je dis vaciller, je ne veux pas dire clignoter. Un arc-en-ciel vert, doré, rouge et jaune passe sur nos visages, comme s'il y avait une boule disco au-dessus de nos têtes. Peut-être que cet endroit se transforme en discothèque le soir ? Une *rave* de sorcières ? Une *ravière* ?

Une voix venue du ciel résonne à plein volume : « Jeunes filles, veuillez entrer dans l'auditorium ! Le cours de Samsorta va commencer ! »

– Allons-y ! dit Karin en nous tirant par les mains. Je veux un siège au premier rang ! J'ai plein de questions à poser !

Sans blague.

Nous laissons Karin nous guider hors de la cafétéria, dans l'atrium de nouveau puis, accompagnées d'une troupe d'autres filles – non, un troupeau de sorcières –, nous franchissons la double porte de l'auditorium.

11 LA FIÈVRE DU SAM

– Ce que vous avez vécu cette année a été la transformation la plus surprenante de votre vie. De norcières, vous voilà devenues sorcières. Moins d'un centième d'un pour cent de la population mondiale possède vos capacités.

– J'aurais dû prendre un pull, dis-je tout bas à Miri. Il fait un froid de canard ici. Qu'est-ce qu'ils ont avec cette clim de malades ?

– Chut ! me répond-elle. J'essaie de prendre des notes.

Évidemment. Miri est adorable en élève modèle. Elle ne gribouille pas. Elle surligne. Elle écoute attentivement. Elle hoche la tête aux propos de notre prof en forme de tortue (corps rond, bras et jambes minuscules), Kesselin Fizguin. Non, Kesselin n'est pas son prénom. Il semblerait que ça veuille dire « professeur » en brixta.

Fizguin n'a pas encore raconté grand-chose qui vaille la peine d'être noté. D'abord elle a fait l'appel ; puis elle nous a souhaité la bienvenue au centre. Seuls quelques-unes d'entre nous étaient là pour la première fois. Elle nous a dit que nous étions tenues de venir à tous les cours et qu'il y aurait une pause d'un quart d'heure à la moitié de chaque conférence. Bouh pour la première partie, mais youpi pour la seconde. Je pourrai peut-être profiter de ma pause pour commander encore une boisson chaude pour me réchauffer.

– Le Samsorta est notre façon, à nous les sorcières, d'honorer ce moment extraordinaire. C'est notre manière séculaire de vous présenter au reste du monde magique.

– C'est vrai que tu n'as pas froid ? fais-je à voix basse.

Comment est-ce possible ? Il fait genre moins trente là-dedans. J'ai les bras couverts de chair de poule. À part ça, la salle de classe est plutôt confortable. C'est tout blanc. Chaque siège est recouvert d'un coussin blanc moelleux. Le sol est couvert d'une épaisse moquette blanche. J'ai l'impression d'être dans une boutique Apple. Ou à l'intérieur d'un marshmallow.

– Au cours des sept semaines qui viennent, j'évoquerai l'histoire des sorcières, l'éthique de la magie, les responsabilités des sorcières, la magie et la vie de famille, et la magie dans le monde moderne. Et bien sûr, nous répéterons les sorts que vous devrez accomplir au cours de la cérémonie du Samsorta.

Malheureusement, Fizguin postillonne de temps en temps quand elle prononce les « s », et Karin nous a entraînées au premier rang. Il y a quinze filles par classe, toutes âgées de dix à quinze ans.

Je suis à peu près sûre d'être une des plus vieilles d'entre nous, sinon la plus vieille.

Miri est assise à ma droite. À ma gauche, il y a Karin. À côté de Karin, Viviane. Karin nous a présentées. Viviane vit à Sunset Park, à Brooklyn. Elle a une chouette frange, des lunettes carrées tendance, et porte une super-tunique bordeaux vintage avec des leggings gris. Quand Miri a entendu qu'elle était en quatrième comme elle, son regard s'est allumé.

Je serre le bras de ma sœur.

– Vous pourriez être PP, toutes les deux ! lui dis-je tout bas, comme une vraie marieuse.

Elle me fait taire.

Non mais c'est vrai, elles pourraient ! Et comme ça on pourrait l'appeler Viv, le plus chouette nom qui soit. En plus, elle pourrait nous apprendre à faire du shopping dans les boutiques vintage ! J'en ai toujours eu envie, mais j'ai peur de rapporter à la maison des fringues infestées de mites sans le faire exprès.

– La cérémonie se déroule en trois temps, est en train d'expliquer Fizguin. Le premier est la marche d'ouverture, où toutes les sorcières du Samsorta font leur entrée, école par école.

Je me penche vers Miri et chuchote :

– Mais combien de sorcières peut-il y avoir dans chaque école ? On n'est que deux à JFK, et je croyais que c'était déjà beaucoup.

Une de trop, si vous voulez mon avis.

– Elle veut dire « par école *de sorcières* », me répond Miri tout bas. Ici. Lozacea.

Bien sûr.

– Une fois la marche d'ouverture achevée, continue la prof, vos aînées se tiendront devant vous dans le cercle. Votre aînée est une femme de votre famille, généralement votre mère, qui a déjà fait son Samsorta. Une par une, chaque aînée demande à chaque Samsorta si elle est volontaire pour rejoindre le cercle de la magie. Lorsque vous – la Samsorta – aurez répondu par l'affirmative, l'aînée utilisera le couteau d'or pour couper une mèche de vos cheveux.

Vraiment ? Ça fait tellement cour de récré !

– Lorsque cette phase du rituel sera achevée, votre aînée s'approchera du chaudron central et fera son offrande. Nous progresserons autour du cercle dans le sens des aiguilles d'une montre, en commençant par la Samsorta la plus âgée.

Oh, Seigneur. Est-ce que ce sera moi ? Je parie que oui. Trop gênant.

La prof pointe le doigt dans ma direction.

– Miss Weinstein ?

Ouh ! Pourquoi est-ce qu'elle me demande ? Elle essaie de me dire que c'est bien moi la plus vieille ? J'espère qu'elle ne veut pas une mèche de mes cheveux tout de suite. Je ne peux pas lui en donner ! Il faut que je monte une stratégie avec Este ! Et si elle m'enlevait un morceau important ?

– Oui ?

– Pas toi, Rachel, dit Fizguin. Ta sœur a levé la main.

Oh ! J'avais oublié que Miri était une Miss Weinstein, elle aussi.

– Et si, demande Miri, deux filles partagent la même aînée ? Est-ce un problème ?

– Si l'aînée parraine plus d'une d'entre vous, elle prélèvera toutes les mèches avant de s'approcher du chaudron. Lorsque toutes les aînées auront accompli leurs offrandes, elles reprendront leurs sièges.

Je me demande où elles s'assoient. N'est-ce pas censé se passer dans un cimetière ? Vont-elles s'installer bien confortablement sur des caveaux ? Les pieds calés sur une pierre tombale ? Brrrr, trop zarbi.

Fizguin fait les cent pas sur l'estrade de l'auditorium et continue.

– La troisième partie de la cérémonie est le service de la Chaîne de lumière. Chacune d'entre vous récitera le sort de lumière, en brixta, et allumera sa chandelle.

En brixta ? Hum, hum. J'espère qu'on pourra se noter ça phonétiquement par écrit.

– Cette fois nous procéderons dans le sens inverse des aiguilles d'une montre. La dernière fille apportera sa chandelle au chaudron central et l'allumera.

Karin lève la main.

– Ce sera encore une fille de l'École des charmes, cette année ?

– Oui, la coutume veut qu'une élève Charmori jette le sort d'émerveillement. Leur école est la plus ancienne et la plus traditionnelle.

Tout le monde ronchonne.

– Mais vous déclamerez l'incantation d'émerveillement toutes ensemble, puisque le présent créé par le sort, le *donoro*, doit venir de vous toutes. Quelqu'un peut-il énumérer certains de ces dons pour celles qui ne le savent pas ? N'ayez pas peur de remonter quelques années en arrière.

Karin lève la main.

– Le canal de Panama, les chutes du Niagara, l'Empire State Building, les jeux de cartes, les pyramides, la Grande Barrière de corail, les iPod, la tour de Pise, le vaccin contre la polio, le mont Everest...

– Très bien, l'interrompt Fizguin.

C'est vrai, tout ça ? Je jette des coups d'œil aux autres filles. Personne ne rit, donc apparemment c'est vrai. Pas possible !

Ce sont mes sœurs en sorcellerie qui ont créé les pyramides ! Et les iPod ! Je parie que le Chi, c'est nous aussi. Forcément. C'est trop génial pour avoir été concocté dans des têtes de simples mortels. Peut-être la vidéo à la demande ?

Peut-être que cette année on pourrait travailler sur un genre de gonfleur de poitrine ?

– Ce sont quelques-uns des cadeaux qui ont eu le plus de succès, poursuit Fizguin. Certes, d'autres ont été moins heureux, ou en tout cas moins séduisants. Comme ces... – elle plisse le nez de dédain – ces chaussures Crocs.

Il faut croire que les sorcières n'ont pas toujours bon goût.

– Malheureusement, en tant que Samsortas, vous n'avez aucun contrôle sur ce que vous donnez. Votre *donoro* est façonné par les profondeurs de votre inconscient collectif. (Elle se tapote les tempes pour souligner son propos.) Et il faut souvent quelques semaines, si ce n'est des mois, pour que votre legs devienne clair. Et c'est la fin de la cérémonie. Ensuite, il y a le dîner et le bal. Votre table peut comprendre autant de places que vous le souhaitez, entre deux et trois cents, mais nous avons absolument besoin de connaître le nombre définitif d'invités au moins vingt-quatre heures avant le Samsorta. Oh, et bien sûr, chacune de vous est responsable de ses invitations. Des questions ?

Karin lève la main.

– On peut amener un cavalier ?

– Bien sûr. La première danse après la cérémonie est réservée aux Samsortas et à leurs cavaliers. Mais n'oubliez pas de les compter à votre table. D'autres questions ?

Pas de cavalier pour moi. Désolée, mais je ne peux pas amener Raf à ce cirque. Pas question. Ça n'arrivera pas. Bref. Miri non plus ne risque pas d'en amener un. Tant pis, on fera tapisserie pendant cette première danse.

Karin lève à nouveau la main.

– Qui fera l'orchestre ?

– Ça, c'est une surprise. Autre chose ?

Karine relève la main.

– Quelqu'un d'autre ?

Karine la lève plus haut.

– Oui, Miss Hennedy ?

– Combien de filles feront leur Samsorta cette année ? Toutes écoles comprises, je veux dire.

– Quatre-vingt-quatre. Question suivante ?

J'ai intérêt à ne pas être la plus vieille des quatre-vingt-quatre ! Humiliant de chez humiliant. J'aurais l'air d'un parent à un concert pop.

– C'est tout ? Alors à mon tour de vous poser une question. Combien d'entre vous n'ont pas suivi Brixta 101 ou son équivalent ?

Miri et moi sommes les seules élèves à lever la main. Encore merci, maman.

– Eh bien, les filles, vous allez être gâtées. Le brixta est l'une des plus belles langues jamais parlées. C'est très mélodieux. Comme une musique pour les oreilles.

Ce qui ne m'attire pas du tout, c'est d'avoir à apprendre cette prétendue musique. Toutes ces histoires de Samsorta vont sérieusement interférer avec mon programme télé.

Miri lève encore la main.

– Comment nous conseilleriez-vous d'apprendre le brixta à ce stade ?

– Il est trop tard pour l'apprendre maintenant, dit Fizguin. Nous vous donnerons un philtre de langage.

Ah, voilà de la musique à mes oreilles ! Une vraie musique de générique de télé.

– Vous savez qu'à l'École des charmes on vous fait étudier le brixta pendant deux ans avant de commencer les cours de Samsorta ? chuchote Heather depuis la rangée derrière nous.

Heather est assise entre Shari et Michy. Et ce sont, tenez-vous bien, des triplées. Imaginez un peu ! Des sorcières triplées !

Quand on est des sorcières triplées, on a absolument droit à une émission de télé.

D'après Karin, ce sont de vraies triplées. Elles ont toutes des cheveux châtain clair raides comme des baguettes de tambour, le teint pâle, et des traits fins de petits oiseaux. Mais elles sont habillées différemment. Heather est la baba cool ; elle porte un jean délavé et une chemise ample en chanvre. Shari, c'est la BCBG : pantalon de velours beige, pull à rayures, barrettes. Et Michy est la triplée glamour : jean de créateur, chemise ajustée, ballerines en cuir verni.

J'aimerais bien être une triplée. Ou une jumelle, au minimum. Comme ça je pourrais demander à ma jumelle d'essayer des tenues et de sortir avec pour voir si ça lui va bien. Bien plus efficace qu'un miroir, vu qu'on se fait toujours avoir par la lumière extérieure.

Remarquez, je me dis que ce serait encore plus amusant de s'habiller pareil. De faire des farces aux gens. Ça serait pas fendard, ça ? On pourrait se faire passer l'une pour l'autre et aller en cours à la place de l'autre, faire du shopping avec les copines de l'autre, sortir avec les petits copains de l'autre...

Ômondieu. Et si l'Autre Rachel essayait d'embrasser Raf ? Il ne se douterait pas que ce ne serait pas moi. Elle pourrait complètement me doubler et essayer de me le voler !

On oublie l'Autre Rachel. Visiblement, elle file un mauvais coton. Je vais me contenter de Miri.

– Tu crois qu'on devrait s'habiller pareil ?

Elle me fait taire. Une fois de plus.

Après m'être zappé un plat de chips mexicaines goût fromage pendant la pause, j'arrange mon problème de sandale puis me glisse discrètement dans un coin tranquille pour appeler Raf.

– Salut ! dis-je. Joyeux samedi !

– À toi aussi. Quoi de neuf ?

– Trois fois trois ?

– Ha-ha. T'es où, à la gare centrale ? On dirait qu'il y a du monde.

– Moi ? Oh. Euh...

C'est vrai, ça. Où *suis*-je ?

– Je fais du shopping. Ouais ! Du shopping.

– Où ça ?

– Sur la 18e Rue. Chez H&M.

Horreur et Magie, bien sûr.

– Pas possible ! Je suis à Union Square ! Tu veux que je passe te faire coucou ?

– Oh ! Non, non. On s'en allait. Et on est pressées. Très pressées. Très très.

– Ça ne me dérange pas. Je passe juste une seconde. Je ne suis qu'à une rue de là.

Hiii !

– Non, on est déjà parties, en fait. On monte dans un taxi, là. La prochaine fois ! Mais on se voit ce soir, dix-neuf heures trente ?

– Ah bon. OK, fait-il, l'air tout déçu.

Nous prévoyons d'aller manger une pizza chez *T's Pies* (je risque sérieusement de me transformer en pizza), puis de louer un film chez *Blockbuster*. Dîner en ville, puis soirée câlins avec Raf !

Parfait. Du moment qu'il ne me bombarde plus de questions sur mon shopping du jour.

Après la fin du cours, Miri et moi suivons les autres filles qui retournent à l'atrium. Je jette un coup d'œil sur l'horloge de mon portable, qui s'est mise toute seule à l'heure de l'Arizona. Futé, ce petit gars ! Je parie que le téléphone portable est encore un cadeau de l'inconscient collectif du Samsorta. Je parie que le téléphone normal en était un aussi. Peut-être qu'Alexander Bell était sorcier. J'aurais dû mieux écouter la partie du cours sur l'histoire de la sorcellerie. Enfin bref, il est seize heures ici, ce qui veut dire qu'il est dix-neuf heures à l'heure de New York. C'est l'heure de rentrer me préparer pour mon rencard avec Raf. Nous nous retrouvons à sept dans l'atrium pour nous dire au revoir. Apparemment, j'appartiens à une bande de sorcières. Une clique de sorcières. Une *clircière* ?

Je repère Adam de l'autre côté de l'atrium. Je lui fais signe. Il accourt et nous adresse un sourire de travers.

– Vous voulez venir faire du surf avec nous ?

Du surf ? Allô, la Terre, nous sommes dans l'Arizona.

– Qui vient ? demande Karin.

– Moi, Praw, Michael, Fitch et Rodge. (Pendant qu'il les énumère, les quatre garçons rejoignent notre groupe.) On fête le dernier jour de prépa de Fitch, puisqu'il fait son Sim vendredi. (Il nous montre alors du doigt, Miri et moi.) Rachel et Miri, je vous présente Michael, Fitch et Rodge. Et vous connaissez déjà Praw.

– Salut, disent-ils.

Michael a le teint mat, il est grand et mince. Fitch est petit et râblé, avec de grosses lunettes. Rodge est super-musclé et il a des cheveux noirs plaqués au gel. Tous en première ou en terminale, selon moi. Au moins, je ne suis pas la plus vieille de tout le bâtiment... juste la plus vieille de ceux qui ne se rasent pas. La figure, je veux dire. Bien sûr que je me rase les jambes. Ma mère me dit que j'ai tort, parce qu'elle prétend que ça repousse deux fois plus épais, mais c'est débile, car si c'était vrai, les hommes chauves se raseraient toute la tête, non ? Sauf que s'ils sont chauves, il n'y a rien à raser. Tout ça pour en venir où ? J'ai oublié.

– Salut, dis-je.

Miri se contente de couiner. Qu'est-ce qu'elle a à couiner comme ça ?

Ômondieu. Je sais ! Elle craque pour Praw. Miri qui craque pour un garçon ! Hourra !

– Alors, vous venez ? demande Adam. On est prêts à surfer.

– Je viens, dit Karin.

– Je suis un peu fatiguée, dit la triplée glamour en chaussant ses énormes lunettes de soleil. Mais je veux bien me reposer sur la plage en prenant un bain de soleil.

– Quelle plage ? demande Karin. South Beach ?

– Non, dit Michael. Il est déjà dix-neuf quinze sur la côte Est. Il faut qu'on aille vers l'ouest. Que pensez-vous d'Hawaii ?

Ils parlent sérieusement de faire un saut à Hawaii pour aller surfer et bronzer un petit coup ?

– Yo, tous à Hanauma Beach ! dit Viv. Je kiffe trop la vibe.

– Je viens si tout le monde vient, dit Praw.

– Je viens, dit Michael.

– On en est, dit la triplée BCBG.

– Cool, dit Rodge.

– Moi aussi, dit Karin.

– *On y go !* dit Fitch.

Hein, quoi ? Il est français, lui ?

Le sable, la mer, le soleil... Trop cool. Et en plus, Miri pourra parler avec son amoureux !

– Nous aussi ! je m'écrie.

Le visage d'Adam se fend d'un énorme sourire.

– Excellent. On est partis.

Attendez une seconde. Je pense à quoi, moi ? Je regarde ma montre. Il faut que je rentre ! Raf sera chez moi dans un quart d'heure. Je ne peux pas aller à la plage.

– Pardon, pardon, dis-je. Je ne peux pas venir. J'avais oublié. Il faut que je rentre.

Retrouver mon mec. Mais je ne dis pas la dernière partie tout haut.

Et pourquoi est-ce que je ne dis pas la dernière partie tout haut ?

Parce que personne n'en a rien à faire, que j'aie un mec. Est-ce que quelqu'un a demandé si j'en avais un ? Non, pas du tout.

Mais c'est dommage que je ne puisse pas aller surfer. Enfin, j'adore sortir avec Raf, mais je ne suis jamais allée à Hawaii ! Je connais même la danse du lingo et tout, depuis que papa et Jennifer y sont allés en voyage de noces ! Et, bon, si j'allais à Hawaii avec ma clircière, on pourrait discuter du cours de Sam et de la grosse fête et de tout ce dont je ne peux pas parler avec Raf.

– Dur, dit la triplée glamour.

– La prochaine fois, *man*, fait la triplée baba.

Karin fait bouffer ses longs cheveux blonds.

– Miri, tu viens, hein ?

De si beaux cheveux blonds ! Je me demande si elle s'inquiète au sujet du coupage de mèche, elle aussi.

Miri lance un regard à Praw, vire au rouge vif et secoue la tête.

– Miri, tu devrais y aller, lui dis-je à voix basse.

Elle devrait mille fois y aller. D'abord, la raison même pour laquelle nous nous sommes inscrites à ce Samsorta était que Miri voulait rencontrer des gens comme elle au lieu de rester enfermée à la maison. Et voilà que des gens lui proposent des plans. Et que le type sur lequel elle craque visiblement y va. Elle pourra flirter tout en travaillant son bronzage ! La meilleure configuration possible !

Elle secoue de nouveau la tête en regardant par terre.

Je vais la tuer.

– Miri. Vas-y.

Elle me regarde d'un air suppliant. Un regard qui veut dire : « Invente une excuse, car va savoir pourquoi, j'ai la langue collée au palais à la Super Glue. »

– On ne peut venir ni l'une ni l'autre, dis-je à contrecœur en plissant les yeux pour regarder ma dégonflée de sœur.

Oh, la menteuse-eu, elle est amoureuse-eu.

– On a... une réunion de famille.

Viv fait signe à toute l'équipe de la suivre dehors.

– Yo, ceux qui viennent, on bouge ! Z'avez essayé le nouveau sortilège Go, bande de nazes ? Délire.

– Je voulais justement l'essayer, dit Michael.

– Bye ! nous disent les triplées.

Le gros de la troupe se dirige vers la porte.

Adam traîne en arrière.

– Dommage que vous ne puissiez pas venir, nous dit-il.

Me dit-il.

Je hoche la tête.

– Une prochaine fois.

Il a l'air d'avoir envie d'ajouter quelque chose, au lieu de quoi il leur emboîte le pas, et nous le sien.

Viv sort un sachet de son sac à main, y pioche une poignée de concoction qui ressemble à des flocons d'avoine, la jette en l'air et déclame :

Dans l'éther, point de repère,
À Hanauma Beach, Hawaii, sur Terre,
Allons-y, en un éclair !

La bande s'éclipse morceau par morceau. D'abord une jambe, puis un œil, des cheveux. Cool.

Finalement, ne restent comme seuls vestiges humains que les nôtres, à Miri et moi.

– Pas besoin de piles, dit Miri. Et ça a marché sur tout un groupe. Il faut qu'on se prépare un peu de ce truc.

– Tiens tiens, j'en connais une qui a retrouvé sa voix !

Elle pique un fard.

Je sors les piles de mon sac.

– Mademoiselle Miri est la fi-an-cée, de monsieur Praw qui veut l'é-pou-ser. Si c'est oui c'est de l'espérance, si c'est non c'est de...

– Arrête !

– Pourquoi tu n'y es pas allée ? Tu aurais pu le draguer !

– Je n'arrivais même pas à lui parler, comment voulais-tu que je le drague ? On peut rentrer, maintenant ? me supplie-t-elle. S'te plaît ?

– Bon, bon, on y va. Mais pour te punir de t'être dégonflée, c'est toi qui fais le cheval.

Elle boude mais s'accroupit.

Je saute sur son dos.

Elle se retourne vers moi.

– Mais il est mignon, tu ne trouves pas ?

Elle pouffe de rire, et nous voilà parties.

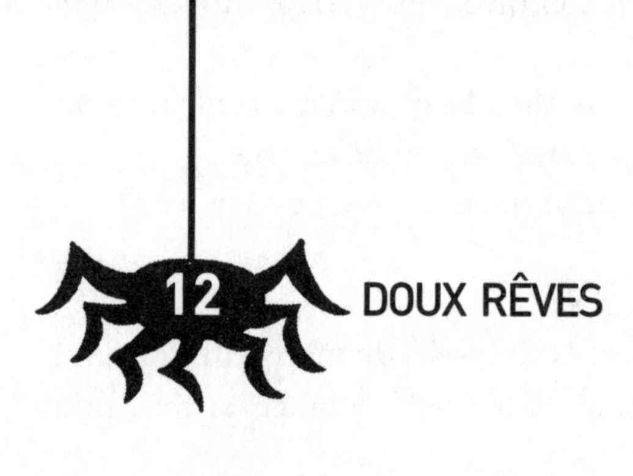

12 DOUX RÊVES

À la seconde où nos pieds touchent la moquette de ma chambre, je fonce à la salle de bains. Il faut absolument que je me brosse les dents avant que Raf arrive ! Pourquoi, oh, pourquoi me suis-je zappé un plat de chips au fromage ?

J'entends la voix de ma mère.

– Rachel ! Miri ! Vous êtes rentrées ?

Peux pas parler ! Je me brosse les dents !

– Comment était-ce ? Racontez-nous tout.

Trop mignon. Elle dit « nous » pour Lex et elle.

J'entends Miri.

– C'était fascinant. Pendant la première moitié du cours, on a tout appris sur la cérémonie, et la seconde moitié, c'était sur l'histoire de la sorcellerie.

Je recrache le dentifrice dans le lavabo.

– Miri est tombée amoureuse, fais-je en criant.

– Rachel ! hurle Miri.

Je ris et me gargarise en même temps.

– Tu viens manger thaï avec nous ? demande maman.

Encore ce « nous ». Ça fait deux fois.

– Pourquoi pas ? dit Miri.

Dîner avec maman et Lex... surf à Hawaii... dîner avec maman et Lex... surf à Hawaii... Mais c'est quoi, son problème, à cette petite ?

Raf et moi, nous choisissons le nouveau *James Bond*, puis prenons une table tout au fond entre deux banquettes chez *T's Pies*. On se tient par la main presque tout le temps. Pas en mangeant, évidemment. Ce serait bizarre. Mais on se sourit beaucoup.

Jusqu'au moment où je pense avoir un morceau de chorizo coincé entre les dents et où je me retire discrètement dans les toilettes (bondées) à cabine unique pour l'enlever.

Le deuxième accroc survient quand Raf me demande ce que j'ai acheté.

– Où ça ? dis-je en mâchant soigneusement ma délicieuse pizza.

Elle est vraiment bonne.

Il prend une longue gorgée de Coca light.

– Tu n'es pas allée faire du shopping ?

– Oh ! Si, bien sûr. J'ai acheté... rien.

Hou, je suis la plus mauvaise menteuse du monde. C'est à peine si je me rappelle les histoires que j'ai inventées moins de deux heures plus tôt.

– Comment ça se fait ?

Je lui presse la main à travers la table.

– Je suis très difficile, comme fille.

De retour chez moi, nous nous installons confortablement sur le canapé et mettons le film dans le lecteur.

Au bout de cinq minutes, je découvre quelque chose d'hilarant à propos de Raf.

Il parle à la télé.

– Mais qu'est-ce que tu fais ? demande-t-il à Jack, un second rôle qui est sur le point de se faire tabasser par les méchants. Ne sois pas débile ! Tu ne vois pas que tu vas te faire tuer si tu entres là-dedans ?

Adorable, pas vrai ?

– Non, non, non ! Demi-tour ! Oh là là.

Raf se couvre le visage des mains quand Jack se prend une balle dans la poitrine.

Je l'embrasse sur la joue.

– Il n'existe pas en vrai, dis-je. Ce n'est qu'un rôle.

Raf rigole et me serre contre lui.

À mesure que le film se déroule, il continue de parler aux personnages – du moins à ceux qui sont encore en vie. De mon côté, je me surprends à bâiller. Et à rebâiller. Mes paupières. Sont. Lourdes. Trop d'émotions pour une seule journée. Faut que je reste éveillée ! Pourquoi ne me suis-je pas offert par magie une boisson caféinée quand il était encore temps ?

Mes paupières. Sont. Très. Lourdes. Peut-être que si je les ferme une seconde, je me sentirai requinquée.

Oui. Les fermer. Une sec...

L'instant d'après, j'entends la voix de Miri.

– Elle dort ?

– Comme un bébé, dit Raf avec un rire gêné. Apparemment, je suis assommant.

Je me redresse d'un bond.

– Non ! Tu n'es pas assommant ! Je suis juste fatiguée ! C'est à cause de ma journée de shopping.

– Ça oui, dit Miri en se laissant tomber à côté de moi sur le canapé. On a fait plein de shopping.

– Où est maman ? fais-je en réprimant un bâillement.

Je ne veux pas que Raf pense qu'il m'a endormie d'ennui !

– Elle et Lex sont allés se promener. Ils reviennent dans dix minutes. Vous avez dîné où ?

– Chez *T's*, dit Raf. Ce sont les meilleurs. Mais ils sont nuls en livraisons. Il faut manger sur place. (Il s'étire.) Il faut que j'y aille. Il se fait tard.

Il se lève en premier, puis me tire du canapé.

– À lundi ?

– D'accord.

J'attends que Miri aille dans sa chambre pour avoir un moment seule avec Raf et échanger un baiser d'adieu, mais elle ne se lève pas du canapé.

– Je te raccompagne, dis-je d'un ton insistant, mais au lieu de saisir l'allusion, Miri me suit comme une ombre.

– Bonne nuit, Raf, dis-je.

– Bonne nuit, Raf, gazouille Miri.

– Bonne nuit, mesdames.

Il pose un doux baiser sur mes lèvres.

Je referme la porte derrière lui. Puis je lance les mains en l'air.

– Miri ? Tu n'aurais pas pu nous laisser seuls deux secondes ?

Elle a l'air perplexe.

– Mais vous avez été seuls toute la soirée.

– Je voulais l'embrasser vraiment pour lui dire au revoir, fais-je en grommelant avant de retourner au salon.

J'ai renoncé au surf à Hawaii, et je n'ai même pas l'impression qu'on ait vraiment eu un rencard. C'est ma faute si je me suis endormie, mais tout de même. Je crois que je regrette de ne pas lui avoir parlé un peu de ce que j'avais en tête. Vous savez, sur les maisonnettes magiques dans l'Arizona, les cérémonies de sorcières, tout ça.

– Tu vois ! crie-t-elle derrière moi. C'est ça, mon problème.

– Quoi ?

Elle s'enfonce dans le canapé et serre ses genoux contre sa poitrine.

– Je ne sais pas comment me comporter avec les garçons !

– Tu parles de Praw ?

Elle hoche la tête.

– Je le trouve très mignon.

– Ooh, alors c'est vrai que tu craques pour lui. C'est super !

– C'est pas super si je n'arrive pas à parler quand il est là ! J'ai la tête toute brouillée, comme le téléphone quand on se sert du micro-ondes.

– Hein ?

– Tu n'as pas remarqué qu'on ne peut pas téléphoner et faire marcher le micro-ondes en même temps ?

– Euh. Non. Mais revenons à ce garçon.

– Oui. Praw. Je ne sais pas ce que j'ai ! Qu'est-ce que je fais ?

– Drague-le !

– Mais comment ? demande-t-elle. Je ne sais pas draguer. Apprends-moi.

– Je ne sais pas si je peux t'apprendre une chose pareille. Je le fais, c'est tout. Comme marcher ou respirer.

Elle renifle d'exaspération.

– Dis-moi une chose : comment tu as fait pour que Raf t'aime ? Naturellement, je veux dire. Je veux qu'il m'aime pour moi-même.

– Tu sous-entends que je ne suis pas digne d'être aimée ?

– Arrête d'être énervante et dis-moi juste comment tu as fait !

Hmm.

– Voyons voir. J'ai participé au défilé de mode. Comme Raf y était aussi, j'ai pu non seulement passer du temps avec lui, mais aussi lui montrer que nous avions des centres d'intérêt en commun.

– Faire le mannequin pour des fringues hors de prix ?

– Nooooon.

Pffff. Enfin, voyons.

– Enfin... peut-être. Ça, et la danse. Alors voici mes deux conseils. Montre-toi et partage ses centres d'intérêt.

– Et comment je fais ça ?

– Première chose, quand ses amis t'invitent à surfer à Hawaii, tu y vas.

Elle hoche la tête.

– Je vois ce que tu veux dire. Mais je ne veux pas faire semblant.

– Un peu de simulation ne fait pas de mal, je pense. Qu'est-ce qu'on sait de lui ?

– Il est rouquin.

– Mignon, mais pas très utile.

Elle saute à bas du canapé.

– Je sais ! Je vais aller voir son profil sur Mywitchbook !

– Parfait !

Nous fonçons dans sa chambre et allumons son ordi. Miri s'identifie sur le site, et je vais voir sa page.

Profil de Miri Weinstein sur Mywitchbook.com
Lieu de résidence : New York, État de New York
Magicalité : grise
Loisirs préférés : taekwondo
Héros : mère Teresa ; princesse Diana ; ma sœur Rachel
Situation : célibataire.

– Tu es trop mimi, lui dis-je. Tu m'as choisie !

Elle rougit et clique sur la page de Praw. Heureusement, son profil n'est pas réglé sur « privé ».

Profil de Corey Praw sur Mywitchbook.com
Lieu de résidence : Atlanta, Géorgie
Magicalité : grise
Loisirs préférés : karaté, sauver le monde
Héros : Bono
Situation : célibataire.

On dirait qu'il se présente pour Miss America.

– Il aime les arts martiaux ! glapit-elle.

– Je sais.

– Et il est célibataire !

– Je sais, dis-je en riant. C'est quoi, la magicalité ?

– Son point de vue sur la manière d'employer la magie. Et il est gris, lui aussi ! On s'intéresse aux mêmes choses ! Je n'aurai pas à faire semblant !

– Manifestement, vous êtes faits l'un pour l'autre, tous les deux.

Miri hoche la tête toute excitée.

– Tu devrais demander à être son amie.

Elle me regarde fixement, frappée d'horreur.

– Quoi ? Non !

– Pourquoi ?

– Parce qu'il saurait que je craque pour lui !

– Alors ne demande pas *qu'à* lui. Demande à tous ceux qu'on a rencontrés à Lozacea.

Elle réfléchit à cette idée.

– D'accord. Mais je commence ou je termine par lui ?

– Je ne crois pas que ça ait d'importance.

Elle clique sur le bouton « L'ajouter comme ami ». Puis elle clique sur le bouton qui permet de voir ses amis – et il y en a cinquante-deux... Nous les faisons défiler à la recherche de visages connus.

Je pointe le doigt.

– Voici les triplées ! Demande à être leur amie !

Ce qu'elle fait.

– Et voilà Karin.

Elle l'ajoute comme amie, elle aussi.

– Et Adam.

– Attends que je regarde son profil, dis-je.

Quand nous cliquons sur son nom, une photo de lui avec un grand sourire apparaît.

Ouaip. Toujours mignon.

– Ômondieu. Il a trois cent soixante-quinze amis !

– Ça fait beaucoup d'amis, constate Miri.

– Comment fait-il pour connaître autant de sorcières ? C'est à peine si je connais autant de monde que ça en tout.

Je lis le reste des informations le concernant.

Profil d'Adam Morren sur Mywitchbook.com
Lieu de résidence : Salt Lake City
Magicalité : rose
Loisirs préférés : le surf, regarder le football américain, traîner, voyager, jeter des sorts
Héros : mon père
Situation : célibataire.

Intéressant. Très intéressant.

– C'est quoi, le rose ? Ça fait un peu féminin.

– Ça veut dire qu'il se sert de la magie pour s'amuser.

Bon à savoir. Je suis *hyper*-rose. Je suis rose fluo. Rose à paillettes.

– Il est plutôt mignon, lui aussi, hein ?

– Je pense qu'il craque peut-être pour toi, dit-elle, et je sens qu'elle m'observe.

J'évite son regard.

– Comme amie, peut-être.

– Je ne sais pas. Il n'arrêtait pas de te sourire.

Je désigne sa photo.

– Il est du genre souriant.

– Mais quand même.

Est-ce qu'il a craqué pour moi ? Je ne sais pas trop. Est-ce que je craque pour lui ? Il est mignon. Non pas que ça ait la moindre importance. Je tripote le petit cœur que Raf m'a offert pour mon anniversaire.

Mon cœur appartient à Raf.

– Il a accepté ! chante Miri en sautant sur mon lit.

– J'essaie de dormir ! dis-je en tirant sur mes couvertures. Il est quelle heure ?

– Minuit à peine passé.

– Il est pratiquement une heure du matin et tu m'as réveillée parce que...

– Parce que Praw a accepté d'être mon ami ! Et il m'a écrit un mot ! Il m'a posé des questions sur mon taekwondo ! C'est pas dingue ? Alors je lui ai répondu en lui racontant tout sur mon taekwondo ! Et devine quoi ! Maintenant j'ai cinquante amis de plus !

Je ne dis rien. Parce que je dors. Ou que j'essaie. Elle est encore là ?

– Est-ce que j'aurais dû éviter de lui répondre aussi vite ? continue-t-elle. Il va me prendre pour une pauvre fille dans le besoin ?

– Sans doute.

– Oh non ! s'écrie-t-elle. C'est vrai ?

Ouvrant les yeux, je vois qu'elle a le front tout plissé d'inquiétude.

– Je plaisante ! Détends-toi. Je suis sûre qu'il va tomber amoureux fou de ton adorableté et de ta non-pauvrefillité. D'ailleurs, je suis sûre qu'en ce moment il est en train de dire à sa grande sœur : « Waouh, cette Miri Weinstein n'a rien d'une pauvre fille ! »

– Comment tu sais qu'il a une grande sœur ? me demande-t-elle.

– J'en sais rien. Je disais ça pour rire.

Ha-ha ?

– Mais c'est vrai qu'il a une grande sœur. Elle a seize ans et elle s'appelle Madison. Je l'ai vu sur Mywitchbook.

Je referme les yeux.

– Super. On peut se rendormir, maintenant ?

– Non ! Il est toujours en ligne. Il faut que j'élabore une stratégie avec toi.

– Va embêter maman.

– Elle dort.

– Tu vois ? Les gens normaux dorment, dis-je d'une voix embrumée. Et je veux être normale.

– Trop tard. Tu es une sorcière. Par définition, tu es tout sauf normale.

Je retourne mon oreiller.

– À propos de tout sauf normale, tu viens faire du shopping de délooking avec Wendaline et moi demain ?

– Bien sûr ! Encore que je ne trouve pas qu'elle ait besoin d'être délookée. Mais j'ai envie de la voir.

– Bien. Maintenant, va dormir !

Je tire les couvertures par-dessus ma tête et tombe dans un demi-sommeil.

Jusqu'à ce que Miri grimpe dans mon lit.

– Fitch nous invite à son Sim vendredi, chuchote-t-elle.

J'ouvre un œil. Il fait tout noir dans ma chambre.

– Il est quelle heure, là ? Et c'est quoi au juste, un Fitch ?

– Deux heures, et tu te souviens de Fitch ! C'est le petit Français. Ça te dit d'y aller ?

– Ça me dit de dormir.

– Concentre-toi, Rachel, concentre-toi. Il donne une fête. Vendredi soir. Il nous a invitées.

– C'est où ?

– À la tour Eiffel !

– Hein ? À Paris ?

Du coup, j'ai les deux yeux ouverts. Je distingue plus ou moins sa silhouette dans le noir.

– Non, dans l'Oklahoma. Mais oui, à Paris ! dit-elle d'une voix sourde. Sa famille est originaire de France.

– Mais quand même. La tour Eiffel ?

– Les garçons font leur Sim dans des endroits dingues.

Comme si un cimetière, ce n'était pas dingue.

– Alors, tu veux y aller ?

– Si tu veux, toi.

J'aime bien la France. J'aime la french manucure. J'aime le french kiss. Le french cancan.

– Tu crois que c'est dansant ? Va falloir s'habiller ? Et si Praw y est ?

– Eh bien, tu danseras avec lui, dis-je.

– Et comment je fais pour danser avec lui alors que je peux à peine lui parler ?

Mais quelle courge !

– Vous n'aurez pas besoin de parler si vous dansez.

– Mais on va y aller ? Je veux répondre au RSVP.

– Il faut que tu demandes à maman d'abord. (Je ferme les yeux.) Attends ! Et papa ? Le week-end prochain, on sera chez lui. Qu'est-ce qu'on va lui dire ? Déjà qu'il faut qu'on trouve une excuse pour disparaître trois heures samedi pour le cours de Sam... Tu crois qu'on pourrait juste faire semblant de faire la sieste ?

Nous pourrions mettre des oreillers sous nos couvertures au cas où papa entrerait. Sauf que Prissy arracherait sans doute les couvertures. Peut-être qu'on pourrait lui jeter un sort de sieste. Et même en jeter un sur toute la maison ! Exactement comme dans *La Belle au bois dormant*, mais pour trois heures au lieu de cent ans. On pourrait toujours les mettre sur pause, évidemment, mais ils se demanderaient comment ils ont fait pour perdre trois heures. Hmm...

– Je pense qu'on devrait lui dire la vérité, dit Miri.

– Sur le Simsorta ? Mais oui, tu penses, il serait juste un peu étonné. « Excuse-nous, papa. On fait un saut à Paris quelques heures pour une fête. »

– Non. Tu ne piges pas. Je veux lui dire la vérité. Sur nous.

Je m'assieds d'un bond, le cœur battant comme un tambour.

– Quoi ?

– Je veux dire la vérité à papa.

– Oui, j'ai entendu, merci. Mais je n'en crois pas mes oreilles. Pourquoi faire une chose pareille ?

On ne peut pas lui dire. On ne peut pas, c'est tout.

– Et pourquoi pas ?

– Maman ne lui a jamais dit la vérité. Si elle n'a pas voulu qu'il sache, on ne peut pas faire ça derrière son dos.

Les mots déboulent de ma bouche et je me retrouve à bout de souffle.

– Les temps ont changé. La sorcellerie n'est plus stigmatisée comme elle l'était.

Elle parle de la sorcellerie comme si c'était aussi américain que la tarte aux pommes.

– Et de toute manière, maman nous a toujours dit qu'on pouvait le dire à papa si on voulait. J'avais l'intention d'attendre la fin de ma formation, et j'ai pratiquement fini. Et maintenant, je trouve qu'il devrait être au courant. C'est vrai, on en a voulu à mort à maman de nous avoir caché des trucs plutôt importants, non ? Tu ne crois pas que papa a le droit de savoir ? Je déteste lui mentir.

– Ça fait six mois que tu lui mens !

– Je sais, et ça me met mal à l'aise. Je ne veux plus mentir. Et je veux qu'il vienne à notre Samsorta. Pas toi ? On ne peut pas participer à une énorme fête de présentation sans inviter notre père ! C'est mal, c'est tout.

– Il va le dire à Jennifer. Tu veux qu'elle soit au courant aussi ?

Elle fronce les sourcils.

– Il n'est pas *obligé* de le lui dire.

– Si. Ils sont mariés. Les gens mariés se disent les choses. C'est la règle.

Elle fronce le nez.

– On lui demandera de ne pas le dire. C'est notre père. Il nous aime.

– Alors c'est *à elle* qu'il mentira.

Ha ! Je l'ai bien eue.

Elle hésite, puis reprend :

– Laisse-moi le temps d'y réfléchir. On devrait peut-être en parler quand il fera jour.

J'approuve. À ce moment-là. Ou jamais.

– Et le Sim de Fitch, alors ?

– Si tu veux y aller, on ira, dis-je. Mais il faut que tu trouves quoi dire à papa.

Son regard s'illumine.

– En principe, on n'a pas à lui dire quoi que ce soit. Paris a six heures d'avance sur New York, donc la fête devrait être finie à dix-huit heures.

– Oh je vois, maintenant tu penses aux fuseaux horaires.

Elle ne relève pas ma pique.

– On peut être chez papa à l'heure habituelle. On peut sauter le train et se téléporter directement de la tour Eiffel à la gare de Long Island. Pas bête, hein ?

Pour quelqu'un qui insistait tant pour ne pas mentir, ma sœur fait preuve d'un talent certain pour inventer des histoires.

Miri saute de mon lit et se faufile dans sa chambre. Je ferme les yeux, mais malheureusement je l'entends taper sur son clavier à travers les murs.

Clic clic clac clic.

J'ouvre les yeux et fixe le plafond. Miri est sans doute la personne qui fait le plus de bruit en tapant de toute l'histoire mondiale.

Je n'en reviens pas qu'elle veuille tout dire à papa. On ne peut pas lui dire. Je me retourne sur le ventre d'un bond. Mais n'ai-je pas envie de partager quelque chose d'aussi important avec lui ? N'ai-je pas envie qu'il sache qui je suis vraiment ? Ne m'aimera-t-il pas quoi qu'il arrive ? Si, forcément, pas vrai ? C'est mon père. Quand on aime vraiment quelqu'un, on l'aime quoi qu'il arrive, non ? Et quand on aime vraiment quelqu'un, n'est-ce pas qu'on l'aime pour ses défauts, et pas malgré eux ? Faudra que je réfléchisse à tout ça. J'ai besoin de dormir.

Clac clac clic clac.

Ce dont j'ai besoin, en fait, ce sont des bouchons d'oreilles. Je me concentre et psalmodie :

Je vous en prie, faut qu'je roupille,
Impossible avec ce boucan !

Pour me boucher les écoutilles,
Vite, des bouchons, là, à l'instant !

Pas les meilleures rimes du monde, je sais, mais bon. On est au milieu de la nuit.

En tout cas, ça marche. Plus ou moins. Deux bouchons de baignoire identiques se matérialisent sur ma table de nuit.

Trop crevée pour concocter un nouveau sortilège, j'enfouis ma tête sous mon oreiller, et enfin, *enfin*, je m'endors.

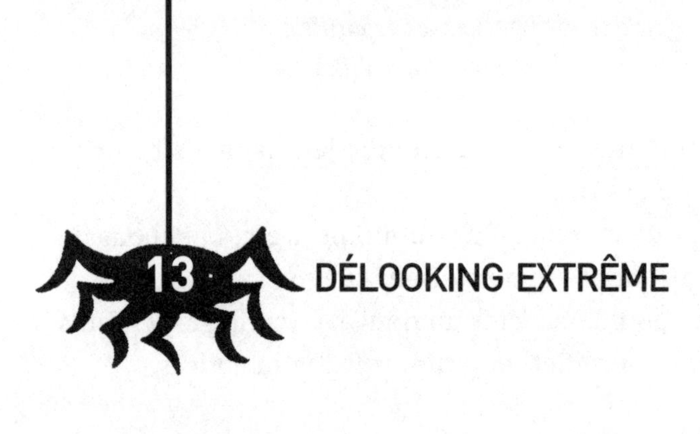

13 DÉLOOKING EXTRÊME

En ouvrant les yeux le lendemain matin, je découvre que ma penderie a été pillée sans que cela me réveille. La moitié de mes fringues sont éparpillées sur la moquette rose et ont perdu leur forme d'origine. C'est-à-dire que mon chemisier de rentrée est désormais une minirobe ; que ma robe de bal verte de fin d'année de l'an dernier est devenue bleue ; que mes sandales sont à présent des talons aiguilles ; et que mes baskets sont dorénavant des escarpins. Ma sœur se trouve dans l'œil du cyclone, uniquement vêtue d'une culotte et d'un haut à paillettes. Il me semble que ce haut est un ancien collier.

– Euh... Miri ? Quess' tu fais ?

– J'ai rien à me mettre, pleurniche-t-elle.

J'étire mes bras au-dessus de ma tête et je bâille.

– Pour aller où ?

– Comment ça, « pour aller où » ? Au Simsorta ! Voir Praw ! Il faut que je sois jolie ! Et je n'ai rien de joli ! Rien !

– Maman a dit qu'on pouvait y aller ?

– Plus ou moins. Elle a dit qu'on n'avait pas le droit de rater des cours pour quelqu'un qu'on connaît à peine, mais qu'on pourrait aller danser. Donc, on rentre ici direct après l'école, on se prépare, et on va à Paris. Mais seulement si j'ai quelque chose à me mettre !

– Du calme. On va te trouver quelque chose de bien. Tu vas venir faire les boutiques avec Wendaline et moi aujourd'hui. On va s'arranger pour que tu sois ma-gni-fique.

– Tu me fais peur quand tu parles syllabe par syllabe.

Je caquette pour en rajouter.

Cet après-midi-là, pendant que nous attendons Wendaline chez *Bloomingdale's*, une femme en blouse noire nous demande si nous aimerions qu'elle nous maquille.

– Oui ! Commencez par elle ! dis-je en poussant Miri en avant. Elle en a vraiment besoin.

Miri secoue la tête.

– Je ne mets jamais de maquillage.

– Tu veux être jolie, oui ou non ? je lui demande, les bras croisés.

– Assieds-toi, dit la femme en blouse. Je ne mords pas, je te promets.

Miri hésite.

– Vous pouvez vous arranger pour que ça ait l'air très naturel ?

– Absolument.

Miri grimpe à contrecœur sur le tabouret.

– Je vais commencer par tes yeux. Les mettre vraiment en relief, tu vois ? Faire ressortir le vert.

Elle scrute la face de ma sœur.

– Elle a les yeux marron, je m'empresse de préciser. Comme moi.

Je ne me suis pas engagée à laisser une maquilleuse daltonienne peindre ma sœur, n'est-ce pas ?

– En effet, dit la femme en blouse en choisissant un pinceau fin. Ta sœur a les yeux marron, c'est tout à fait vrai. Mais elle a de fabuleux éclats émeraude que je vais mettre en valeur.

Qui l'eût cru ? Je fais un pas vers l'un des sept cents miroirs et m'examine dedans. Ai-je des éclats émeraude dans les yeux, moi aussi ?

Ça, c'en est un ? Non.

Là ? Non plus.

On dirait bien que mes yeux sont sans éclats.

La femme en blouse sort une palette, observe Miri, repose les yeux sur les couleurs, scrute de nouveau Miri.

– Je vais essayer sur toi une nouvelle ombre appelée Parfaitement Jolie.

J'adore ces appellations débiles de fards à paupières. Je retourne les petites boîtes pour voir comment s'appellent les autres. La Dame dans l'eau, Lucidité, Une douzaine de roses... Et qui les invente, ces noms, d'abord ? Je parie que je saurais en faire autant. Ce serait marrant, comme métier. Quand je serai grande, je veux être inventeuse de noms de fards à paupières. Trop drôle !

Je me retourne vers Miri.

La femme en blouse applique de l'eye-liner et du mascara, puis elle fait pivoter le siège de Miri pour la mettre face à l'un des sept cents miroir.

– Qu'en dis-tu ?

– Je ne sais pas, dit-elle en se regardant. Ça fait très maquillé...

– Elle prend tout ! fais-je avec enthousiasme.

Elle est sublime. Ses yeux ressortent de partout.

– Qu'est-ce que vous avez comme gloss pour ses lèvres ?

– Je n'ai pas besoin de gloss, dit-elle.

– Mais si. Tu ne veux pas qu'on ait envie de t'embrasser ?

Elle vire cramoisie.

– Je ne crois pas qu'elle ait besoin de blush, dis-je.

Une fois que Miri en a fini, je grimpe sur le siège pour laisser opérer la magie de la femme en blouse.

– Mettez de tout, dis-je. Mascara, ombre à paupières, blush, contour des lèvres... La totale !

J'ai toujours rêvé de savoir comment appliquer mon maquillage sans avoir l'air d'avoir deux yeux au beurre noir.

Une fois qu'elle a terminé, j'admire mes nombreux reflets. Oui ! Elle m'a saupoudré les yeux de mauve et les a soulignés de gris, et voilà qu'ils ressortent ! Et moi qui croyais que j'avais des pommettes ? Ah ! *Maintenant* j'ai des pommettes. Vieux rose. Et mes lèvres ! Superbes, brillantes, faites pour être embrassées.

– Fantastique ! Je prends tout !

Miri secoue la tête.

– Maman n'a pas dit qu'on ne pouvait dépenser que deux cents dollars ?

Maman a eu la gentillesse de me passer sa carte de crédit, avec l'ordre de mettre au maximum deux cents dollars dans une nouvelle robe pour Miri. Mais je suis sûre que cela ne comprenait pas les accessoires, si bien que je la fais taire d'un geste de la main.

– T'inquiète. Tout ira bien. Je n'ai pas besoin de robe, puisque j'ai celle du bal de l'an dernier.

Miri hausse les sourcils.

– Quoi ? dis-je, sur la défensive. Je ne suis pas une célébrité, tu sais. Je peux m'habiller deux fois pareil, moi.

Wendaline débarque pendant que je paie. Elle porte encore une tenue ridicule – jupe en dentelle rouge, haut en velours noir drapé – mais au moins, elle est venue à pied.

– Mais qu'elles sont belles, toutes les deux ! dit-elle.

Je lui fais la révérence, prends le maquillage et ouvre la marche jusqu'à l'Escalator.

– Bien, mesdames, voici ce qu'il nous faut !

Je me frotte les mains. Je me sens dans la peau d'un entraîneur de foot.

– Nous cherchons une nouvelle robe pour Miri. Une robe qui fasse remarquer comme elle est mignonne. Quelque chose de fun. Quelque chose de sexy. Quelque chose...

– Qui mette en valeur le vert de mes yeux ?

Elle papillote de ses cils couverts de mascara.

– Pas verts, Miri. Parsemmelés d'éclats verts. Paraît-il.

– Tu veux dire « parsemés », dit-elle en levant les yeux au ciel.

– Bref. Pour Wendaline, il nous faut un jean, dis-je. Pas trop moulant, pas trop large. La coupe droite parfaite. Il lui faut aussi des hauts.

– Je ne peux pas porter ce haut-ci sur un jean ? demande-t-elle en montrant la pièce de velours noir drapée sur le haut de son corps.

– Non, dis-je simplement. Tu ne peux pas. Et pour moi...

– Je croyais que tu ne t'achetais rien, me coupe Miri.

– Je garde l'esprit ouvert.

– Pourquoi as-tu besoin d'une robe ? demande Wendaline.

– Un certain Fitch nous a invitées à son Sim.

– Noon ! Ce vendredi-ci ? À la tour Eiffel ? Je suis invitée aussi !

– Hourra ! l'acclame Miri. On pourra y aller toutes ensemble.

– Toute ma famille est invitée, dit-elle. Ma mère était à l'École des charmes avec la sienne.

– Pas le temps de papoter, j'interromps. En route. On se retrouve aux cabines d'essayage dans un quart d'heure. Prêtes ? *Go !*

La troupe se disperse.

Quinze minutes plus tard, Wendaline revient avec trois jeans qui ne lui vont manifestement pas. (Trop grand ! Trop taille basse ! J'ai parlé de pattes d'éléphant ? Non, absolument pas.) Miri se trompe aussi. Les robes qu'elle a choisies sont les vêtements les plus hideux que j'aie jamais vus. Sérieux. Elles sont immondes. L'une a des tulipes brodées rose vif, une autre une crinoline orange fluo. Heureusement, j'ai bon goût et j'ai fait des choix plus adéquats. Malheureusement, j'ai passé tellement de temps à leur trouver des fringues que je n'ai pu me prendre que trois chemises et un jean noir. Le jean noir est trop branché pour Wendaline, mais j'ai remarqué les mêmes sur une bande de stars du lycée.

Allez savoir pourquoi, nous nous entassons toutes les trois dans une seule cabine.

Le jean que j'ai choisi pour Wendaline est parfait. Il lui allonge les jambes et lui fait des petites fesses.

– Ce que c'est serré ! dit-elle. Tu es sûre que c'est la bonne taille ?

– Oui, dis-je, catégorique. Ça se détend.

– J'espère. Il n'est pas trop confortable. J'ai un bouton qui me rentre dans le ventre.

– Il faut que tu t'y fasses. Maintenant, essaie ce haut.

Je lui passe deux tee-shirts, un à manches longues et un à manches courtes, et lui donne mes ordres.

– Mets-les l'un par-dessus d'autre.

Miri enfile une robe rouge.

– Et nous, qu'est-ce qu'on doit porter pour notre Samsorta ? Est-ce que Kesselin Fizguin va nous en parler ?

– On doit toutes mettre une robe héliotrope, dit Wendaline.

Je remonte la fermeture Éclair de Miri.

– Une quoi ?

On dirait un numéro de cirque.

– Mauve, dit Wendaline. Rose-mauve. Comme la fleur. Cette couleur a des propriétés magiques : elle est censée renforcer la beauté.

Si seulement j'avais su ça le mois dernier ! Ç'aurait été la couleur idéale pour mon chemisier de rentrée.

– Et on les trouve où, ces robes ? lui demande Miri. N'importe où ?

– Je ne sais pas trop, dit Wendaline. Je dois mettre celle de ma mère. Elle l'a préservée pendant trente ans tout spécialement pour mon Sam.

– Tu crois que maman a toujours la sienne ? me demande Miri.

– Ça m'étonnerait. Remarque, elle est peut-être dans le placard à produits d'entretien. Et même si c'était le cas, il nous en faudrait quand même une nouvelle. On ne peut pas la porter toutes les deux.

– Prem's ! s'écrie Miri.

Je lui laisse bien volontiers la robe de maman parfumée au liquide à vitres, tandis que je m'achèterai quelque chose de superbement neuf.

– Pas de problème, dis-je avant d'admirer son reflet. Ça, c'est sexy.

Miri s'avance devant la glace et se tourne de profil.

– C'est trop rouge. Ça me donne l'air de vouloir me faire remarquer à tout prix.

Je lève les yeux au ciel.

– Si tu n'en veux pas, laisse-moi l'essayer.

Je peux toujours l'agrandir d'un coup de baguette si elle est trop petite. Ou demander une taille au-dessus. N'importe. Je me tourne vers Wendaline, pour voir où elle en est.

J'aboie :

– Non, non, non. C'est mal mis. Le tee-shirt à manches courtes va au-dessus de celui à manches longues.

– Mais on verra les manches ! dit-elle. Pourquoi je ferais un truc pareil ?

Je lève les yeux au ciel.

– C'est exprès qu'on voit les manches. C'est ça, le style. Allez, tu changes.

Elle hausse les épaules et enlève les deux à la fois.

Ômondieu !

– Wendaline, tu as des seins énormes ! Je ne savais pas du tout. Tu fais du combien ?

Elle pose avec son soutif devant la glace.

– Du C.

– Il faut que tu mettes des tee-shirts plus moulants, lui dis-je tout en me tortillant pour entrer dans la robe rouge.

Bien ! Oui ! J'adore ! Pourquoi aller au Sim dans ma vieille robe de bal alors que je pourrais porter ceci ?

Et d'ailleurs, si l'ouragan de magie exécuté ce matin par Miri dans ma garde-robe avait fait des dégâts permanents ? Il me faut quelque chose de neuf pour être sublime. À tomber.

Est-ce que je veux être à tomber ? Et pourquoi je veux être à tomber ?

Miri ôte sa robe à tulipes du cintre.

– Elle a l'air sympa, celle-là, lui dit Wendaline.

– Vous êtes aveugles ou quoi ? Franchement, tu n'es même pas autorisée à l'essayer, dis-je.

Je la lui arrache des mains et la jette par-dessus la porte de la cabine.

– Quand on voit ça, on ne se dit pas « jolie ». On se dit « fiasco ». Si c'était une ombre à paupières, c'est comme ça qu'elle s'appellerait. Fiasco. Tiens, essaie ça, plutôt.

Je lui tends une sobre robe en soie verte.

– Elle est superbe et toute simple.

Elle se glisse dedans, remonte la fermeture, et nous regardons toutes les deux dans la glace.

Miri sourit à son reflet.

– Pas mal, dit-elle.

– Pas mal, fais-je avec dédain. Arrête un peu ! Elle est sublime. Si c'était une ombre à paupières, elle s'appellerait...

Wendaline cligne de l'œil.

– Simplement Superbe.

Exactement.

Ma stratégie est réduite en miettes le dimanche soir. Maman saute au plafond en voyant le ticket de caisse de *Bloomingdale's* et me fait promettre de rapporter ma robe neuve et le jean noir.

– J'avais dit deux cents dollars ! s'écrie-t-elle.

– Et pourquoi Miri peut garder toutes ses affaires alors que moi je dois tout rendre ?

– Parce que tu as déjà une robe que tu peux mettre. Et que tu as dépensé cent dollars en tenues de rentrée il y a quinze jours !

Ah. Exact. Va pour la robe de bal de fin d'année, alors. Avec quelques modifications magiques, peut-être.

Le lundi, Wendaline porte son jean et ses tee-shirts neufs au lycée... et Cassandra la laisse tranquille. Victoire ! J'ignore si c'est parce qu'elle ne la reconnaît pas ou parce qu'elle a trouvé quelqu'un d'autre avec qui être méchante et détestable, mais je m'en fiche. Je suis heureuse d'avoir évité un nouveau plan foireux.

Tammy a l'air un peu ailleurs.

– Comment c'était, ton week-end ? je lui demande en cours de français. Bosh était en ville, non ?

– Ouais, fait-elle. C'était bien.

Elle soupire.

– Qu'est-ce qui ne va pas ?

– On peut déjeuner ensemble aujourd'hui, juste toi et moi ? J'ai passé un week-end un peu bizarre, et j'ai trop besoin d'en parler avec toi.

– Bien sûr. Tu veux qu'on aille chez *Cosi* au bout de la rue ?

Elle acquiesce, soulagée.

Au déjeuner, elle vide son sac.

– Je tiens vraiment à lui. Et je sais qu'il tient vraiment à moi. Mais ça ne fait que quelques semaines qu'il est parti, et c'est déjà hyper-dur.

– Comment ça ?

– Eh bien, mes reums ne m'autorisent pas à aller le voir, pour commencer. Elles disent que je suis trop jeune pour rester dormir là-bas, ce que je comprends.

Je hoche la tête.

– Donc je ne le vois que quand il vient en ville. Et il ne peut pas venir très souvent. Il ne veut pas rater toutes les activités de la fac, et moi non plus, je ne veux pas qu'il les rate ! C'est juste que je ne sais pas quoi faire. C'est dur de s'aimer à distance. Et on est dans des environnements tellement différents en ce moment ! Il a tous ses potes de fac, et les blagues de fac, et les trucs de fac... et moi je suis toujours là. Et il y a une telle différence d'âge... Je me demande si on ne devrait pas se quitter.

Je m'étrangle.

– Vous ne pouvez pas vous quitter ! Tous les deux, vous êtes, genre, le couple le plus solide du monde.

Elle prend une petite bouchée de son sandwich à la dinde.

– Mais on n'a plus rien en commun. Rien du tout. On vit dans deux mondes différents. (Elle soupire de nouveau.) Je ne sais pas quoi faire.

– Pourquoi ne pas attendre un peu ? Jusqu'à Thanksgiving, par exemple ?

Elle rit.

– Ils appellent ça le Lundi noir, tu sais. Quand tous les première année de fac retournent en cours après avoir rompu avec leurs petites copines lycéennes pendant le week-end de Thanksgiving.

– Houlà.

– Je sais.

– Mais je te parie que certains s'en sortent. Tout le monde ne casse pas avec son copain de lycée. Y en a bien qui doivent se marier.

Comme Raf et moi. On va se marier, sûr. Enfin... peut-être. Qu'est-ce qu'un peu de distance dans une relation amoureuse ? Raf et moi, on ne partage pas nos vies dans les moindres détails. Et on s'en porte très bien. Tout va super-bien.

– Peut-être un couple sur un million, dit Tammy. Mais tu as sans doute raison. Je peux attendre encore quelques semaines. Au moins un mois.

– Un mois, ça me paraît raisonnable.

– Merci, Rachel. T'es super.

– Oui, je sais, dis-je en souriant.

Je suis une bonne amie, le lycée se passe bien, je vais à Paris... La vie est belle.

Le mercredi, Wendaline vient tout gâcher.

Tammy et moi nous dirigeons vers le labo de chimie, qui se trouve être à côté des casiers des terminales. Wendaline va de son côté en SVT. Elle nous fait signe. Nous lui rendons son salut. Nous repérons toutes les trois en même temps Cassandra, en noir des pieds à la tête (nouveau jean noir tendance comme celui que j'ai dû aller rendre, baskets noires, pull noir, serre-tête noir). Flanquée de sa bande, elle ferme son casier, puis se fourre un chewing-gum dans la bouche. Elle jette le papier par terre.

Et c'est là que Wendaline le fait. En passant devant le casier de Cassandra, elle ramasse le papier jeté, le lui présente et dit :

– Tu as laissé tomber ça.

Noooooooooooon !

C'est clair, Wendaline est masochiste.

Cassandra la regarde fixement comme si elle avait trois têtes, quatre yeux et une queue. Ou comme si elle portait sa cape et chevauchait son balai.

Je n'ose pas bouger. Comme si j'étais sur pause.

– Oh, mais merci, *Wendaline*, dit Cassandra d'un ton sirupeux, en étirant son prénom de manière à le rendre ridicule.

Elle arrache le papier de la main de Wendaline.

– De rien, dit cette dernière en souriant avec gêne et en passant son chemin.

Cassandra arrête doucement Wendaline au bout d'un pas.

– Tu as les cheveux si longs, dit-elle en lui caressant la tête comme à une gamine. On dirait qu'ils n'ont jamais été coupés. Très très original.

Ses potes ricanent, et toute la bande s'en va comme un banc de requins.

Wendaline nous rejoint de l'autre côté du couloir.

– Vous voyez ? Elle n'est pas si méchante.

Et c'est là que je le vois : un chewing-gum collé dans ses cheveux.

Tammy et moi avons un haut-le-corps.

– Quoi encore ? demande Wendaline.

Encore un plan foireux, merci, Wendaline.

14 COMMENT DIT-ON « PARTY » EN FRANÇAIS ?

– Bonjour ! Vive la France ! Nous voilà ! Nous voilà !

Paris. Le pays de l'amour. De la mode. Du fromage.

Il est vingt-deux heures à Paris, six heures plus tard que chez nous, et il fait bien plus nuit que chez nous. Et ça ne sent pas pareil, non plus. Ça sent meilleur. Parfumé. New York sent le sandwich à l'œuf et la lingette pour sèche-linge.

Imaginez, si à la place de « lavande » ou « jardin printanier », on pouvait acheter des parfums d'ambiance « Paris » ou « New York ». Je devrais peut-être devenir nez professionnel.

– Regardez comme c'est grand ! s'exclame Miri en levant le nez vers la tour Eiffel.

Elle se laisse glisser de mon dos.

– Tu as toujours tes deux chaussures, cette fois ?

Je laisse tomber les piles dans ma pochette argentée (*alias* mon sac de classe magiquement modifié).

– Ouaip ! Et toi ?

– Ouaip. Allons-y.

Miri, qui n'a pas l'habitude de marcher avec des talons, s'avance en vacillant dans les chaussures de maman.

– Je pense que c'est une videuse, dis-je tout bas en indiquant une femme en longue robe noire devant la porte. On est bien sur la liste des invités, hein ?

Miri hoche la tête.

– J'espère. Il paraît qu'ils envoûtent tout l'endroit de manière que les norciers et les norcières ne puissent même pas voir la fête. C'est pas la classe, ça ?

– Mais si des touristes essaient de s'incruster ?

– La videuse leur dit que c'est fermé pour une soirée privée.

– Et celui qui dirige la tour Eiffel ? Quelqu'un doit bien être au courant de ce qui se passe !

Miri hausse les épaules.

– Je ne sais pas, peut-être qu'ils le mettent sur pause.

– *Votre nom*[1] ? demande la videuse.

– Miri Weinstein, répond ma sœur.

La femme étudie sa liste.

– Je vous ai, fait-elle avec un accent français.

Elle se tourne vers moi.

– Et vous êtes Rachel ?

– Euh, *oui*.

Les videuses magiques sont les meilleures du monde. Pas que je sois jamais allée à quoi que ce soit qui nécessite une videuse non magique. Mais quand même, elle m'a l'air très efficace.

– Donnez-moi la main, aboie-t-elle.

Hein ?

– Vous avez besoin d'un coup de main ? Vous voulez qu'on vous aide à faire quelque chose ?

1. En français dans le texte.

Elle n'est peut-être pas aussi douée que je l'avais cru.

– Vos mains.

Elle prend la mienne et tamponne un hologramme de la tour Eiffel dessus. Puis elle tamponne celle de Miri.

– Touchez ! nous ordonne-t-elle.

Miri et moi nous regardons, haussons les épaules, et touchons nos tampons en même temps. Vroum ! Nous sommes enlevées jusqu'au sommet de la tour, où se trouve un restaurant. Après avoir atterri, je tends la main pour trouver de quoi stabiliser mon corps tremblant, et sans le faire exprès je tire sur le bord d'une nappe noire. Ho-ho... Je regarde tous les verres posés dessus se renverser au ralenti. Je ferme les yeux et guette le bruit de verre brisé.

Au lieu de quoi, j'entends :

– Toi au moins, tu sais faire ton entrée.

J'ouvre les yeux et vois Wendaline qui agite les doigts. Les verres se redressent par magie.

– Merci, dis-je, reconnaissante.

Elle sourit.

– Pas de souci.

Au moins, nous n'avons dérangé aucun convive. Il n'y a personne à cette table. Tous les invités (une centaine, je dirais) dansent au son d'un groupe de musiciens.

– Tu es très belle ! lui dis-je.

Et c'est vrai. Elle porte une longue robe sombre brodée de perles noires scintillantes.

– Et ta nouvelle coupe est parfaite !

Ses cheveux ont été coupés au carré, courts. Après le traumatisme du chewing-gum, nous avons appelé le salon d'Este et l'avons suppliée de faire une place à Wendaline l'après-midi même. Elle n'a plus rien d'une Raiponce, ça c'est sûr. Elle fait plutôt Blanche-Neige. De plus, je l'ai persuadée de se débarrasser du vernis noir et de se faire les ongles en rose layette.

Nous sommes juste à côté de la piste de danse bondée. Tout le monde est en tenue de soirée. Les adultes portent des costumes noirs et des robes longues. Toute la jeunesse est habillée, elle aussi. Les filles sont en robe de cocktail, et les garçons en costard.

– On met où notre cadeau ? lui demande Miri.

Wendaline nous guide jusqu'à un tas de cadeaux à côté du bar. Nous nous sommes bien demandé quoi acheter. Que peut-on offrir à un gars qui peut se zapper n'importe quoi ? Wendaline nous a expliqué que la coutume voulait qu'on apporte des bocaux d'épices rares à un Sim. Pour que le type puisse concocter de nouveaux sorts, peut-être ? Comme nous ne savions pas trop combien dépenser, nous sommes allées dans un magasin d'épices chic appelé *Penzeys* et lui avons acheté un assortiment cadeau de huit bocaux. Nous avons ajouté une carte pour le remercier de nous accueillir. J'espère qu'il ne va pas regarder notre « De la part de Rachel & Miri Weinstein », puis se tourner vers sa famille en disant : « C'est qui ? »

– Ma mère me fait signe, dit Wendaline en soupirant. Elle veut me présenter à toutes ses copines de Charmori. Je reviens tout de suite...

– Je suis bien ? me demande Miri, mal à l'aise, lorsque nous nous retrouvons toutes les deux.

– Toujours fabuleuse, lui dis-je pour la cinquième fois.

Sa robe verte est superbe. Et elle s'est très bien débrouillée avec l'ombre à paupières. Il ne nous a fallu qu'une demi-bouteille de démaquillant.

Je ne suis pas mal moi-même, je dois dire. Miri a insisté pour que je transforme le vert de ma robe de bal en argenté, vu que sa robe est verte et qu'elle ne voulait pas qu'on ait l'air de jumelles. Je voulais qu'on ait l'air de jumelles évidemment (trop marrant !), mais elle était fortement contre. J'ai tenté de teindre ma robe en héliotrope, mais la nuance que j'ai obtenue me donnait l'air d'une grappe de raisin. J'espère que les cosmétologues du Samsorta savent ce qu'ils font.

J'ai aussi raidi mes cheveux, et ils sont hyper-glamour.

– J'espère que Praw va venir, dit Miri.

Après tous ces efforts, vaudrait mieux.

– Il ne t'a pas dit qu'il venait ?

– Si, mais s'il ne vient pas ? Et que je me suis faite toute belle pour rien ?

Elle devient blanche.

– Je le vois ! Il est là ! Il danse ! Ne regarde pas !

Je regarde.

Praw est bien sur la piste de danse, en train de s'agiter et d'avoir l'air particulièrement adorable avec ses taches de rousseur, dans son costume gris foncé.

– Je t'ai dit de ne pas regarder ! s'écrie Miri en se mordillant les doigts. Et si je bloque encore ?

– Du calme, dis-je de ma voix la plus apaisante.

Je lui enlève les doigts de la bouche. J'aurais dû lui offrir une manucure après la leçon de maquillage.

– Qu'est-ce qui te rend si nerveuse ? Tu as passé toute la semaine avec lui sur Mywitchbook. Vous aurez plein de choses à vous dire.

– Mywitchbooker, ce n'est pas pareil que de se parler en personne. À l'aide ! Qu'est-ce que je dois faire ?

– Contact visuel. Souris. Et détends-toi.

Juste à ce moment-là, Praw nous repère, nous sourit et vient à notre rencontre.

– Vous êtes là !

– Eh ouais, dit Miri en piquant du nez. Salut.

– Salut, Praw, dis-je.

Je donne un coup de coude à Miri.

– Contact visuel, lui dis-je à voix basse.

Elle lève les yeux.

– Vous êtes bien belles toutes les deux, dit-il mais en gardant les yeux sur Miri.

Ooh, trop mignon.

– Mais tu es très beau aussi, dis-je.

Il rougit.

– Comment s'est passée ton interro de français ? demande-t-il à Miri.

– Pas mal. Et toi, ton devoir d'espagnol ?

– Pas trop mal.

Silence.

Un silence qui s'installe. Hum, hum. Miri m'envoie un regard suppliant, alors j'interviens.

– Tu es déjà venu à Paris ?

– Ouais, dit-il. Je suis venu prendre un brunch ici dimanche dernier avec mes parents. Enfin, je veux dire, ma mère et mon beau-père. Mes parents sont divorcés. Je vous l'ai déjà dit ?

Il vire au rouge.

Il ne sait plus quoi dire ! Parler à Miri le rend nerveux ! Trop mignon ! Je serre le bras de Miri.

– Oh, dit Miri en se mordillant les doigts. Cool. Enfin, pas cool que tes parents soient divorcés. Cool parce que...

Elle se tait et se remet désespérément à regarder par terre.

Parce que les miens le sont aussi ? Elle est vraiment en difficulté, là. Dois-je provoquer une diversion ? Tirer encore sur une nappe ?

– Praw, déclare soudain Miri avec fermeté. Allons danser.

Ômondieu ! Miri ! Je ne l'avais pas vue venir, celle-là ! Mais... Chapeau ! Comme ça, elle n'aura plus du tout besoin de parler. Mais encore faut-il qu'elle arrive jusqu'à la piste. Elle vacille sur ses talons, et je crains qu'elle ne s'étale la tête la première, mais Praw la prend par la main pour la retenir. Ooh.

Je balaie la salle des yeux à la recherche de quelqu'un à qui parler. Adam, où es-tu ? La piste de danse est trop noire de monde pour qu'on y distingue qui que ce soit. Hmm. Je peux rester plantée là comme une potiche, ou alors... Je sors admirer la vue. Magnifique ! Les lumières de la ville étincellent.

J'entends une voix derrière moi.

– Tu ne veux pas danser ?

Je souris en découvrant Adam. Il est très séduisant dans son costume.

– Te voilà.

– Alors comme ça, tu me cherchais ?

Je pique un fard. Je ne veux pas qu'il se fasse des idées !

– Je... Enfin...

– Je te taquinais, dit-il. Tu es très jolie.

– Mais merci bien. Toi aussi.

Il désigne la salle du geste.

– On va danser ?

Est-ce que cela dérangerait Raf que je danse avec Adam ? En tout bien tout honneur, évidemment.

– J'aimerais bien, dis-je, mais je suis la plus mauvaise danseuse du monde.

– Je ne suis pas vraiment au niveau de *High School Musical* non plus.

– Il existe un sort pour la danse, tu sais.

– Je ne l'ai pas essayé. Et toi ?

– Oh, ouais. Je préfère que tu n'entendes pas cette histoire.

– Et moi je crois que je veux l'entendre, dit-il en plissant les yeux.

– Très bien, tu l'auras voulu, dis-je en posant les mains sur mes hanches. Il y avait un défilé de mode à mon lycée. J'avais très très envie d'y participer. (Je me mets à rire.) Je n'arrive pas à croire que je sois en train de raconter cette histoire ridicule.

Je n'avais jamais eu personne à qui la raconter. Ou plutôt, personne à qui je *puisse* la raconter.

– Laisse-moi deviner, dit-il. Tu étais la star.

– Pas tout à fait, dis-je en pouffant de rire une nouvelle fois. Vois-tu, ma mère a inversé le sort une minute avant le défilé.

– Non !

– Si. Un désastre. De fait, j'ai décapité la fausse tour Eiffel.

Il presse son index contre mes lèvres.

– Chhht, ne dis pas ça trop fort. Tu risquerais de te faire sortir.

Un garçon est en train de me toucher. De toucher mes lèvres. Un garçon qui n'est pas Raf me touche les lèvres.

Je recule d'un pas, m'éloigne, et m'agrippe au bastingage derrière moi. Je pense que Raf n'apprécierait pas qu'un autre garçon me touche les lèvres. Je ne crois pas avoir envie qu'un autre garçon me touche les lèvres.

– J'ai intérêt à m'accrocher, alors.

Je glousse encore un coup, de gêne cette fois-ci.

– Euh, et toi ? fais-je, soucieuse de conserver une certaine légèreté. Tu as déjà jeté des sorts originaux ?

Il s'appuie au garde-fou à côté de moi.

– Au début, quand j'ai reçu mes pouvoirs, je voulais intégrer l'équipe de football américain.

– Normal.

– Exactement ! Alors j'ai trouvé un sort de force, et j'ai postulé pour être quarterback.

– Ça a marché ?

– J'ai envoyé la balle à environ cent mètres.

Il exécute une imitation de lui-même lançant le ballon au ralenti, incluant toutes sortes d'expressions faciales rigolotes.

– Ils m'ont pris pour l'homme bionique.

– Et tu as intégré l'équipe, dis-je en riant.

– Ouais ! Mes débuts de quarterback.

– Félicitations !

– Pas vraiment. J'avais de la force, mais je ne savais pas viser. À mon premier lancer, j'ai atteint l'entraîneur. Je lui ai cassé le nez.

Il imite au ralenti l'entraîneur se prenant la figure entre les mains.

Je fais la grimace, puis j'éclate de rire. Adam comprend ce que je traverse. Il comprend ma douleur. Il me comprend, moi.

Les musiciens terminent leur morceau et un tas de gens sortent prendre l'air.

Karin, Viv, Michael et les triplées nous rejoignent, suivis de Wendaline et ses amies de l'École des charmes, Imogene (qui est anglaise) et Ann (qui est écossaise) sortent aussi, et nous voilà de nouveau en bande.

– Hé, tu as essayé le sortilège Go ? me demande Karin.

– Non. Je devrais ?

– C'est le meilleur, dit la triplée glamour.

Le reste de la troupe murmure son approbation.

– C'est celui que vous avez employé pour aller à Hawaii, c'est ça ?

– Ouais, dit Michael. Il faut du sucre roux, du talc et deux ou trois autres trucs.

– Tu veux que je te le mette par écrit ? demande Karin.

– Volontiers, dis-je. Merci.

Elle fait apparaître du papier et un stylo, et manipule magiquement ce dernier pour écrire un sort.

– On a de la préparation en rab, me fait la triplée BCBG. Je peux t'en passer si tu veux l'essayer chez toi ce soir.

– Merci !

Elles ne sont pas géniales, mes nouvelles amies sorcières ? Trop géniales !

– C'est l'un d'entre vous qui l'a inventé ? Vous partagez les sorts entre vous ?

Est-ce qu'ils se retrouvent tous pour les échanger comme des recettes de cuisine ?

– Il est apparu la semaine dernière dans le livre de sorts, dit Adam.

– Les sorts apparaissent dans le livre ?

– De temps en temps, dit Viv.

– T'as pas remarqué ? me demande Karin.

– Oh si, bien sûr, dis-je en me mordant la lèvre.

Pas du tout.

– Tu n'avais jamais remarqué ! dit Adam pour me taquiner. C'est pour ça que la numérotation des pages fait n'importe quoi. Les gens ajoutent du contenu. Comme ça, il reste toujours d'actualité.

– Un peu comme Wikipédia, explique Michael.

– J'en ai ajouté quelques-uns, dit Viv (qui porte une robe charleston très classe). C'est moi qui ai inventé le sort peau nette l'an dernier.

– C'est pas vrai ! Je m'en suis servie ! fais-je en lui topant dans la main. Comment on fait pour ajouter des sorts ? Je ne savais pas qu'on pouvait.

– Yo, tu vois la page blanche à la fin ? Tu l'écris là. S'il marche, le livre l'absorbe.

– Cool !

Je me demande s'il apprécierait mon sort de bouchons de baignoire. Bah non, ce n'est sans doute pas mon meilleur. Mais mon sort pour changer la couleur de ses tenues mérite sans aucun doute sa place parmi les références.

Lorsque vient mon tour de me servir en dessert, je remplis mon assiette de biscuits tout frais, de pâtisseries françaises très chic et de fruits. Miam. Bon, où m'asseoir ? Où est Miri ? Je la repère sur la piste de danse, toujours occupée à s'agiter avec Praw. Ils ne se sont pas arrêtés de la soirée, ces deux-là. Comment fait-elle pour ne pas avoir les pieds en compote ? Les miens sont couverts d'ampoules, alors que je n'ai même pas dansé. Je baisse les yeux et constate qu'elle est pieds nus. Aha. Futée, la petite.

– Rachel, viens t'asseoir.

Adam tire la chaise à côté de la sienne. N'est-ce pas qu'il est gentil ? Je m'assois et envoie valser mes escarpins. Je pose mon assiette entre nous deux.

– Sers-toi.

– Tu t'amuses bien ? me demande-t-il en prenant un biscuit.

– Ouais. C'est la folie, les Sim.

Il se renverse en arrière sur sa chaise.

– Tu vas devoir venir au mien, tu sais.

Ouais ! Une invitation !

– Avec plaisir. Ça fait combien de temps que tu as tes pouvoirs, déjà ?

– Depuis septembre dernier, dit-il en tendant la main pour prendre un biscuit. Et toi, tu as eu les tiens cet été, c'est ça ?

– Oui. Mais écoute un peu. (Je lui fais signe de se rapprocher et il se penche vers moi.) Ma veinarde de petite sœur les a eus quatre mois avant moi.

– Aïe, fait-il.

Son haleine sent le chocolat.

– Et toi, tu as des frères et sœurs ?

– Deux petits frères. Mais j'ai été le premier à recevoir mes pouvoirs. Toutefois, vu que mes deux parents sont sorciers, je les attendais pratiquement depuis ma naissance.

– Au moins, tu savais à quoi t'en tenir. Ma mère ne nous avait pas dit que nous étions sorcières. Elle ne pratique pas ! Je n'avais aucune idée de... (j'agite les bras vers toute la pièce)... de tout ça.

– Sérieux ?

– Sérieux.

Il rapproche sa chaise de la mienne.

– Alors tu as grandi comme une norcière ?

– Ben oui.

Nous ne sommes séparés que de quelques centimètres, et son genou frôle le mien sous la table. Est-ce qu'il le fait exprès ? Non. Je suis sûre que non. Je me détourne quand même.

– Dis-moi. Ils ne sont pas au courant que tu es un sorcier à ton lycée, hein ?

– Bien sûr que non, dit-il. Je sépare complètement mes deux vies. La vie magique, la vie normale. Les amis sorciers, les amis du lycée.

– Est-ce que tout le monde fait ça ? Parce que Wendaline, si ça ne tenait qu'à elle, elle aurait parlé de nous à tout le bahut.

Il éclate de rire.

– Je crois que ça dépend des familles. Et de l'endroit où on vit. New York, c'est plutôt tolérant.

– Je préfère garder ma sorcellerie pour moi. Tu as des conseils ? Je suis une bleue.

– Il peut être utile de raconter à tes amis du lycée que tu as une maison de campagne. Pour qu'ils comprennent pourquoi tu n'es jamais là le week-end.

– Pas bête. Mais je ne pense pas que mon père croirait que je me suis acheté une maison de campagne.

– Ton père n'est pas au courant ? Ça, c'est dur.

Nos regards se croisent. Il me touche l'épaule.

Je me fige.

Appelez ça intuition des sorcières, mais je pense que ce serait le moment de lui dire que j'ai un copain. Pas besoin d'en faire tout un plat. Je n'ai qu'à le placer naturellement dans la conversation.

Par exemple : « Mon père n'est pas au courant. Et mon copain non plus. »

Ou bien : « Tu m'excuses une seconde ? Il faut que j'appelle mon copain. »

Ou peut-être : « Je t'ai dit que j'avais un copain ? »

Maintenant.

OK, maintenant.

Maintenant.

Sa main est toujours sur mon épaule. Il faut que je l'enlève.

Comment faire ça sans lui dire que j'ai un copain ?

Je regarde ma montre. Presque dix-huit heures à New York.

– Bon Dieu, il est tard ! fais-je d'un coup. Faut que j'y aille !

Sa main retombe sur ses genoux.

Je repousse ma chaise, renfile mes chaussures (ouille), me lève et ramasse ma pochette sur la table.

– Il faut que je rentre chez mon père. Tu n'as pas vu Miri ?

L'orchestre se met à jouer un slow.

Il repose sa main sur mon épaule.

– Une danse avant que tu partes.

– Mais...

J'ai un copain ! Il faut que je parte. À la seconde.

Mais si je pars maintenant, Miri n'aura pas son slow avec Praw.

Avant d'avoir compris ce qui m'arrive, ma main droite est dans la sienne, mon bras autour de son cou, et nous dansons. Je danse avec quelqu'un qui n'est pas Raf. Je danse un *slow* avec quelqu'un qui n'est pas Raf.

C'est agréable. Facile. Sans danger.

Ce n'est qu'une danse.

Sa main est chaude. Il m'attire un peu plus près de lui. Il sent bon. Le musc et le grand air. Et les muscles de ses bras sont...

Argh ! Veux pas le savoir ! Qu'est-ce que j'ai ? Je ferme les yeux et visualise Raf.

Mon petit ami Raf. Il n'est peut-être pas sorcier, mais il est gentil, intelligent, créatif, et il fait fondre mon cœur. À la fin du morceau, je recule aussitôt.

Un autre slow commence et il murmure :

– Encore un ?

– Je ne peux pas, fais-je en bredouillant. Il faut vraiment que j'y aille. Bonne soirée ! (Hi-hi, hi-hi.) Merci pour la danse !

Je fonce droit sur Miri et Praw.

– Pardon ! Désolée de vous interrompre. Il faut qu'on parte !

Miri et Praw se séparent en sursautant. Ils ont tous les deux l'air drogués.

– Déjà ? fait-elle en regardant sa montre. Il est tard !

Praw la laisse partir à regret.

– Mais tu seras à Lozacea demain, hein ?

– Ben oui.

Ils se regardent comme s'ils venaient d'allumer la télé et de tomber sur leur nouvelle émission préférée.

– Bye, susurre-t-elle.

– Bye, Miri, répond-il d'une voix douce.

– On n'a qu'à se téléporter depuis la terrasse, dis-je. Pas besoin de descendre jusqu'en bas.

Nous jouons des coudes pour fendre la foule des danseurs. Quelle chance ils ont, tous, de ne pas avoir à rentrer ! De ne pas avoir à mentir à quiconque.

Les lèvres de Miri forment une longue ligne droite.

– Quoi ?

– Tu t'es fâchée contre moi quand je t'ai collée alors que

tu disais au revoir à Raf ! J'aurais cru que tu agirais plus finement quand j'essayais de dire au revoir à Corey !

– Qui ça, Corey ?

– Praw ! Il a un prénom, tu sais !

– Oh !

Ômondieu. Elle voulait l'embrasser.

– Je suis vraiment, vraiment désolée, Mir.

Je souris. Elle prend un air inquiet.

– Tu crois qu'il m'aime bien, hein ?

– Miri ! Vous avez dansé toute la soirée. Il n'a parlé avec personne d'autre que toi. Bien sûr qu'il t'aime bien. On peut en reparler plus tard ? On est censées être à bord d'un train, là. Papa vient nous chercher à six heures vingt.

Je sors de ma pochette la concoction de transport et le papier de Karin.

– Regarde ce que j'ai là. Ça s'appelle le sortilège Go.

– C'est ce qu'on les a vus faire la semaine dernière ?

– Ouaip. Prête ?

– Au revoir, Paris ! Au revoir, ville de l'amour !

Qui est cette touriste énamourée, et qu'a-t-elle fait de ma sœur ronchon ?

Je jette la mixture en l'air au-dessus de nous et je récite :

Dans l'éther, point de repère,
À la gare de Port Washington, Long Island, sur Terre,
Allons-y, en un éclair !

Je ressens la bouffée de froid familière et là... *vlouf !* Nous sommes aspirées en l'air, et en un clin d'œil nous nous retrouvons dans les toilettes de la gare.

– Beurk, dis-je.

J'ai un morceau de papier toilette collé au talon.

– Ça aurait pu être pire, observe Miri. On aurait pu se retrouver chez les hommes.

– Mir, tu as encore de la poudre magique dans les cheveux.

Je retire les miettes qui ressemblent à des pellicules. Note : ne pas utiliser ce sort quand on est habillé en noir.

– J'en ai sur moi ?

Une fois qu'elle me l'a enlevé, nous nous inspectons dans la glace des toilettes, et nous voilà prêtes.

Ses yeux s'agrandissent.

– Rachel !

– Miri !

– Pourquoi on porte ces robes ?

Le sortilège Go lui aurait-il effacé la mémoire ?

– Parce qu'on était au Sim.

Elle me donne une petite tape sur le bras.

– Je veux dire : quelle est notre excuse pour papa ? À moins que tu ne veuilles lui dire la vérité.

Mon cœur s'accélère.

– Là, main'nant ? Non ! Pas question. Laisse-moi réfléchir.

– On n'a qu'à tout lui dire ! Il sera content ! Fais-moi confiance, je le sais.

Ses yeux sont illuminés de tant d'espoir et d'amour que cela me fait un peu peur. Miri a toujours mis papa sur une espèce de piédestal. Rien n'est jamais de sa faute ; c'est toujours celle de Jennifer. Mais qu'arrivera-t-il si on lui dit tout, et s'il ne réagit pas comme l'imagine Miri, que se passera-t-il ? Que deviendra Miri ?

– Miri, dis-je avec précaution, on ne peut pas lui dire maintenant comme ça. Ce serait de la folie. C'est trop impulsif. Il faut qu'on y réfléchisse.

Elle soupire.

– On n'a qu'à lui dire qu'on est allées à une fête.

– Pourquoi est-ce qu'on irait à une fête habillée qui se termine à six heures ? Ça n'a aucun sens. On va utiliser le sort de transformation pour enfiler quelque chose de plus décontracté.

Elle serre sa nouvelle tenue entre ses bras.

– Pas question ! Je ne zappe pas cette robe.

Ben voyons, c'était très bien de jouer aux chaises musicales magiques avec ma garde-robe, mais sa robe à elle est trop précieuse.

– Alors, rentrons nous changer.

– Par magie ?

– Non, par le train. Évidemment, par magie ! Et ensuite on revient tout de suite. (Je regarde l'heure sur mon téléphone.) On a sept minutes. On a intérêt à se grouiller.

Je jette la concoction en l'air et je déclame :

Dans l'éther, point de repère,
À New York, chez nous, sur Terre,
Allons-y, en un éclair !

Vroum ! J'ai l'impression d'être dans une voiture de course avec ce sort.

– Ce truc me fait tourner la tête, dit Miri quand nos pieds touchent le sol des toilettes.

– C'est mieux de garder les yeux fermés, dis-je en ouvrant les miens. Mais pourquoi on atterrit toujours aux WC, à ton avis ?

– Peut-être parce que ça ferme ? Pour que personne ne nous voie ? Comme Superman avec les cabines téléphoniques ?

– Ah. Mais s'il y a quelqu'un aux toilettes ? Lex, par exemple ?

Dégueu.

– Hé, mais on est vendredi soir ! S'il était là en ce moment ? Et s'ils étaient en train de...

Elle remue les sourcils.

Dégueu au carré.

– C'est pas le moment de gerber. Faut qu'on se bouge. Maman ! Tu es à la maison ? On est là !

Pas de réponse. Il y a intérêt à ce que cela signifie qu'ils sont sortis et pas occupés à autre chose.

J'ouvre la porte à la volée. Toutes les lumières sont éteintes, et la porte de la chambre de ma mère est ouverte. La voie est libre.

Miri me montre son dos.

– Ma fermeture !

Je défais sa robe, elle défait la mienne, puis nous courons dans nos chambres respectives, enfilons un jean et un tee-shirt en vitesse, et nous retrouvons dans le couloir.

– Prête ? fais-je en cherchant mon souffle.

– Prête.

Je jette de nouveau la concoction en l'air.

Dans l'éther, point de repère,
À la gare de Port Washington, Long Island, sur Terre,
Allons...

– Attends ! braille Miri.

– Quoi ?

– Essaie de préciser un endroit qui ne soit pas les toilettes !

– Mais je m'en fous d'aller aux toilettes. On n'a pas intérêt à apparaître dans un lieu public, ou sur les rails, pour que le train nous roule dessus.

– Écrabouillées comme du raisin, dit-elle, avant d'éclater de rire.

– Comme quoi ?

– C'est une référence à *Karaté Kid*. Corey pigerait, lui.

Là voilà qui recommence à lever les yeux au ciel. Je retente un coup.

Dans l'éther, point de repère,
À la gare de Port Washington, Long Island, sur Terre,
Allons-y, en un éclair !

En un éclair, nous regagnons la cabine de toilettes de la gare. J'entrouvre la porte dans un grincement et tombe sur une femme en train de s'appliquer du rouge à lèvres devant le miroir.

– Bonjour, dis-je d'un air détaché.

Elle ne nous prête aucune attention.

Je me dépêche de sortir, pousse la porte des toilettes, me précipite vers le quai extérieur et me cache derrière une colonne pendant que nous attendons l'arrivée du train. Je jette un œil à mon téléphone.

– Plus qu'une minute ! Bravo, nous ! On est les plus fortes !

– On est plutôt bonnes, m'accorde-t-elle. Bon, qu'est-ce qui se passe entre toi et Adam ?

Mon cœur s'accélère, mais je m'efforce de l'ignorer.

– Rien. Pourquoi tu demandes ?

– Je t'ai vue danser avec lui. Un *slow*.

– Ce n'était qu'une danse, dis-je en m'intéressant beaucoup trop à la voie ferrée.

– Il sait que tu as un copain ? me demande-t-elle.

Je hausse les épaules.

– On n'a pas eu l'occasion de l'évoquer.

Je sens son regard posé sur moi.

– Pas eu l'occasion, ou tu ne le lui as pas dit ?

Comme le train arrive, je n'ai pas besoin de répondre.

Les passagers descendent et nous nous joignons à leur défilé dans l'escalier qui mène au parking. Nous repérons papa, Jennifer et Prissy qui nous attendent à côté de la voiture. On n'aurait pas pu mieux tout combiner. Peut-être qu'on ne reprendra plus jamais le train. Pour quoi faire ? On fera juste semblant d'être dedans.

Nous leur faisons signe et nous dépêchons de les rejoindre.

– Salut, les filles, dit-il.

– Salut, papa, gazouillons-nous.

Jennifer nous regarde, puis regarde autour de nous.

– Où sont vos sacs ?

Miri et moi baissons les yeux sur nos mains vides, puis l'une sur l'autre. Oup là là.

On était tellement absorbées par les préparatifs de la fête qu'on en a oublié de faire nos sacs. Bien sûr, nous avons des brosses à dents et des pyjamas chez papa, mais jamais de fringues *bien*. (Pourquoi se saper à Long Island, en effet ? Si on aimait ces fringues, on voudrait les porter pour aller en cours.)

– Vous avez oublié vos sacs dans le train ? demande papa, prêt à piquer un sprint pour aller les récupérer.

– Non, dis-je. À la maison.

Jennifer et mon père nous regardent tous les deux comme si nous étions complètement barges.

– Vos devoirs aussi ? demande papa.

– Ben ouais, dis-je.

Papa secoue la tête.

– Ça, c'était idiot.

– Ben ouais, admettons-nous.

– Vous pouvez m'emprunter tout ce que vous voulez, propose Jennifer.

– À moi aussi ! babille Prissy. Mes affaires à moi ! À moi ! J'ai une robe de princesse et elle est rose et elle vous irait bien à toutes les deux.

Excellent. Miri et moi avons une robe de princesse à nous partager pour aller en cours de Samsorta. On va faire notre petit effet.

Remarquez, ça m'est égal de faire de l'effet.

Tout à fait égal.

Mon père déverrouille les portes d'un clic.

– Je vais vous racheter des vitamines. La B12, c'est bon pour la mémoire.

– On pourrait peut-être vous racheter aussi des fringues, dit Jennifer. Que vous pourriez laisser ici.

Youpi ! Jennifer est vraiment attentionnée. Et on devrait oublier nos affaires plus souvent.

– Tu sais, dis-je en montant à l'arrière, il me faudrait vraiment un jean noir.

15 KISS KISS

Après dîner, Jennifer met Prissy au lit et nous nous retrouvons tous au salon.

– Alors, quoi de neuf, vous deux ? demande Jennifer. Racontez-nous tout !

Miri m'envoie un sourire plein d'espoir.

Elle plaisante ? Maintenant ? Je secoue la tête. Nous ne pouvons pas leur raconter notre secret, comme ça, sur un coup de tête ! Il faut bien réfléchir. Planifier. Prévenir maman.

– Pas grand-chose, je réponds à la hâte. Rien d'important. Beaucoup de boulot au bahut.

Jennifer hausse un sourcil parfaitement arqué.

– Tellement de boulot que vous n'avez pas apporté vos devoirs ?

– On a *oublié* nos devoirs, je réplique.

Ce qui est quelque peu problématique. Je devais étudier la différence entre l'imparfait et le passé composé pour une interro de français lundi matin, et finir *La Ferme des animaux* en prime. Comment je vais faire, au juste ? Peut-être me téléporter jusqu'à la bibliothèque, ou jusqu'à Paris pour dégoter un prof particulier. Et je n'ai toujours pas trouvé comment Miri et moi allons faire pour nous éclipser trois heures demain... Attendez une minute. Un problème ? Une solution ! Je suis un génie.

– Papa, tu pourrais nous déposer à la bibli pendant quelques heures demain ? Je parie qu'ils ont certains de nos livres.

– Bien sûr, dit mon père. Bonne idée. L'après-midi ?

– Disons de quatre à sept ? Après les courses, bien sûr.

Miri sourit.

Papa hoche la tête.

– La bibliothèque est juste à côté du restaurant où nous avons prévu de dîner. On passera vous prendre quand vous serez prêtes, et on ira directement.

– Super !

Pas besoin de sort de sieste. Même si *faire semblant* d'être à la bibli ne va pas précisément m'aider avec mes conjugaisons ni avec *La Ferme des animaux*. Un problème à la fois, je suppose.

Après avoir pas mal bavassé au sujet des devoirs, du temps et des nausées matinales (très chouette, vous pensez), nous allons nous coucher. La musique résonne encore à mes oreilles, mais je ferme les yeux, prête à m'endormir.

– J'ai une question à te poser, dit Miri.

– Si je suis fatiguée ? Ben oui, qu'est-ce que tu crois.

Elle pouffe de rire.

– C'est pas la question. Tu peux me dire comment on fait pour embrasser ?

Je me redresse. Trop choupinoumignon !

Son visage s'empourpre.

– Pour être honnête, même si j'étais furieuse que tu ne nous aies pas laissés tranquilles ce soir au moment de se dire au revoir, j'étais soulagée aussi. Je ne sais pas quoi faire s'il m'embrasse. Comment savoir quoi faire de ma langue ?

– Miri, Miri, Miri.

C'est trop chou, trop chou, trop chou.

– Tu sauras, c'est tout.

– On ouvre la bouche tout de suite ? Ou on attend ?

– N'ouvre pas tout de suite. Si tu l'attaques, tu es sûre de perdre des points.

– Quels points ? Il y a des points ?

– Je rigole. T'inquiète. Ça viendra tout naturellement.

– Mais si j'ai naturellement envie d'ouvrir la bouche tout de suite ?

– Garde la bouche fermée. Mais légèrement entrouverte. (J'écarte mes doigts d'un centimètre.) Comme ça.

Elle hoche la tête d'un air très sérieux.

– Et les langues ? Elles se touchent en vrai ?

– Elles se touchent en vrai.

– Je crois que je serais moins nerveuse si je pouvais m'entraîner.

– Entraîne-toi sur ton oreiller. (Je ramasse le mien.) Oh, Corey, je gémis en feignant le désir, avant de coller ma tête dedans.

– T'embrasses pas mon copain ! dit-elle. T'en as déjà deux rien que pour toi !

Je prends mon oreiller-faux fiancé et la tape (gentiment) avec.

Bien sûr, après notre petite discussion, Miri s'endort sur-le-champ. Elle sourit, aussi, et comme elle fait des bruits de baiser, ce n'est pas dur de deviner de quoi elle rêve.

Mais moi ? Me revoilà en train de fixer le plafond. Il fait trop chaud dans cette chambre. Mon lit est trop dur. Mon oreiller, trop gonflé.

Et je me demande si ça fait le même effet d'embrasser un sorcier que d'embrasser un type normal.

Le lendemain matin après le petit déjeuner, nous nous rhabillons comme la veille et en route pour le centre commercial. Mon père convient qu'il est ridicule que nous n'ayons rien à nous mettre chez lui.

– Achetez tout ce qu'il vous faut pour cet hiver, dit-il. Dans la limite du raisonnable, bien sûr.

Mon père adore dire « dans la limite du raisonnable ». Je ne sais pas bien ce qu'il croit que nous ferions sinon. Sommes-nous tellement déraisonnables ?

Ne répondez pas à ça.

Jennifer nous emmène choisir quelques sous-vêtements et chaussettes en rab, après quoi nous nous retrouvons tous pour aller chercher le jean noir et quelques hauts. Le seul problème, c'est que les deux hauts que j'achète sont des pulls, ce qui est parfait pour l'hiver qui approche, mais pas idéal pour les cours de Samsorta en Arizona.

Remarquez, il faisait assez froid dans la salle. Aucune importance. Je vais peut-être jouer sur les deux tableaux.

– Miri ! je crie du bas de l'escalier. On y va ! On va être en retard !

– En retard à la bibliothèque ? me demande mon père en attrapant ses clés dans l'entrée.

Oups.

– En retard pour *bosser*. On a beaucoup de choses à revoir.

Quelques minutes plus tard, elle dévale l'escalier quatre à quatre. Ses paupières sont toutes brillantes. Je vois qu'elle a fouillé dans la trousse de maquillage de Jennifer.

– Tu t'es faite belle pour ton fiancé ? dis-je pour la taquiner.

Elle m'envoie un baiser.

– Et toi, tu t'es faite belle pour le tien ?

Pas drôle ! D'accord, j'ai peut-être exploré la trousse de Jennifer, moi aussi. Mais pas parce que je me soucie de mon apparence : je voulais juste essayer ses couleurs. Note pour la prochaine fois : l'ombre à paupières marron, mauvaise idée. Prissy m'a dit que j'avais l'air d'un raton-laveur.

– Je reviens vous prendre à dix-neuf heures quinze, dit papa en se garant devant la bibli. On a réservé à l'*Al Dente* pour dix-neuf heures trente.

– Merci ! répondons-nous en chœur.

Une fois qu'il est parti, nous fonçons à l'intérieur, trouvons un coin désert, et utilisons un peu du reste de sortilège Go pour nous téléporter jusqu'aux toilettes des filles de Lozacea.

Face au miroir, nous retirons la concoction de nos cheveux.

– Je crois que je préfère le sort qui marche à piles, lui dis-je. Il ne fuit pas sur moi, au moins.

– Parée ? me demande-t-elle. Allons retrouver les garçons.

Je lui pince les côtes.

– Pas au pluriel, « garçons ». Allons retrouver Corey.

– C'est ça, comme tu voudras.

Mais sitôt sorties des toilettes, les lumières commencent à clignoter et nous fonçons directement en cours.

Kesselin Fizguin est en train de dessiner un pentacle au tableau. Et quand je dis dessiner, je veux dire à la craie. Et non en agitant le doigt en direction du tableau, ce que je ne manquerais pas de faire si j'étais prof de sorcellerie.

– Qui peut me dire ce que cela représente ? demande-t-elle.

Environ la moitié de la trentaine de filles présentes lèvent la main, y compris ma sœur.

Elle désigne Miri.

– Chouchoute, dis-je tout bas.

– Les cinq piliers de la sorcellerie, dit ma sœur en m'envoyant un regard mauvais.

Fizguin opine.

– Très bien. Peux-tu me dire quels sont les cinq piliers de la sorcellerie ?

– Vérité, confiance, courage, amour, karma, récite Miri.

Comment fait-elle pour tout savoir ?

– En brixta, s'il te plaît, dit la prof.

Miri rougit.

– Je... je ne sais pas.

Tiens, elle ne sait pas vraiment tout, en fait.

La prof fronce les sourcils.

– Tu n'as pas encore pris la potion Babel ?

Miri secoue la tête.

– Non. J'aurais dû ?

– Va en chercher à la potionothèque pendant la pause, dit Fizguin.

Elle désigne la triplée BCBG.

– Shari. Dis-moi quels sont les cinq piliers de la sorcellerie.

– *Mouli, misui, mustrom, mantis, macaney.*

La triplée BCBG a les dents très blanches. Je regarde discrètement la bouche des deux autres pour voir si les leurs sont aussi éclatantes. Gagné. Vont-elles toutes chez le dentiste en même temps ? L'une d'entre elles peut-elle avoir une carie sans que les autres n'en aient aussi ?

– Commençons par le premier, dit Fizguin. *Mouli*. La vérité. Dites-moi : à qui une sorcière doit-elle la vérité ?

– À son père et à sa mère ? dit quelqu'un, et tout le monde se marre.

Tout le monde sauf Miri et moi.

– Oui, une sorcière doit la vérité à ses parents. Mais qui est encore plus important que ses parents ?

Son fiancé ?

Viv lève la main.

– Elle-même.

– Exactement. On ne doit jamais se mentir à soi-même. Écoutez attentivement l'histoire que je vais vous raconter, celle de Briana, l'une de nos plus importantes aïeules...

On est samedi ! Je n'ai pas envie d'écouter attentivement ! Je veux regarder la télé et glandouiller.

– Et qui peut me parler du *misui* ? demande à présent Fizguin.

Hmm ? Je ne vois absolument pas de quoi elle parle. Heureusement que Miri prend encore des notes à fond.

La triplée baba lève la main.

– Cela veut dire « confiance », dit-elle.

– Excellent.

Fizguin se détourne pour écrire quelque chose au tableau mais elle continue à parler.

Dring ! Dring !

Un portable ! La honte.

Dring ! Dring !

Oh, pétard de pétard. C'est le mien. Il ne sonne pas assez fort pour que Fizguin l'entende, mais elle le fera si elle se tait une seconde. Je plonge la main dans mon sac et farfouille pour l'éteindre. Comment je fais pour arrêter la sonnerie ? Il y a un bouton « silence » quelque part. Où ça ? J'aurais vraiment dû lire le mode d'emploi... Je regarde la présentation du numéro. Raf. *Raf !* Je sais que j'ai tort, mais qu'y puis-je ?

– Allô ? fais-je tout bas en m'enfonçant dans mon siège.

– Salut ! lance-t-il d'une voix toujours aussi sexy. Quoi de neuf ?

– Euh... rien. Et toi ?

– Pourquoi tu chuchotes ?

Parce que je ne devrais pas être au téléphone !

– Parce que je suis...

Où pourrais-je bien être ? Argh !

– ... chez le dentiste.

Mini glousse. Je lui donne un coup de coude.

– Un samedi ?

– C'est un dentiste qui travaille le week-end. C'est, euh... son hobby.

– Et on n'a pas le droit de parler quand on est chez le dentiste ? me taquine-t-il.

– J'ai mal dans la bouche. J'ai une carie.

Ah, bravo.

– Je peux te rappeler plus tard ?

Fizguin va se retourner d'une seconde à l'autre !

– Bien sûr. Je vais à Central Park, mais je prends mon portable. Bonne chance.

– Merci, fais-je dans un souffle avant de refermer mon téléphone.

Pourquoi ne pas lui avoir dit simplement que j'étais à la bibliothèque ? Ç'aurait été bien plus logique. Je suis à la bibli en train d'étudier *La Ferme des animaux*, les conjugaisons françaises, la confiance et la vérité.

Et pour être tout à fait honnête, j'ai quelques soucis avec cette dernière.

Pendant la pause, nous nous déversons tous dans l'atrium.

Corey est assis sur un rebord de fenêtre et attend visiblement Miri.

– Le voilà ! glapit ma sœur. Qu'est-ce que je fais ?

– Ris !

– Pourquoi ?

Je lui explique :

– Comme ça tu auras l'air de t'amuser. Les mecs aiment bien les filles qui s'amusent !

– Mais il n'y a rien de drôle.

– Fais comme si j'avais dit quelque chose de drôle ! Ha, ha, ha !

– T'es trop bizarre, dit-elle, ce qui la fait rire.

– Tu y arrives ! Bien joué !

– Je ne fais pas semblant. Je me moque de toi.

Pendant ce temps, Corey lui sourit. Trop mignon ! Il retire un fil de son pull pour ne pas avoir l'air trop impatient. Il craque pour elle ! Il craque vraiment pour elle !

Nous lui sourions en retour et le rejoignons à la fenêtre.

– Vous êtes rentrées sans problème ? nous demande-t-il.

– Ouais-ouais. Sans problème.

Je passe la pièce en revue et repère Adam de l'autre côté. Dois-je lui faire signe ? Je ne veux pas qu'il pense que j'ai un faible pour lui. Je ne veux pas non plus qu'il pense le contraire. Pourquoi suis-je tellement troublée ? Je lui fais un demi-signe de la main au cas où.

Adam nous aperçoit et nous rejoint d'un bond.

– Quoi de neuf ?

– Salut, dis-je en piquant un fard. Tu peux nous montrer où est la potionothèque ? Il nous faut de la potion Babel.

– Bien sûr.

Nous suivons les deux garçons dans un long couloir jaune. Arrivé à un mur violet, il frappe quatre fois de suite et dit :

– *Gazolio !*

Le mur se transforme en comptoir.

Un homme à catogan et blouse de laboratoire apparaît derrière.

– Que puis-je pour vous ?

Adam me fait signe d'approcher.

– Kesselin Fizguin nous envoie, ma sœur et moi, chercher de la potion Babel.

Le comptoir sent autant l'épicerie que l'odeur de mon labo de chimie. Le mur derrière l'homme est rempli d'étagères encastrées couvertes de flacons de verre remplis de liquides multicolores.

– Sans problème, dit-il en nous tendant un stylo. J'ai simplement besoin de vos deux signatures.

Ne voyant pas de registre où signer, je demande :

– Et on signe où ?

– Oh, en l'air, ça ira très bien.

Miri et moi échangeons un regard mais faisons ce qu'on nous dit.

– Babel, c'est bien ça ?

– Oui, dit Miri. Pour parler le brixta.

– Compris, dit-il. *B*, où sont les *B* ?

– Après les *A* et avant les *C*, dit Corey.

Dites donc, c'est un comique en puissance, l'amoureux de Miri !

L'homme – le potioniste ? – tire un flacon d'une étagère, et un deuxième apparaît aussitôt à la place. Il le prend aussi.

– Et voilà. Un chacune. Ça dure environ trois mois.

J'élève mon flacon dans la lumière. Dedans, c'est vert jaunâtre. Je retire le bouchon et trinque contre le flacon de Miri.

– Tchin tchin.

– Tchin tchin, dit-elle.

Nous faisons tinter nos flacons ensemble et avalons la potion cul sec. Pas mauvais. C'est sucré et piquant, on dirait du miel, du citron vert et de la pomme verte. Ma langue commence à me picoter.

J'attends.

– Il faut une dizaine de minutes pour que cela fasse effet, dit le potioniste.

Je m'adresse aux garçons.

– Vous en avez déjà pris, l'un ou l'autre ?

Ils secouent la tête.

– Je me suis embêté à apprendre à l'ancienne, dit Adam.

– Ça ne va pas me tacher les dents, au moins ? fais-je au potioniste.

– Normalement, non, me répond-il.

– Merci de votre aide, dis-je avant de ramener le groupe dans l'atrium.

Je leur pose une nouvelle question.

– Vous avez remarqué que le sortilège Go laisse un résidu dans les cheveux ?

– Oui, en effet, répond Adam. Mais ça ne vaut pas le sort de course. Celui-là, c'est le pire. Tu as les orteils palmés pendant une semaine.

J'éclate de rire.

– Tu as aussi postulé pour l'équipe d'athlétisme, c'est ça ?

Il m'adresse un clin d'œil.

– Et le sort de chant, alors ? renchérit Corey. Ça te chatouille les dents.

– Comment ça se fait que tu aies essayé un sort de chant ? lui demande Miri.

Il vire au rouge brique.

– Je suis dans la chorale de mon école.

Ouah, il est aussi ringard qu'elle !

– Je devrais l'essayer, dis-je. J'ai toujours rêvé de bien chanter. Tu chantes comment, avec le sort ? Aussi bien qu'une rock star ?

– Ouaip, fait-il.

– Ooh ! Vous savez ce qu'on devrait faire ? Demander le sort de chant au potioniste et se présenter à la *Nouvelle Star* !

Tous les trois poussent des grognements consternés.

– Je ne crois pas qu'il y ait de castings en ce moment, dit Adam. Mais on peut s'entraîner au karaoké ce soir.

– Oh ouais ! lance Corey. Je connais le meilleur endroit de tout Tokyo. Toutes les chansons sont en anglais.

Le Japon. Pourquoi pas ?

– Vous pouvez venir ? nous demande Corey avec enthousiasme.

Dites-moi, qui va à Tokyo juste pour un karaoké ? À part les ados japonais, je veux dire.

– Impossible, dis-je lentement. On doit dîner avec notre père.

Miri a l'air effondrée. D'un côté, je suis déçue : Tokyo ! Cool ! Des sushis avec des potes sorciers ! De l'autre côté, je suis soulagée. Si nous ne sortons pas, pas besoin de parler de Raf à Adam. Si nous ne sortons pas, je ne fais rien de mal.

Corey aussi a l'air effondré.

– Dommage. Une autre fois.

– On pourrait peut-être faire quelque chose tous ensemble plus tard dans la semaine.

Pourquoi j'ai dit ça ? Je n'aurais jamais dû dire ça.

Les lampes commencent à clignoter.

– Contacte-moi sur Mywitchbook ! crie Miri à Corey tandis que nous retournons en classe.

Peut-être que je devrais m'inscrire sur Mywitchbook. Peut-être que je ne devrais pas projeter de sortir avec un garçon qui n'est pas mon fiancé.

– Bien, dit Fizguin une fois que nous sommes toutes rassemblées, parlons à présent du *mustrom*. Qui peut me dire ce que c'est ?

Attendez une seconde ! Je sais ce qu'elle vient de dire ! Je comprends ! Le mot sort tout seul :

– Courage !

Oups. Voix intérieure, Rachel.

– Très bien ! dit Fizguin. Je vois que vous avez pris la potion Babel. Quelqu'un peut-il me dire ce que nous, les sorcières, devons avoir le courage de faire ?

– D'assumer notre magie ? dit une fille dans le fond.

– Oui !

– De suivre nos convictions ?

– Oui !

Miri griffonne quelque chose dans son cahier puis me le passe pour que je lise. *De dire à son père qu'on est une sorcière ?*

J'empoigne mon stylo pour écrire la réponse : *Gut giken vy !* Ce qui se traduit par « Arrête de m'énerver ».

Mais c'est plus musical en brixta.

16 *URLA* (« VOUS VOULEZ RIRE ? » EN BRIXTA)

Nous allons commander chez *Al Dente* lorsque Jennifer demande à mon père s'il sait ce que sont des *polpetti*.

– Des boulettes de viande, dis-je en étudiant la carte.

– Et le *pesci* ?

Miri prend une gorgée d'eau.

– Du poisson.

– Vous faites de l'italien cette année, les filles ? demande mon père.

– Non, répondons-nous en chœur.

Miri me donne un coup de pied sous la table.

– Comment on a su ? chuchote-t-elle.

– Aucune idée.

Mais c'est trop cool ! Je parle italien !

– Je suis impressionnée ! dit Jennifer. Et ça, qu'est-ce que ça veut dire ?

Elle pointe du doigt un plat sur la carte.

Miri repousse sa chaise.

– Rachel, tu m'accompagnes aux toilettes une seconde ?

– *Certamente.*

Prissy flanque ses petites mains sur la table.

– Moi aussi ! Emmène-moi aux toilettes sur ton dos !

– Je ne te porte pas sur mon dos au restaurant, aboie Jennifer. Vous voulez bien l'emmener, les filles ?

– Comme tu veux, répond une Miri excédée.

Jennifer grignote un gressin.

– Comment dit-on « merci » ?

– *Grazie*, répondons-nous avant d'échanger un regard.

Je commence à me dire que nous devrions arrêter de répondre à des questions de traduction avant que Jennifer commence à nous regarder bizarrement.

Prissy nous prend par les mains et nous entraîne vers les toilettes.

– Comment on dit « jolie » ?

– *Carina*, dit Miri.

Je l'avertis.

– Miri.

– Dis-moi que je suis jolie ! s'exclame Prissy. Dis-moi que je suis jolie !

J'ouvre la porte.

– Tu es jolie.

– Noooooon, dis-moi que je suis jolie en italien.

– C'était dingue, non ? dis-je à Miri. On dirait que le sort ne marche pas seulement pour le brixta.

– Je me demande si ça fonctionne dans toutes les langues.

Miri pousse Prissy dans une cabine libre.

– Pipi. Tout de suite.

J'espère que ça marche aussi pour le français. Voilà qui faciliterait mes révisions pour mon interro.

– Tu dois mettre du papier sur le siège pour moi, lui ordonne Prissy. C'est maman qui le dit.

Miri garnit le siège tout en grommelant : *Rompigoglioni.*

Je pourrais traduire, mais n'en ferai rien.

Ce n'est pas très gentil.

De retour chez mon père, nous décidons d'appeler Wendaline pour voir ce qu'elle peut nous dire de la potion Babel. J'essaie d'encourager Miri à appeler Corey, mais elle n'ose pas. Et bien évidemment, je n'appelle pas Adam.

La boîte vocale de Wendaline se déclenche.

– Pas de réponse. On lui envoie un SMS ? Ou on la contacte sur Mywitchbook.com ?

– T'as qu'à lui laisser un message, dit Miri. Il est déjà vingt-deux heures. Elle est sans doute sortie s'amuser à faire de la magie.

– Salut, Wendaline, c'est Rachel Weinstein. Si tu pouvais me rappeler quand tu auras un moment...

Boum !

Une bouffée de froid, et Wendaline fait une apparition au milieu de notre chambre.

– Salut, les filles !

Miri et moi poussons un cri strident.

– Vous m'avez appelée ?

– Tu m'as fait peur ! dit Miri.

– Wendaline, qu'est-ce que je t'ai dit à propos des apparitions ?

Elle a un sourire penaud.

– Je pensais que vu qu'on n'était pas au lycée, ça irait ?

– Mais non, ça ne va pas ! Les ados normaux n'apparaissent pas dans les chambres des autres. Voilà comment ça marche : je t'appelle. Tu me rappelles. On prévoit quelque chose. Tu n'apparais pas comme ça !

Elle enfonce ses talons dans le tapis.

– Pardon.

– Parle doucement, lui dis-je avec autorité. Mon père est juste de l'autre côté de la cloison.

Wendaline s'assoit au bord du lit de Miri.

– J'adorerais le rencontrer.

– Aucune chance, je rétorque sèchement. Enfin bref, on a une question. Tu as déjà pris de la potion Babel ?

– Oh, j'adore la potion de langage !

– Tu t'en es déjà servie ?

– Mm-hmm. J'ai passé un week-end à Rio en CM2. J'aurais préféré apprendre le portugais plus naturellement, mais...

Je lui coupe la parole.

– Quand tu en as pris, tu comprenais toutes les langues ou juste le portugais ?

– Juste le portugais, mais il paraît que le sort a évolué. Je vais demander à ma copine Imogene. Peut-être qu'elle sait.

Wendaline claque des doigts.

– Imogene ?

La fille mince apparaît à côté de Wendaline.

– Bonjour, dit-elle avec un fort accent britannique.

C'est une surprise-partie, maintenant, ou quoi ? Ces gens n'ont jamais entendu parler du téléphone ?

– Tu es réveillée ! dit Wendaline. Il n'est pas trois heures du matin à Londres ?

– Si, n'est-il pas ? Je jouais sur cet effroyable Mywitchbook. Avez-vous essayé l'application iSortilège ? J'en suis complètement accro ! Re-bonjour, me dit-elle avant de se tourner vers Miri. Quel plaisir de vous connaître. Que puis-je faire pour toi ? demande-t-elle à Wendaline.

– Tu sais si la potion Babel marche sur plusieurs langues ?

Elle s'assied à côté de Wendaline.

– Hmm. As-tu vérifié dans le grimoire ?

Elle claque des doigts, et son exemplaire du livre de sortilèges se matérialise au milieu de la chambre. La couverture en est décorée, rose et paillettes argent. Je suis trop jalouse ! Moi aussi je veux que le mien soit tout brillant !

– Miri ? Rachel ?

Une voix venue de l'extérieur. Mon père frappe à la porte.

– Je peux entrer ?

– Disparaissez ! dis-je à Wendaline et à Imogene.

Elles me regardent sans comprendre. Sans réfléchir, j'ouvre la porte du placard et leur fais signe d'y entrer en vitesse.

Elles suivent, intriguées.

– Il y a un passage secret par là ? demande Wendaline.

– C'est ça, allez voir si vous trouvez Narnia, dis-je en refermant énergiquement le placard derrière elles. Entre, dis-je ensuite à mon père en m'efforçant de garder une voix neutre.

Il ouvre la porte.

– Tout va bien par ici ? On aurait dit que vous étiez en train de crier.

– Je montrais à Rachel une nouvelle prise de taekwondo, dit Miri.

Quelle vivacité d'esprit, Miri ! Ou 잘 했어요 ! Autrement dit : « bien joué » en coréen.

– Vous vous couchez bientôt ?

Son regard posé sur moi glisse sur Miri, puis redescend sur l'A^2 à fioritures d'Imogene.

Hum, hum.

Il plisse le front.

– C'est quoi, ça ?

– Hein ?

Je cale.

– Ce livre, dit-il, fasciné.

Miri m'envoie un regard lourd de sous-entendus.

Elle a envie de tout lui dire. Là, maintenant. Alors que Wendaline et Imogene sont dans le placard.

Je secoue la tête. Non, non, non !

– Papa, on voulait te dire quelque chose, commence-t-elle.

Elle va lui dire ! Et s'il panique ? S'il a peur de nous ? S'il nous regarde d'un autre œil ?

Et s'il cesse de nous aimer ?

S'il a cessé d'aimer maman, dit une petite voix en moi, *qu'est-ce qui pourrait l'empêcher de faire pareil avec nous ?*

Miri se racle la gorge.

– En février dernier, maman nous a dit que...

Non ! Je ne peux pas la laisser faire !

– ... qu'on devrait tenir un journal.

Les yeux de papa font des allers-retours entre Miri et moi. Je poursuis.

– Oui, elle nous a dit qu'on devrait mieux cataloguer notre vie. Alors on crée des souvenirs – photos, poèmes, dessins – et on les colle dans cet album.

– Ça m'a l'air amusant, dit papa.

– Oh oui. C'est très amusant. On se rapproche beaucoup. Je me demande si tu... euh... si tu aurais gardé l'addition du dîner de ce soir. Je me disais qu'on pourrait la coller dedans.

Il se gratte la tête.

– Bien sûr, je vous la mettrai de côté.

– Merci, papa. T'es le meilleur.

Je me force à sourire.

– Bonne nuit, les filles. Je vous aime.

Il referme la porte.

– Je t'aime, lui crie Miri.

– Je t'aime, dis-je.

Avant de lancer à voix basse et féroce à ma sœur :

– Je suis furax contre toi.

– *Toi*, furax contre *moi* ? fait-elle en levant les bras en l'air. C'est moi qui suis furax contre toi. C'était l'occasion rêvée de tout lui dire !

– Ce n'est pas toi qui décides, dis-je avant de quitter la chambre comme une tornade.

J'en ai marre de parler de tout ça. Je vais me laver et me coucher. Miri me suit dans la salle de bains, où nous nous brossons les dents, y passons du fil dentaire et nous débarbouillons. On ne peut pas lui dire. On ne sait pas comment il réagirait. Je veux dire, je sais qu'il ne cesserait pas vraiment de nous aimer comme il a cessé d'aimer maman. C'est notre père. Et en plus, ce n'est pas parce qu'il avait découvert les histoires de sorcellerie qu'il a cessé d'aimer maman. Il n'en a jamais rien su.

Attendez une seconde. Est-il possible qu'il ait cessé de l'aimer... parce qu'il n'en a jamais rien su ? Parce qu'elle lui cachait un secret aussi énorme ? Je médite la chose en regagnant ma chambre, laisse tomber mes vêtements en tas par terre et sors un pyjama neuf d'un tiroir. Je suis sur le point de me fourrer au lit lorsque je me souviens de Wendaline et d'Imogene. Elles ont dû rentrer chez elles à l'heure qu'il est. Elles ne peuvent tout de même pas être toujours dans notre placard.

– Wendaline ? fais-je tout bas. Imogene ? Vous n'êtes pas là, si ?

Pas de réponse.

Miri ouvre la porte du placard et s'étrangle.

Notre placard est devenu immense. Elles en ont fait un salon. Elles sont vautrées sur un long canapé en L.

– Qu'est-ce que vous avez fait ? dis-je d'une voix suraiguë en bondissant de mon lit.

– C'était un peu serré là-dedans, dit Imogene.

– On remettra tout en place, dit Wendaline.

J'entre. Elles ont fait apparaître un écran plat ! Excellent.

– Ce n'est pas *Narnia*, dis-je en m'installant à côté d'elles. Mais c'est déjà pas mal.

Le dimanche soir, je me couche bien trop tard parce que je bavarde avec Tammy.

Elle me dit que ça s'est passé de manière encore plus bizarre avec Bosh. Ils arrivaient vite à court de sujets de conversation.

Je lui dis que quoi qu'il arrive, tout ira bien pour elle.

– Et puis qui sait ? Même si vous vous séparez maintenant, vous pouvez quand même vous remettre ensemble un jour. Peut-être quand toi tu seras en fac.

– Peut-être. Mais si tu veux la vérité, je crois qu'on va se quitter pour de bon.

– C'est trop triste.

– Je sais, hein ? soupire-t-elle. Parlons d'autre chose. Raconte-moi ton week-end.

J'aimerais bien pouvoir lui parler de la tour Eiffel, ou de mes cours dans l'Arizona, ou de mon faux salon, ou encore de mon nouveau talent pour les langues étrangères. J'aimerais pouvoir tout lui raconter. Mon cœur rate un battement. Est-ce que je peux ? Elle adore les histoires de magie ! Elle ne me prendrait pas pour une folle. Elle joue bien avec des requins ! Elle n'aura pas peur de moi !

Peut-être que je *pourrais* le lui dire. Peut-être même que je devrais. C'est ma PP. N'est-ce pas à ça que servent les PP ? Être votre amie quoi qu'il arrive ?

Encore que... eh bien, Jewel aussi était ma PP, pas vrai ? Et regardez ce que ça a donné.

Et si Tammy réagissait comme Jewel ? Et si elle aussi n'était qu'une PPT – pire pote temporaire ?

Je pourrais toujours lui raconter, et ensuite lui jeter un sort d'oubli si on n'était plus amies. Non, ça ne marcherait pas. Les sorts jetés aux gens ne fonctionnent que quelques mois. Si je lui administrais quelque chose pour oublier la vérité, l'effet s'userait. Je devrais le lui rejeter en permanence...

– Rachel... t'es encore là ?

– Oui ! Pardon ! Qu'est-ce que je disais ? J'ai oublié.

Je réussis haut la main à mon interro de français le lundi matin. *Quelle surprise*[1], vraiment. J'ai vérifié dans le livre de sortilèges, et apparemment je vais savoir parler toutes les langues du monde durant les mois qui viennent ! Je vais certainement avoir un A en français ce semestre. Yahou ! Je me demande si je sais aussi parler les langages informatiques. Je parie que si j'apprenais le C++, je décrocherais un A++.

Au déjeuner, Raf et moi, nous nous installons ensemble pour manger des macaronis au fromage brûlés.

– Comment va ta bouche ? me demande-t-il.

– À cause des macaronis, tu veux dire ?

– Non, fait-il en riant. À cause de ton rendez-vous chez le dentiste. Là où tu étais samedi ?

Ah ouiiiii. Le dentiste, ce n'était pas la meilleure idée du monde, comme mensonge. Ai-je envie qu'il pense à ma bouche grouillante de bactéries quand il m'embrasse ? Non, absolument pas. Mais que lui dire d'autre ?

La vérité ?

C'est ça.

Soit il me prendrait pour une folle, soit il partirait en courant. Comme la plupart des gens. Il suffit de voir comment tout le monde a réagi vis-à-vis de Wendaline... et encore, ils pensaient tous qu'elle plaisantait !

Personne n'a envie de sortir avec un phénomène de foire.

– Alors, on se voit après les cours ?

---

1. En français dans le texte.

Il me regarde bizarrement.

– Tu étais complètement ailleurs à l'instant, et tu n'as pas répondu à ma question. Le dentiste ?

– Oh ! Tout va bien.

J'agite la main pour changer de sujet.

– Mais revenons à nos projets. Qu'est-ce que tu veux faire ?

Il déchire l'ouverture d'un sachet de moutarde et le presse pour en déverser sur son repas.

– Il y a toute une bande qui va à Washington Square Park. On pourrait y aller.

– Qu'est-ce que tu fais ? je lui demande en désignant son assiette.

– J'ajoute de la moutarde.

– Sur des macaronis au fromage ?

Il sourit de toutes ses dents.

– Mais c'est infect ! Les condiments, ça ne va pas avec les macaronis au fromage. Du ketchup, à la rigueur, mais même ça c'est un peu dég'.

Je le taquine, mais allez savoir pourquoi, à le voir manger ce truc, cette étrange concoction de moutarde et de macaronis au fromage, je m'emplis d'espoir. Pourquoi ? Parce que c'est bizarre. Raf fait des choses bizarres, lui aussi ! Comme moi ! Il parle bien à la télé, pas vrai ? Je ne l'aime pas moins parce qu'il a des manies, vu ? Pas du tout ! Je ne l'en aime que plus !

Peut-être qu'il m'aimerait encore plus s'il apprenait ma petite manie à moi ?

– Tu veux essayer ? me demande-t-il. Tu meurs d'envie de goûter. (Il prélève une nouille avec sa fourchette et l'agite sous mon nez.) Imagine que c'est un avion.

J'ouvre la bouche et il la remplit. Tu vois, Raf ? Je suis ouverte à la nouveauté. Ladite « nouveauté » me donne presque envie de vomir.

– Pas mal, je mens, avant de faire descendre avec une gorgée de jus de fruits.

– Je t'offre volontiers le reste de ma moutarde, dit-il en agitant le paquet entamé.

– Donne, mon chou, fais-je avec un clin d'œil.

Wendaline s'approche de notre table.

– Salut, Rachel. Salut, Raf.

– Salut, dis-je.

Ne lui ai-je pas expressément interdit de s'asseoir avec moi ? Enfin au moins, elle a l'air presque normale à présent avec son nouveau jean.

Moi aussi, j'arbore une nouvelle tenue aujourd'hui : mon jean et mon pull noirs tout neufs. Ouais, je sais que j'étais censée les laisser chez mon père, mais quoi ! Ç'aurait été un énorme gaspillage de mode.

– J'ai une question, dit-elle en s'asseyant.

– Vas-y, dit Raf.

– Pourquoi Cassandra est-elle si populaire alors que personne ne l'aime ?

Raf éclate de rire.

– Non, je suis sérieuse, dit-elle. Populaire, en principe ça veut dire « aimée », non ?

– Non, dis-je. Ça veut dire que les gens ont envie de se montrer avec toi. Ça veut dire qu'on est invité à plein de fêtes.

– Mais pourquoi les gens veulent-ils d'elle dans leurs fêtes alors qu'elle est méchante ?

Là, elle m'a bien eue. Je regarde Raf et hausse les épaules.

– Aucune idée. Mais c'est comme ça.

– Elle est populaire en ce moment parce qu'elle a du pouvoir, dit Raf. Les auditions pour le défilé de mode ont lieu jeudi après les cours, et c'est elle qui décide qui est pris.

Mon cœur coule à pic lorsqu'il mentionne le défilé de mode. J'ai vu les affiches dans le lycée, mais j'ai fait comme si je ne voyais rien. Parce que si Raf se présente, il sera pris. Non seulement il l'a fait l'an dernier, mais en plus il était incroyable. Il danse comme un dieu, il est super-mignon, et tout le monde aime sa compagnie. Il sera choisi sans le moindre doute. Évidemment, je préférerais qu'il ne le soit pas, vu que les répétitions prennent un max de temps – du temps qu'il passera avec Melissa, qui sera choisie elle aussi, j'en suis sûre.

Peut-être que je devrais lui jeter un sort antidanse ? Je pourrais lui faire entendre une chanson quand c'en est une autre qui passe, pour qu'il ne soit pas en rythme ?

Non ! Quelle vilaine pensée ! Je l'aime et je veux qu'il soit heureux ! En revanche, je pourrais toujours essayer sur Melissa...

– Alors, une fois que ce sera passé, elle ne sera plus populaire ? demande Wendaline.

– Sans doute pas, reconnaît-il.

– Mais c'est une brute ! dit Wendaline.

Je me crispe.

– Qu'est-ce qu'elle t'a fait aujourd'hui ?

Elle croise les bras.

– C'est sa manière de prononcer mon nom. Ça me rend folle. Elle le fait traîner comme si c'était une insulte.

– Dis-lui de se calmer, dit Raf.

– Non ! (J'envoie à Raf un regard d'avertissement.) Ignore-la, c'est tout.

– Je ne comprends pas ces gens, marmonne-t-elle. À plus !

Et elle s'éloigne.

– Alors, dis-je à Raf en chipotant ma nourriture. Tu vas te présenter pour le défilé cette année ?

– Pas tout à fait.

– Ah, tant mieux, fais-je, soulagée.

– Non, je ne me présente pas parce que ce n'est pas la peine. Cassandra m'a dit que je n'avais pas besoin de passer le casting. Je suis pris d'office.

– Oh. Donc tu *veux* le faire.

– Eh bien... je ne sais pas au juste. Je ne meurs pas d'envie de recommencer, surtout si tu n'y es pas. Mais vois-tu, c'est là que ça se complique. Je ne sais pas pourquoi, elle tient vraiment à ce que je participe...

– Parce que tu danses incroyablement bien.

Il rougit.

– Ça, je n'en sais rien. Mais elle m'a dit que j'avais été bon l'an dernier et qu'elle voulait des premières expérimentés dans le spectacle. Et elle m'a dit que si je le faisais, Kosa Coats pourrait fournir les costumes du numéro des garçons.

L'an dernier, la moitié des garçons du lycée se sont pointés avec le bomber Hugo Boss que l'une des stars avait porté pour le spectacle.

– C'est une excellente publicité pour vos articles. Tu pourrais utiliser un modèle que tu as dessiné ?

– Si je voulais, sans doute. S'ils sont assez bien. Qu'est-ce que tu en penses ? Je devrais le faire ?

Non !

– Oui.

Il hoche la tête.

– Tu pourrais participer, toi aussi.

– Pas question, je m'empresse de répondre.

Il reprend une bouchée de sa concoction.

– Et pourquoi pas ? On s'est bien marrés l'année dernière.

– C'était marrant pendant les répétitions. Le spectacle, c'était catastrophique.

– Eh bien, cette fois ce sera formidable.

– Non merci. Je suis passée à autre chose.

Même si je voulais participer, de toute manière je n'ai pas le temps. J'écrase mes macaronis à la moutarde en purée.

J'en ai gros sur la patate.

L'après-midi, en sortant du cours d'anglais, Tammy parle des *Sorcières de Salem*, notre prochain livre au programme, et je m'efforce de changer de sujet de conversation. Je ne l'ai pas encore lu, mais Mr Johnson a dit que ça parlait de procès de sorcières.

Je n'arrive pas à imaginer quoi que ce soit de moins tentant que de parler des procès de sorcières de Salem en cours d'anglais. Sérieux. Je préférerais qu'on m'arrache les yeux à l'aide d'une écharde de balai. J'essaie donc de ramener la conversation sur *La Ferme des animaux*. Cette bonne vieille *Ferme des animaux*.

– J'ai oublié *La Ferme des animaux* chez ma mère, dis-je à Tammy. *Ib dul brink io mysine !*

Elle me regarde bizarrement.

– Qu'est-ce que tu viens de dire ?

– *Ib dul brink io mysine.*

Attendez. Ce n'est pas normal. J'essayais de dire : « J'ai dû veiller toute la nuit pour le terminer. »

– C'est quoi, *ib dul brink io mysine* ? me demande-t-elle.

– *Intis ghero tu jiggernaur ?*

Ça, c'était censé être : « Pourquoi tu ne me comprends pas ? »

– Rachel, tu parles javanais ou quoi ?

– *Dortyu !*

Ah, je voulais dire « Pardon ». Je n'arrive plus à parler anglais ? Qu'est-ce qui m'arrive ? Je crois que je parle... brixta ? Comment est-ce possible ? Qu'est-ce que je fais, maintenant ?

Elle me dévisage attentivement.

– Tu n'es pas en train de t'étouffer, hein ?

Je secoue la tête.

– Sûre ? Dis quelque chose.

– *Guity oj.*

« Je vais bien. » Rien ne va plus. Je montre ma gorge et lève un doigt, pour essayer d'expliquer en langage des signes que je reviens tout de suite, puis je fonce aux toilettes. À l'intérieur, je me tape sur la poitrine et m'efforce de recracher le brixta.

Je me retourne vers une fille qui se lave les mains à côté de moi. Je devrais peut-être vérifier si ça a marché, essayer de dire bonjour. Je respire un grand coup, et je dis :

– *Ho !*

Elle plisse les yeux, puis elle marmonne un mot pas très gentil dans sa barbe (un indice : ça rime avec héliotrope).

Ho ? C'est comme ça qu'on dit « bonjour » en brixta ? Je ne peux pas me balader dans le lycée en disant *ho !* à tout le monde ! Argh ! Mais qu'est-ce que j'ai ? Il me faut Wendaline. Je fonce dans le couloir pour rejoindre les casiers des secondes dans l'espoir de la trouver. Pour une fois que je la cherche, il faut que ce soit la seule fois où je ne la trouve pas ! J'essaie son portable, mais pas de réponse. La dernière fois, elle est apparue quand je l'ai appelée. Apparais, Wendaline. Apparais !

Je vois Tammy de l'autre côté du couloir, le front plissé d'inquiétude. Je la rassure d'un signe. Que faire ? Je ne peux quand même pas aller en cours comme ça !

Je tourne les talons pour m'enfuir par l'escalier, mais là j'aperçois Raf en train de monter. Je ne peux pas lui parler dans cet état, hors de question !

Hey ho, hey ho, je retourne au boulot.

Je m'abstiens de parler pendant tout le reste de l'après-midi en prétextant une extinction de voix. Pas vraiment en prétextant, vu que je ne peux pas parler, mais en indiquant ma gorge et en hochant la tête vigoureusement quand Tammy me demande : « Tu as une extinction de voix ? »

Malheureusement, mon écriture est également compromise, si bien que chaque fois que Tammy me fait passer un petit mot, je suis obligée de répondre par un gribouillage.

Je me téléporte chez moi à l'intercours pour regarder dans l'*A*² mais je n'y comprends rien. J'ai besoin d'aide ! Je finis par trouver Wendaline à force de rôder à côté de son casier après la dernière sonnerie. Elle se pointe avec ses deux nouvelles copines. Je la regarde d'un air penaud.

– *Jeffle.*

– Qu'est-ce que tu as ?

– *To froma*, dis-je en la prenant par le bras et en l'attirant dans les toilettes. « En privé. »

Je passe bien trop de temps dans des toilettes. Wendaline pourrait peut-être nous fabriquer un petit Narnia au lycée, qu'on puisse papoter plus confortablement ?

Comme les cabines sont apparemment vides, je lui dis :

– *Hot jeou sofy, ki frot kirt doozy.*

Ce qui signifie : « Je ne sais pas pourquoi, je n'arrive plus à parler anglais. »

Elle plonge son regard dans le mien.

– Depuis quand ?

– *Umpa ooble.*

« Après le déjeuner. »

– Tu as mangé quelque chose de bizarre ? À part les macaronis au fromage, je veux dire. Dégueulasse, ce truc. Voilà pourquoi il vaut mieux apprendre les langues à l'ancienne. Moins de complications.

– *Ki biz com hindo ut ficci. Diut ! Raf fir bitard bi ry. Dout sak vu tre ry ?*

La moutarde ! La moutarde de Raf !

– Je ne vois pas pourquoi ça affecterait la potion Babel, dit-elle en jouant avec les pointes de ses cheveux courts. Je me demande si y aurait pas autre chose. Une sorcière est censée parler avec son cœur, tu sais ? Et le langage est un outil pour parler avec son cœur, pour communiquer ce qu'il y a à l'intérieur. Si tu caches ce qui est à l'intérieur, la langue s'embrouille, et si tu es embrouillée, tes paroles le sont aussi, surtout si c'est en rapport avec ta magie. Tu me suis ?

Je secoue la tête.

– Il faut que tu sois franche et honnête !

Je me frappe le front du plat de la main.

– Aaaah !

Apparemment, « Aaaaha » se dit pareil en brixta et en anglais.

– *Ig bin Ig dkhy nor !*

« Je suis aussi honnête que possible ! »

Elle me regarde d'un air dubitatif.

– Vraiment ?

– Oui ! Je ne raconte rien à personne, fais-je furieusement en brixta. Tu sais comment me réparer ?

– Je pourrai peut-être te bricoler quelque chose si tu viens après l'école. J'espère devenir potioniste un jour, tu sais.

C'est marrant, ça ne m'étonne pas.

– *Bur that yitten Raf.* (« Mais j'ai rendez-vous avec Raf. ») *Isht ik faten igo ?* (« Qu'est-ce que je vais lui dire ? »)

– La vérité ?

Non ! Je préfère le remède qui ne risque pas potentiellement de gâcher toute ma vie, merci.

– *Kip kifel, fo tribe,* lui dis-je en faisant mine d'écrire. « Je parle, tu écris. »

Elle fait surgir un stylo et une feuille de papier. En temps normal, je la réprimanderais pour avoir fait de la magie au bahut, mais je crois qu'arrivées à ce point, nous sommes au-delà de ça. Elle traduit mon brixta comme suit :

Cher Raf, urgence dentaire !
Dois retourner chez le dentiste. Pardon pardon !
Je t'appelle plus tard !
Voyons-nous plutôt demain après les cours !!!

Je lui dis de mettre un max de points d'exclamation.

– Comment je signe ? me demande-t-elle.

Argh ! Pas le temps de prendre une décision qui risque potentiellement de gâcher toute ma vie amoureuse, là tout de suite. « XO » ? « Bisous de sorcière » ? Sûrement pas. « Avec amour » ? Il m'a écrit « Avec amour » ; je peux bien écrire « Avec amour » aussi, non ?

Mais c'était sur une carte d'anniversaire, alors que là, on est au lycée ! Un petit mot au lycée ne doit pas montrer autant d'affection qu'une carte d'anniversaire. Un petit mot au lycée, ça se jette ; une carte d'anniversaire, ça se garde. « Biz », peut-être ?

Oui. Biz.

Je parviens difficilement à trouver les mots en brixta pour expliquer à Wendaline la différence entre amour et biz.

– Tu vas le lui donner ? me demande-t-elle.

– *Ooga !* dis-je, ce qui signifie « non ».

Ce qui me fait rire. *Ooga* ? C'est censé être musical, ça ? Peut-être pour une bande de gorilles.

Je dis à Wendaline – en brixta – de le glisser dans le casier de Raf, et nous voilà parties.

17 RELIEFS EN VUE

– Ah, Rachel, tu es enfin rentrée, tant mieux, me dit maman plus tard dans l'après-midi.

Miri et elle sont assises à la table de la cuisine, devant une pile de papiers.

– Où étais-tu passée ?

– Des petits problèmes de communication, dis-je.

Miri hausse les sourcils.

– Ça va ?

– Oh oui, un peu d'huile d'olive et d'oignon haché et c'est passé, dis-je avec un soupir.

Wendaline a annulé l'effet, et je suis de nouveau polyglotte.

– Mais je ne m'approcherais pas trop de moi si j'étais toi. Je sens pas franchement bon. Qu'est-ce que vous faites ?

– Notre liste d'invitations pour le Samsorta ! s'écrie Miri d'une voix perçante.

Hein ?

– Mais on n'a personne à inviter !

Miri désigne une liste d'une trentaine de noms.

– Faux ! Maman a une tonne de membres de sa famille qui seraient tous vexés s'ils ne recevaient pas d'invitation.

Je jette un coup d'œil sur les noms. Regina et Stephen Kelp. Moira Dalven. Jan et Josh Morgenstein. Qui sont ces gens ?

– Maman, c'est une histoire de fous. Tu t'es excommuniée de la communauté de la sorcellerie. Tu n'as pas parlé à ces gens depuis au moins vingt ans. Je n'ai même jamais entendu parler d'eux.

Maman hausse les épaules.

– Ce sont des parents éloignés. Si on doit le faire, il faut le faire dans les formes.

– Pourquoi ? Je croyais que tu ne voulais même pas le faire !

– Rachel, dit Miri, c'est une grande occasion de nous rapprocher de nos racines.

– Sans doute.

Je repère Liana et Sasha Graff sur la liste et mes poings se serrent.

– Pourquoi tu les invites, elles ?

– Je suis obligée. Sasha est ma sœur, dit maman.

– Ta *méchante* sœur ! Et d'ailleurs, Liana ne nous a pas invitées au sien.

– Peut-être, mais il ne faut pas ajouter le mal au mal. Du reste, nous étions brouillées à l'époque.

– Mais vous l'êtes à peine moins maintenant !

– Rachel, je t'en prie, ne fais pas la difficile.

– Et pourquoi pas ? Ma vie est difficile ! Je dois aller en cours six jours par semaine au lieu de cinq et je sens l'oignon !

Elle me regarde droit dans les yeux.

– Ne fais pas comme si je ne t'avais pas prévenue que faire son Samsorta était lourd de conséquences.

Humpf. Je déteste les « Je te l'avais bien dit ». C'est vrai, quoi, si elle avait quelque chose d'important à dire, alors elle aurait dû me dire à quel point c'était important avant ! Euh... bref.

– Je vais faire mes devoirs.

– D'accord, mais assieds-toi une seconde, dit maman. Miri avait raison : le Samsorta est une formidable occasion, pour nous trois, de passer des moments de qualité ensemble en famille.

Je savais bien que ce Samsorta ne m'apporterait que des ennuis. Je tire une chaise à contrecœur.

– Oh, et ne prévois rien pour demain après les cours, ajoute maman.

– Trop tard. J'ai rendez-vous avec Raf.

Plus ou moins. Un rendez-vous proposé, au moins.

– Annule ! s'exclame Miri. On va chez Georgina Papiers !

– C'est quoi, ça ?

– Tu veux dire « qui », dit maman. C'est la spécialiste en invitations. Il paraît que tout le monde ne jure que par elle. Et le plus chouette, c'est qu'elle est ici, à New York. On a eu de la chance d'obtenir un rendez-vous. C'est la saison où elle est le plus débordée, tu sais.

– Il paraît ? Et tu tiens ça d'où ?

La seule personne avec qui elle parle est Lex.

– Tu ne t'es quand même pas inscrite sur Mywitchbook, toi aussi ?

Elle a un profil avant moi ? Non mais, c'est d'un gênant...

– Non, ma chérie, je me suis enfin mise à lire la lettre d'information. (Elle tripote les papiers devant elle.) Nous avons besoin de toi, Rachel. Tu as l'œil.

La flatterie mène à tout.

– Très bien, j'y serai.

Je ne comprends pas au juste pourquoi on ne peut pas simplement zapper nos cartons d'invitation, mais peut-être que c'est comme pour une coupe de cheveux. Parfois, il faut s'en remettre à un professionnel.

– Ah, et ne prévois rien pour dimanche matin non plus. J'ai une surprise spéciale pour vous deux.

Je me redresse.

– Quoi donc ?

– Si je te le disais, ce ne serait plus une surprise.

Après un quart d'heure de communion familiale, je suis autorisée à regagner ma chambre pour commencer mes devoirs et appeler Raf. Devinez quoi : je décide d'appeler Raf d'abord.

– Comment va ta dent ? me demande-t-il. Ta bouche est toujours paralysée ?

– Oui.

Je comprends soudain que je devrais faire comme si j'avais la bouche paralysée.

– Bwi.

Comment faire pour avoir l'air paralysée ? Je glisse un doigt entre mes lèvres afin qu'elles ne se ferment pas tout à fait.

– Alors, ça tient toujours pour demain ?

– Ah, euh... ha wa fas être fwossible...

Aïe ! Je viens de me mordre le doigt. On oublie. Je ne vais pas réussir à tenir toute cette conversation avec un défaut de prononciation factice. Je vais juste parler normalement en espérant qu'il ne remarque rien. Après tout, c'est pas comme s'il allait imaginer que j'avais pu *inventer* une carie. Qui ferait un truc pareil ?

– J'avais oublié que j'ai promis à Miri de lui donner un coup de main.

Pas trop mal, comme excuse. Vague, et moins dégoûtant que de se faire soigner des caries. Aucune paralysie buccale requise. J'agite mon doigt mordu jusqu'à ce qu'il cesse de me picoter.

– Je peux vous aider, si tu veux, dit-il. Ça ne me dérange pas.

– Oh ! Merci ! C'est très gentil... mais c'est une histoire de filles.

– Oh, d'accord.

Silence.

– Sinon, quoi de neuf ? fais-je.

– Euh, samedi, mes parents aimeraient t'inviter à dîner. C'est l'anniversaire de mon père, et il veut tous nous inviter au restaurant.

Embarrassant. La dernière fois que j'ai dîné avec les Kosravi, j'étais la copine de Will. Et Raf était venu avec Melissa.

Ça a été assez lamentable.

– Super, dis-je.

Ce sera forcément mieux cette fois, si j'y vais en tant que fiancée de Raf. Et j'aime vraiment bien la copine de Will, Kat. Je l'ai à peine vue depuis la rentrée. Elle doit être hyper-débordée par le conseil des élèves. Elle est présidente, après tout. Je devrais peut-être me présenter au poste quand je serai en terminale. Ou peut-être à la présidence des États-Unis ? La première présidente sorcière !

À moins qu'il y ait déjà eu des présidents magiciens.

– Le dîner est à quelle heure ?

– Dix-neuf heures trente chez *Kim Shing*, dans Midtown. Je passerai te prendre, et comme ça on peut y aller ensemble.

– Je suis hyper-débordée ce week-end, dis-je en retenant mon souffle. C'est mieux si je te rejoins là-bas.

Le lendemain, après les cours, nous sommes dans l'appartement de Georgina dans l'Upper East Side, occupées à regarder des échantillons d'invitations.

Georgina est d'une beauté éblouissante. Elle a de longs cheveux noirs et brillants, et pourrait facilement être mannequin si l'envie lui prenait de laisser tomber la papeterie. Et elle ne fait pas que les simples Samsortas. Elle a des invitations pour des Simsortas, pour des mariages et pour des vœux.

– Qu'est-ce qu'un vœu ? demande Miri.

– Oh, tu sais bien, dit Georgina en agitant vaguement la main. Quand on a un bébé, on invite toutes les sorcières de la famille à venir lui accorder un don. Intelligence, beauté, compassion, une belle voix pour le chant, un talent pour la peinture, pour la danse... je suis sûre que vous en avez reçu.

Elle a un sourire entendu.

Ouahou ! Exactement comme dans *La Belle au bois dormant*. Je me demande ce que j'ai reçu. Euh... pas de talent de danseuse... pas la beauté...

Ma mère se met à glousser nerveusement.

– C'était il y a tellement longtemps, comment s'en souvenir ?

– Je crois que ça veut dire qu'on n'en a pas eu, dit Miri.

– Merci, m'man. C'est vrai qu'il n'y a pas lieu de tirer parti de la beauté ou de l'intelligence.

– Vous êtes parfaites telles que vous êtes, dit m'man. Et vous avez toutes les deux développé des dons fantastiques par vous-mêmes ! Comme ton don pour les maths, et ton don pour le taekwondo... Essayons de nous concentrer sur l'instant présent.

Scrogneugneu.

Les invitations de Georgina ne sont pas rangées dans des albums d'échantillons. Elles ne tiendraient pas, car les invitations de Georgina ne sont pas des invitations ordinaires. Quelques exemples :

Un tournesol, avec la date, l'heure et le lieu inscrits sur les pétales.

Des bougies qui, lorsqu'on les allume, tracent les informations avec leur fumée.

Des magnets de frigo qui prononcent magiquement l'information.

– Quelque chose vous plaît ? nous demande-t-elle.

– Je les aimes toutes ! Pourquoi s'embêter avec des invitations en papier ? Celles-ci sont en 3D.

– Avez-vous prévu un thème ? s'enquiert-elle.

Un bal de sorcières, ça ne suffit pas comme thème ?

– Vu qu'on le fait ensemble, dit Miri, ça pourrait être le thème des sœurs ?

– Les sœurs. Cela me plaît. Laissez-moi réfléchir.

Georgina frotte ses doigts contre ses tempes.

– Je vois des poupées en papier. Deux !

J'adore les poupées de papier !

– Du genre ribambelle ?

– Oui ! Fabuleux ! dit Georgina, dont les mains se mettent à voleter. Quand on ouvre l'enveloppe, elles se mettront à chanter les informations requises ! Je vais faire en sorte qu'elles vous ressemblent ! Elles chanteront même comme vous ! Et danseront comme vous !

Ma mère se mordille le pouce.

– Mmm, peut-être pas. Ce ne sont pas vraiment les reines de la danse. Ni du chant.

– La faute à qui ? fais-je sèchement. Tu nous as privées de nos vœux !

– Je croyais qu'on était parfaites telles qu'on était ! dit Miri.

Elle ne relève pas nos remarques.

– Georgina, pourrions-nous revoir les invitations en tournesols ?

Une heure plus tard, nous avons opté pour un thème New York : une réplique de Times Square dans une boule de neige. Le bandeau qui défile sur la place donnera toutes les infos sur la fête. Très classe, non ?

En rentrant, je file dans ma chambre faire quelques devoirs, et Miri à son ordi pour se brancher sur – vous n'allez pas me croire – Mywitchbook. Je pense qu'elle est peut-être accro.

Quelques minutes plus tard, elle traverse l'appartement à grands pas sonores. Je l'entends crier à travers la cloison :

– M'man ? Corey et ses amis sont tous partis au ski ! Je peux aller les rejoindre ?

– Il est déjà sept heures ! La nuit tombe !

– Pas là-bas. Dans les Rocheuses canadiennes ! À Whistler ! Il n'est que quatre heures là-bas. Je peux y aller ? S'il te plaît ? Juste un petit moment !

– On est en septembre aussi à Vancouver ! Il ne peut pas y avoir de neige !

– Ils en fabriquent ! Et c'est en altitude. S'il te plaît ?

– Rachel y va aussi ?

– Non ! fais-je en rugissant à travers le mur.

– Oui, dit Miri.

Maman éclate de rire.

– Tu es trop jeune pour sortir toute seule avec des garçons. Tu ne peux y aller que si Rachel va avec toi.

Alors là, merci, maman. Pas de pression du tout.

– Et comme il y a école demain, tu devras être rentrée pour neuf heures – heure de New York. Et vous portez vos casques, toutes les deux. Et l'une d'entre vous m'appelle dès que vous arrivez.

Miri surgit dans ma chambre.

– Habille-toi !

Je baisse les yeux sur mon jean et mon tee-shirt.

– Je suis à poil ?

– Pour aller skier.

– Mir, je ne veux pas aller skier. J'ai des devoirs à faire.

– Mais tout le monde est au ski ! Pas que Corey ! Tout le monde ! Adam y sera.

Elle me décoche un sourire malicieux.

Mon cœur fait un raté. Je n'ai pas de temps pour Raf, mais j'en ai pour Adam ?

– Je ne sais pas, Mir...

– Maman me laissera pas y aller sans toi. S'il te plaît ? Ça ne serait pas parfait si mon premier baiser se passait sur un télésiège ? C'est tellement romantique ! S'il te plaît !

Il est vrai que j'aime bien skier... et que je n'ai pas skié depuis les voyages à Stowe...

La vue depuis la montagne est une vraie carte postale. Les bleus, les verts et les blancs tourbillonnent autour de moi comme si je lançais une sorte de sortilège de mouvement. Je respire profondément. Ah. Dès que nous nous sommes téléportées en haut des pistes (nous sommes apparues dans les toilettes du chalet tout au sommet), j'ai transformé mes chaussures normales en chaussures de ski, un bâton de gloss en bâtons de ski, et des chewing-gums Trident goût chlorophylle en skis. Mes bâtons sont roses et mes skis sont vert chloro. Ça jure, c'est sûr, mais il a bien fallu faire avec ce que j'avais dans mon sac à main.

Miri et Corey font du snowboard, mais je préfère les skis à l'ancienne. J'appelle maman pour lui dire que nous sommes arrivées en un seul morceau.

– Soyez prudentes, nous avertit-elle. Cantonnez-vous aux pistes vertes. Ça fait un moment que vous n'avez pas skié.

– Oui, m'man.

– Où est Miri ?

– Elle parle avec Corey.

Je fais coucou de la main à ma sœur, qui me rend mon salut. Je mime un baiser avec mes lèvres. Elle vire au rouge betterave. Hi, hi.

– J'ai hâte de le rencontrer, ce fameux Corey, dit maman. Amusez-vous bien. Ne rentrez pas trop tard. Pas de ski de nuit.

– Oui, m'man.

– Je vous aime, dit-elle.

– Nous aussi.

Je suis sur le point de fourrer le téléphone dans la poche de ma veste lorsqu'il sonne de nouveau. C'est Raf.

– Salut ! dis-je.

– Quoi de neuf ?

Je jette un regard circulaire sur le panorama montagnard. Si seulement je pouvais lui raconter !

– Pas grand-chose. Et toi ?

– Je termine mes devoirs. Tu as bientôt fini d'aider ta sœur ? Tu veux que je vienne passer une heure chez toi ?

– Oh ! Impossible. On n'a pas fini.

– Quoi ? Désolé, je ne t'entends plus. Il y a beaucoup de friture sur la ligne.

Ça alors ! Pourtant, ce n'est pas comme si j'étais dans un autre pays, au sommet d'une montagne, ni rien. Je me penche vers la droite, au cas où ça aiderait, puis je crie dans l'appareil :

– Je disais, on n'a pas encore fini !

– Les maths ?

Bien sûr, pourquoi pas ?

– Oui, les maths.

– Il y a encore... 'iture. Je te rappelle... sur ton fixe ?

Non !

– Peux pas te parler maintenant ! Je te rappelle plus tard !

– Quoi ?

– Je te rappelle quand je serai rentrée ! Enfin, quand j'aurai fini ! Oui, c'est ça. Fini.

– D'accord. Amuse-toi bien.

– Toi aussi ! Je t'aime !

Et soudain je me rends compte.

Je viens vraiment de dire ça ? Je ne viens pas de dire ça. Je ne viens pas de dire à Raf Kosravi que je l'aimais. Je ne voulais pas dire ça. Et maintenant ?

J'appuie sur « raccrocher ».

Ômondieu. Je viens de raccrocher au nez de mon amoureux. Juste après lui avoir dit sans le faire exprès que je l'aimais.

Pétard de pétard.

Aaaah !

Et maintenant, qu'est-ce que je fais ?

Peut-être qu'il n'a pas entendu. La ligne est très mauvaise, il l'a dit lui-même. Mais s'il a bien entendu ? Étais-je sincère ? Est-ce que je l'aime ? Je sais que je dis toujours en rigolant que je l'aime, mais en vrai ?

Bien sûr, il est gentil, drôle, adorable. Et il fait papilloter mon cœur.

Pourquoi a-t-il fallu que ma mère me dise au téléphone qu'elle m'aimait ? Du coup, j'avais l'amour en tête.

Je devrais peut-être le rappeler. Et faire quoi ? Lui dire que c'était une erreur ? Est-ce une erreur ? De toute manière, tout est sa faute. C'est lui qui a commencé avec toute cette histoire d'amour-sur-la-carte.

Aaaah !

– Rachel !

Je trébuche en entendant mon nom et laisse tomber mon téléphone dans la neige. Super.

En relevant la tête, je vois Adam qui s'approche de moi.

– Prête à dévaler les pistes ?

Je ramasse mon téléphone et le fourre dans ma poche. Il faudra que je m'occupe de ça plus tard.

– Salut ! Prête !

Je baisse mes lunettes de glacier (*alias* mes lunettes de soleil transformées) sur mes yeux.

– Alors, *go* ! dit-il en se hissant vers le sommet. On fait la course.

Je me retourne pour découvrir Miri en grande conversation avec Corey. Elle doit pouvoir s'occuper d'elle-même. Je repère les triplées et les autres qui rasent déjà la piste. Pas au sens littéral, évidemment. Ils skient juste très vite. Bon, d'accord, si vous insistez, il se peut que la triplée glamour vole vraiment.

J'hésite au départ de la descente.

– Qu'est-ce qui ne va pas ? me demande-t-il.

Ça m'a l'air assez pentu.

– Ça fait un bail que je n'ai pas skié.

Il se met à rire.

– Ça va te revenir. C'est comme monter sur un balai.

– Ha-ha. D'accord. Je suis prête.

Je pousse sur les bâtons, et bien que je tremble un peu, je suis plutôt douée, en fait. Je sais slalomer ! Je sais tourner ! Je sais...

Plaf !

M'étaler sur le derrière.

Je me relève. Ouille. Un gros bleu pour demain matin.

– Ça va ? me demande Adam en s'arrêtant près de moi dans un chuintement.

– Juste un peu rouillée. On fait la course ? À vos marques, prêts, partez !

Je décolle. Je suis un oiseau ! Je suis un avion ! Je suis Rachel la sorcière skieuse ! Il est juste derrière moi, puis soudain à côté de moi, et voilà que je le redouble. Nous nous arrêtons ensemble en bas.

– Quelle allure, dis-je. Encore ! On fait le sortilège Go pour remonter ?

– Non, j'en ai marre de me matérialiser dans les toilettes, dit-il.

Je rigole.

– Tu as remarqué, toi aussi ?

– Ouais. Prenons le télésiège comme des gens normaux. Ce sera marrant.

Nous prenons nos bâtons à la main et regardons derrière nous pour attraper le siège qui arrive.

– Il y a un bout de temps que je n'ai pas fait ça.

– Tout ira bien, dit-il. Le voilà.

Sur quoi, zou, nous voilà assis !

Tandis que nous remontons la côte, je vois les triplées skier en contrebas. Je leur fais signe mais elles ne nous voient pas. Au-delà de la piste, nos sièges glissent au-dessus d'une coulée d'arbres qui sépare deux couloirs neigeux.

J'embrasse la vue. Le ciel est bleu, l'air est vif... tout est si joli !

Cric. Le télésiège s'arrête en grinçant.

Nous nous balançons d'avant en arrière, d'arrière en avant.

– J'espère que c'est solide, ce truc.

– Je te protégerai, dit-il en passant le bras autour de mes épaules d'un air dégagé.

Ho-ho...

Il se penche pour m'embrasser.

LE MONDE EST PETIT

Dois-je le faire ? Oui ? Non !

Je me recule environ une demi-seconde avant que ses lèvres ne touchent les miennes.

– Adam, dis-je. J'ai un fiancé.

Est-ce que je viens presque d'embrasser un garçon moins de dix minutes après avoir dit à un autre que je l'aimais ? Mais qu'est-ce qui ne va pas chez moi ?

– Pardon, dit Adam. Je pensais... je pensais que tu ressentais la même chose. Je ne savais pas que tu avais quelqu'un. Je... je te trouve vraiment cool, Rachel.

Il se couvre le visage de ses gants.

– Je suis désolé.

– Je...

Je ne sais pas trop quoi dire.

– C'est ma faute. J'aurais dû te le dire.

Je ne sais pas pourquoi je ne l'ai pas fait. Bon, d'ac, je sais. Parce que je ne voulais pas qu'il le sache. Parce qu'il se pourrait qu'il me plaise.

– C'est qui, ton copain ? me demande-t-il. Je le connais ?

– Non. Ce n'est pas un sorcier. Il n'est même pas au courant de... (je désigne les environs)... de tout ça.

– Alors, ce n'est pas sérieux ?

– Si... si, si.

– On ne dirait pas, marmonne-t-il.

Hé, ho !

– J'ai entendu.

– Eh bien quoi, il ne connaît rien de toi !

– Si.

– Pas le plus important. Tu ne préférerais pas sortir avec quelqu'un qui a plus de points communs avec toi ? Quelqu'un qui comprend ce que tu vis ?

– Je...

Ma voix s'éteint toute seule.

Comme si ce n'était pas déjà assez difficile, mon portable se met à sonner.

Je sais que c'est Raf sans même avoir à regarder. Saleté d'intuition. Je le laisse sonner. Et sonner.

Adam ne fait aucun commentaire. Et moi non plus.

Il faut que je me sorte d'ici. Pourquoi ce télésiège à la noix ne repart-il pas ?

Télésiège, redémarre sur-le-champ,
Car ce qui se passe est trop gênant.

Avec un sursaut, la remontée mécanique se remet en marche.

En arrivant chez moi, j'ai le moral dans les chaussettes. En partie à cause de l'incident Adam, en partie parce que Raf a appelé trois fois et que je n'ai pas décroché, et en partie parce que j'ai mal aux fesses d'avoir dégringolé la montagne. Ajoutons que je n'ai presque plus de sortilège Go. Il faut que j'en refasse, et fissa.

Miri, de son côté, est sur un nuage.

– On a pris le télésiège ensemble, me raconte-t-elle pendant que nous nous préparons pour aller au lit. Il a passé son bras autour de moi ! Tu l'as vu surfer ? Il était encore plus nul que moi ! Hi, hi ! J'ai dû lui montrer comment on tourne. C'était trop mignon ! Il est trop mignon ! Et ensuite, il...

Je cesse de l'écouter, j'ai un creux grandissant dans l'estomac. Adam ne m'a plus dit un mot après la débâcle du télésiège. Nous nous sommes empressés d'aller rejoindre le reste de la troupe, puis nous sommes mutuellement ignorés.

J'attends d'être au lit pour rappeler Raf. J'espère qu'il n'a pas entendu ce que j'ai dit. Vous savez, le verbe qui commence par un *a* ? J'espère vraiment, vraiment, qu'il n'a pas entendu. Il y avait de la friture sur la ligne ! Beaucoup de friture. Je suis sûre qu'il n'a pas entendu.

– Salut, dis-je, le cœur battant à tout rompre.

– Salut, dit-il.

Il n'a pas entendu. Je suis sûre que non.

– Désolée d'avoir mis tellement longtemps à te rappeler.

Silence.

Il a entendu et il ne partage pas mes sentiments, et maintenant il va me larguer. Il a entendu, mais allez savoir comment, il sait que j'ai failli laisser un autre garçon m'embrasser, et maintenant il me déteste.

– Au sujet de ce que tu as dit tout à l'heure... commence-t-il.

Je retiens ma respiration.

– Moi aussi, je t'aime.

J'en lâche le téléphone, pour le ramasser aussitôt.

– C'est vrai ?

– Ben, oui.

Encore un silence.

Il a dit qu'il m'aimait. Le garçon dont je suis dingue depuis le premier jour vient de me dire qu'il m'aimait.

Raf Kosravi m'aime. Officiellement.

Je devrais être enchantée. Je devrais danser dans toute la pièce. Bon, d'ac, peut-être pas danser. Je ne veux pas faire peur aux voisins. Mais je devrais au moins agiter les bras de joie, ou faire la roue.

Au lieu de quoi, les larmes me piquent les yeux.

Tout ce que j'arrive à sortir, c'est :

– Cool.

– Et je suis tellement heureux que tu l'aies dit. Tu t'es comportée un peu bizarrement ces derniers temps, et j'avais un peu peur que... je ne sais pas. Que tu... enfin, tu vois... que tu ne m'aimes plus.

– Quelle idée ! dis-je. Comment as-tu pu penser une chose pareille ?

– Eh bien, tu ne voulais pas que je vienne vous rejoindre quand tu faisais du shopping, ensuite tu t'es endormie quand je suis venu chez toi, et tu m'as un peu envoyé bouler aujourd'hui...

Mon cœur se serre.

– Je suis vraiment désolée. Vraiment. C'est juste que j'ai eu des tas de choses à faire. La famille, tout ça, enfin tu vois... Mes bizarreries n'avaient rien à voir avec toi. Rien du tout. Rien ne peut me rendre plus heureuse que de t'avoir comme amoureux.

– Tant mieux, dit-il.

– Tant mieux.

Nous parlons des cours, du lycée et de ses vestes en cuir, et lorsque nous raccrochons enfin, je serre mon oreiller contre ma poitrine, les larmes aux yeux.

Car j'aime Raf. Je l'aime vraiment. Et ouais, il m'a dit « Je t'aime », et il se peut même qu'il le croie, mais ça ne veut pas dire grand-chose si ce n'est pas la *vraie* moi qu'il aime. Ça ne vaut pas mieux, ce n'est pas plus *réel*, que si je l'avais envoûté avec un philtre d'amour.

Je soupire. Et la prochaine fois qu'il me sentira ailleurs... que se passera-t-il alors ?

– Alors, dis-je en m'asseyant dans la salle de classe, comment s'est passé ton week-end ?

Tammy se tourne vers moi, les lèvres tremblotantes.

Et là, je sais.

– Ômondieu, vous vous êtes séparés !

Elle hoche la tête.

Je saute sur mes pieds et la prends dans mes bras.

– C'était dur, mais je pense que c'était ce qu'il fallait faire, me dit-elle.

– C'est toi qui l'as quitté ?

– Plus ou moins. Je crois que c'était mutuel. Je sais qu'on dit toujours ça, mais cette fois c'était vrai. On tient l'un à l'autre, mais on est sur deux planètes, c'est tout. On va rester amis, quand même.

– Ça s'est passé quand ?

– Hier soir.

– Tu aurais dû m'appeler !

– Je l'aurais bien fait, mais on a dû raccrocher vers trois heures du matin, et je me suis dit que c'était trop tard.

– Il n'est jamais trop tard quand c'est aussi important !

– Je voulais t'envoyer un SMS, mais j'étais trop vidée. (Ses yeux se remplissent de larmes.) Mais merci, Rachel. Je sais que tu es là pour moi.

Là-dessus, Tammy ajoute qu'elle en a assez de parler d'elle et de Bosh.

– À ton tour de me raconter ce qui te tracasse en ce moment.

– Hein ? Moi ? Rien ne me tracasse. Pourquoi tu dis ça ?

Elle hausse les épaules.

– Je le vois quand quelque chose t'inquiète.

Je déglutis. Elle va m'en vouloir, elle aussi, maintenant ?

– C'est juste qu'il m'arrive pas mal de choses, ces jours-ci.

Elle m'observe attentivement.

– Des soucis ?

– Non, dis-je rapidement.

– Si tu as besoin de quelqu'un à qui parler, tu sais que je suis toujours là pour t'écouter.

– Merci.

J'ai mal à la tête. Pourquoi faut-il que tout soit si compliqué ?

La lecture des *Sorcières de Salem* n'arrange pas mon humeur.

Vous savez ce qui se passe dans *Les Sorcières de Salem* ? Vous savez ce qu'on fait aux présumées sorcières dans ce livre... non, dans ce roman d'épouvante ? On les mène à la potence – c'est-à-dire qu'on les pend.

Je me frotte le cou tout en lisant.

Voilà exactement pourquoi je ne peux dire mon secret à personne. Si quelqu'un le raconte à quelqu'un d'autre, qui le raconte à quelqu'un d'autre, et qu'ensuite les gens tentent de me tuer ?

Bon, d'ac, on ne me mènerait sans doute pas *littéralement* à la potence, puisque la peine de mort n'est plus en vigueur à New York.

Mais ils pourraient quand même faire du vilain ! J'ai déjà vu les caïds du lycée, et en général ils sont redoutables.

La preuve :

Le lendemain, Tammy et moi nous dirigeons vers le labo de chimie lorsque nous repérons Wendaline.

– Salut, Wendaline, lançons-nous en chœur.

Malheureusement, notre salutation est suivie de : « Weeeeendaliiiine. Weeeeennnnndaliiiine. Weeeeeennnnn-daliiiine. »

On dirait les plaintes d'un fantôme, mais autant que je sache, JFK n'est pas hanté. C'est Cassandra et sa bande qui psalmodient le prénom de mon amie.

Les joues rouge vif, Wendaline fixe Cassandra du regard. Elle tire sur une mèche de ses cheveux courts derrière son oreille, puis tripote le chemisier que j'ai acheté avec elle.

– Weeeeendaliiiiine, Weeeeennnnnndaliiiiine, Weeeeennnnn-daliiiine.

– Mais pourquoi elles lui font ça ? demande Tammy, les poings serrés autour de son cahier. Je vais leur dire d'arrêter.

Je lui agrippe le bras.

– Non.

Je ne veux pas que Cassandra s'en prenne aussi à Tammy ! J'ai déjà été la cible des stars du lycée, et ce n'est pas marrant.

– Elle peut s'en sortir toute seule.

– C'est quoi, ce nom, d'abord, Wendaline ? dit Cassandra. À mon avis, c'est inventé. Comme quand tu racontes que tu es une sorcière, *Weeeeendaliiiine*.

– C'est ridicule, marmonne Tammy.

Je secoue toujours la tête. Moi aussi, j'ai envie d'envoyer balader Cassandra, mais je ne peux pas. Je ne peux pas, c'est tout. Inutile d'attirer l'attention ! Je ne peux pas me permettre d'être au centre des regards.

– Tu sais ce qu'on faisait aux sorcières autrefois ? continue Cassandra. On les jetait dans l'océan pour voir si elles utiliseraient la magie pour flotter. Peut-être qu'on devrait t'emmener prendre un petit bain dans l'Hudson ?

Je crois que je vais vomir. C'est le retour des *Sorcières de Salem*.

– Ça suffit.

Tammy se dégage de mon étreinte et traverse le couloir comme une furie pour rejoindre Cassandra.

– T'as intérêt à la boucler, lui ordonne-t-elle.

Cassandra éclate de rire.

– Sinon quoi ?

– Sinon je te dénonce à Mrs Konch pour avoir menacé la vie d'une élève.

– Ah oui ? dit Cassandra en croisant les bras.

Ses boucles se dressent dans tous les sens comme des armes. On dirait la Méduse.

C'est au tour de Tammy de croiser les bras.

– Oui. Et tu seras virée.

Mais que fait Tammy ? C'est *elle* qui va se faire jeter dans l'Hudson. Et c'est un cours d'eau pollué ; même elle ne voudrait pas l'explorer. Je m'adosse à un casier en m'efforçant d'être invisible. Pas réellement invisible, évidemment, car cela me trahirait pour de bon. Ou au contraire. Je m'emmêle les pinceaux toute seule.

– Et qui irait te croire ? fait Cassandra, cassante.

Tammy pointe le menton en l'air.

– À ton avis, ils croiront qui ? Une première avec 18 de moyenne générale ou une détestable poseuse de défilé de mode ?

Ouille.

Cassandra plisse les yeux.

– Fais gaffe à ce que tu dis.

– Tu ne me fais pas peur, dit Tammy en prenant Wendaline par le bras et en emmenant mon amie éberluée dans les toilettes.

La litanie reprend immédiatement : « Weeeeendaliiiiine. Weeeeennnnnndaliiiiine. Weeeeennnnndaliiiine. »

Je garde les yeux baissés et m'empresse d'entrer aux toilettes à leur suite. J'ignorais complètement que Tammy était aussi forte. Waouh. Je suis à la fois drôlement impressionnée et drôlement terrifiée. Tammy et Wendaline sont toutes les deux agrippées aux lavabos.

– T'es pas dingue ? fais-je à Tammy. Maintenant, toi aussi elle t'a dans le collimateur !

– Elle ne me fait pas peur.

Mais le tremblement de ses jambes la trahit. Elle se tourne vers Wendaline.

– Ça va ?

Wendaline hoche la tête, les yeux écarquillés.

– J'ai besoin de m'asseoir, dit Tammy, essoufflée. Tu viens, Rachel ?

– Pars devant. J'arrive dans deux secondes.

Wendaline fait mine de lui emboîter le pas, mais je la retiens.

– Il faut que tu évites Cassandra, lui dis-je. Ou on va toutes retrouver des grenouilles dans nos casiers. C'est ça que tu veux ?

– Bien sûr que non, gémit Wendaline. J'essaie. Qu'est-ce que je peux faire de plus ?

– À partir de maintenant, on n'approche plus de son casier. Pigé ?

Wendaline lève les bras en l'air.

– Mais comment veux-tu que j'y arrive sans apparaître – ou disparaître – au lycée ? Tu m'as dit de ne pas le faire !

– Pas de magie ! Tu remontes juste en SVT par l'escalier sans passer par son repaire maléfique. Tu peux faire ça ?

Elle acquiesce.

– Et encore une chose.

– Quoi ?

– Ton prénom fait trop sorcière. Cassandra a raison, dis-je en respirant un grand coup. Dorénavant, dis à tout le monde – je respire un grand coup – de t'appeler Wendy.

Elle voûte les épaules, déprimée.

– Wendy, reprend-elle.

J'opine. Peut-être que ça aidera. On ne peut pas se moquer d'un joli prénom normal comme Wendy, pas vrai ?

Adam avait raison. Il faut bien séparer le monde de la sorcellerie et le monde du lycée. Sinon, c'est trop dangereux.

Remarquez, il a dit hier que je devrais sortir avec un sorcier. Avait-il raison aussi sur ce point ?

Non. Il ne peut pas avoir raison ! Pourquoi sortirais-je avec un sorcier alors que je suis dingue d'un norcier ?

J'ouvre la porte des toilettes et jette un œil dehors pour m'assurer que la voie est libre.

Wendaline – Wendy, je veux dire – me suit dans le couloir. J'avale la boule que j'ai dans la gorge en espérant que je la mène dans la bonne direction. Symboliquement, je veux dire. (Je connais mon chemin dans le lycée, vous savez. Je ne me suis perdue qu'une seule fois.)

Recevoir ma première invitation à un Sim ce soir-là me remonte le moral.

Le paquet arrive juste avant que j'aille me coucher. Il apparaît au beau milieu du salon. C'est une grosse boîte rouge enveloppée d'un nœud noir. En paillettes argent, il est écrit : *Pour Rachel et Miri Weinstein.*

– M'man, ça vient de toi ? fais-je à pleine voix.

– Qu'est-ce qui vient de moi ? crie-t-elle depuis sa chambre.

Sans doute pas, alors. Je le tapote deux fois pour voir s'il va exploser. Non. Sans doute pas une bombe, alors.

– Miri, viens voir. On a reçu quelque chose.

À l'intérieur de la boîte, il y a une statuette d'Oscar étincelante de soixante centimètres de haut.

– Hum... tu as passé les castings de la pièce du collège en secret, ou quoi ? je demande.

Zap ! Soudain, la boîte disparaît et un tapis rouge se déploie. Sauf qu'au lieu de rouler tout droit, il écrit en lettres cursives sur le sol de notre salon :

Joignez-vous à moi
Pour mon Simsorta
Vendredi 13 octobre
À dix-neuf heures trente
Au Théâtre Kodak,
6801 Hollywood Boulevard,
Los Angeles, Californie.
Michael Davis.

– C'est là qu'a lieu la cérémonie des Oscars ! dis-je.

– Cool, s'exclame Miri. J'ai hâte. On est chez qui ce week-end-là ?

– Chez papa.

Elle se tripote les doigts.

– Ce serait peut-être une bonne occasion de lui dire.

– Non, fais-je fermement. Pourquoi tiens-tu tellement à le dire à papa ? Maman ne lui a jamais rien dit, elle.

– Mais elle l'a dit à Lex, répond Miri. Et d'ailleurs, c'était différent quand elle n'a rien dit à papa. Elle ne voulait plus être sorcière à l'époque. Mais là, la sorcellerie redevient une partie de nos vies. Pourquoi cacher qui nous sommes ?

– On ne peut pas aller raconter à tout le monde qui nous sommes ! Tout le monde ne va pas trouver ça génial qu'on soit des sorcières, vu ? Il y en a qui vont trouver ça bizarre. D'autres vont trouver ça effrayant. D'autres encore pourraient même essayer de nous mener à la potence !

Miri lève les yeux au ciel.

– Tu es complètement parano.

Je lui fiche mon index dans la poitrine.

– Lis *Les Sorcières de Salem*, et après tu pourras venir me parler de paranoïa.

– On n'est plus en 1692, dit-elle en agitant la main en l'air. On est au XXIe siècle ! Et de toute manière, notre père ne va pas nous envoyer nous faire pendre.

– Bien sûr que non, mais je ne trouve quand même pas que ce soit une bonne idée. Il devra le dire à Jennifer et ils risquent tous de paniquer, ou d'avoir peur de nous.

– Bon, mais il faudra bien lui dire *quelque chose*, insiste-t-elle.

– Non. Le rendez-vous est à dix-neuf heures trente, c'est-à-dire vingt-deux heures trente pour nous. Il suffira de lui dire qu'on va se coucher tôt, et de faire le mur.

Elle soupire.

– Je préférerais lui dire la vérité.

– Eh bien, pas moi, fais-je sèchement.

J'ai assez de soucis comme ça sans avoir à m'inquiéter de tout dire à papa : Adam, Raf, avoir failli être démasquée au lycée. Je secoue la tête puis tente de changer de sujet.

– Alors, où sont tous tes amis sorciers ce soir ?

Elle fronce les sourcils.

– Ils étaient tous invités au Simsorta d'un type au *Bellagio*, à Las Vegas.

– Quelqu'un de Lozacea ?

– Ouais. Mais pas quelqu'un qu'on connaisse. Enfin, c'est un ami sur Mywitchbook, mais c'est tout.

– Tu veux qu'on s'incruste ?

– Non, je veux être invitée.

Elle soupire et s'assoit au milieu des lettres rouges.

– Tu crois qu'on sera quand même invitées à celui d'Adam, ou qu'on est toutes les deux sur la touche ?

– Ah donc, tu as remarqué ?

Je m'assois à côté d'elle et pose la tête sur son ventre.

– Il a essayé de m'embrasser sur le télésiège.

Elle ronchonne.

– Comment se fait-il que ton non-fiancé n'hésite pas à tenter de t'embrasser sur le télésiège, alors que mon fiancé potentiel n'essaie même pas ?

– Parce que Adam a seize ans et que Corey n'en a que quatorze. Les mecs deviennent moins sincères en vieillissant.

Elle a un petit rire.

– Alors, qu'est-ce que tu as fait ?

– Je me suis reculée ! Qu'est-ce que je pouvais faire d'autre ?

Silence.

– Je lui ai dit que j'avais un copain.

– Mais il te plaît, non ? Adam, je veux dire.

Je m'efforce de démêler mes sentiments avant de répondre.

– Oui. Il me comprend, lui. Mais Raf fait battre mon cœur un peu plus vite. Tu vois ?

– Oh, je vois, dit-elle. Corey fait les deux à la fois.

Crâneuse !

19 SOLO À LOZACEA

Le lendemain matin en cours de Samsorta, bien planquées au fond et loin des postillons de Fizguin, les filles ne parlent que de leurs cavaliers pour la cérémonie.

– Tu amènes Praw ? chuchote Karin à ma sœur.

Miri pique un fard mais continue de prendre des notes.

– Peut-être. Je ne lui ai pas encore demandé. Et toi, tu y vas avec qui ?

– Mon copain, Harvey. Il a déjà fait son Sim au début de l'année.

Super. Tout le monde a un cavalier sauf moi. Je demande à Viv :

– Toi aussi, tu y vas avec quelqu'un ?

Elle opine.

– Zach. Mon mec.

– Il a déjà fait son Sim ?

– Non. C'est un norcier.

Ma mâchoire manque heurter mon bureau.

– Ah bon ? Sérieux ?

Elle me toise.

– Yo, ça te pose un problème ?

– Hein ? Non ! C'est juste que je ne savais pas qu'on pouvait amener un norcier à un Sam !

Mon cœur s'emballe.

– Bien sûr que si. Tu peux venir avec qui tu veux.

Je donne un coup de coude à Miri.

– Tu as entendu ça ? Viv emmène son jules ! Son jules norcier !

– Ouais, j'ai entendu.

– Tu crois que je pourrais emmener Raf ?

– Tu pourrais. Mais tu ferais peut-être mieux de le briefer d'abord sur l'aspect sorcier de la manifestation. Sinon, deux cents personnes en toges en train de jeter des sorts dans un cimetière, ça risque de le dérouter.

Je me retourne vers Viv et lui chuchote :

– Zach sait que tu es sorcière ?

– Évidemment, me répond-elle en passant les doigts dans sa frange.

– Beaucoup de gens sont au courant ? Je veux dire dans ton bahut ?

– Ben oui. Je n'ai pas honte de ce que je suis.

– Moi non plus ! Je croyais... enfin je croyais qu'on séparait les deux mondes, tu sais ?

Elle remonte ses lunettes sur son nez.

– Pas moi. Je suis moi. On me prend comme je suis ou pas du tout.

– Et personne ne te trouve bizarre ?

Elle hausse les épaules.

– Je me fiche pas mal de ce qu'on pense de moi.

Voilà. C'est ça le problème.

Moi, je ne m'en fiche pas.

Dans l'éther, point de repère,
Chez Kim Shing, *New York, sur Terre,*
Allons-y, en un éclair !

Zap !

Le cours est terminé, il est temps pour moi de rejoindre Raf et sa famille au dîner d'anniversaire de son père.

J'apparais dans les toilettes.

J'essaie d'éplucher les miettes de Go dans mes cheveux pour en récupérer. Je me demande si c'est réutilisable. Sans doute pas. Je n'en ai vraiment presque plus. Sans doute juste assez pour faire un dernier trajet.

Miri n'était pas contente quand je lui ai dit que je ne l'accompagnerais pas à Epcot avec les autres pour assister au feu d'artifice.

– Tu sais bien que je ne peux pas, ai-je plaidé. Je dois dîner avec la famille de Raf.

Pas que j'aie tellement envie d'y aller, même si j'adore la cuisine chinoise. Miam. Ce que je préfère, c'est le poulet façon Général-Tso. Puisque c'est en famille et en toute simplicité, est-ce que je peux demander ce que je veux, ou dois-je être polie et manger ce qu'ils commandent ? Pitié, pitié, pitié, faites qu'ils commandent ce plat.

Au moins, Miri a persuadé maman de la laisser aller à Epcot sans moi. Elle a employé l'argument : « C'est pas un rendez-vous galant, juste une sortie entre copains. »

Adam a paru indifférent au fait que je n'y aille pas. De fait, il ne m'a même pas dit bonjour. À l'évidence, il m'évite.

Je pousse la porte.

Des senteurs d'oignon frit et d'épices flottent dans la salle à manger. J'observe diverses tables mais n'aperçois le clan Kosravi nulle part. Je suis peut-être en avance ?

Je m'approche du maître d'hôtel.

– Je suis avec les Kosravi, dis-je de ma voix la plus adulte. Suis-je la première arrivée ?

Il consulte son registre.

– Désolé, nous n'avons pas de réservation au nom de Kosravi. Peut-être à un autre nom ?

– Euh...

Peut-être le prénom du père de Raf ? C'est... Je sais comment il s'appelle ! Je le jure ! Quand on est dingue d'un garçon, on mémorise chaque détail infime le concernant, y compris la couleur de sa paire de chaussettes préférée : marron clair. Assortie à ses beaux yeux. Alors, pourquoi suis-je incapable de me rappeler le prénom de son père ? C'est la nervosité. C'est un nom en D. Doug... David... Dorian...

– Nous sommes huit. À dix-neuf heures trente.

– Désolé, nous n'avons aucune réservation pour huit personnes à cette heure-là. Êtes-vous sûre de vous trouver au bon endroit ?

Oh non !

– Il y en a plusieurs ?

Raf ne m'a pas dit qu'il y en avait plusieurs. Il a dit dans Midtown !

– Oui, quelques-uns. Un à South Beverly, et un autre sur Ventura Boulevard.

Je n'ai jamais entendu parler de ces rues.

– On est où, là ?

– Sur Sunset Boulevard.

J'ai déjà entendu parler de Sunset Boulevard... En *Californie*.

– Mais, euh... ce boulevard... ce n'est pas à Los Angeles ?

Il lève le nez en l'air.

– West Hollywood, pour être précis.

Je déglutis. Péniblement. Tout cela ne me dit rien qui vaille.

– Je suis à Hollywood ?

– *West* Hollywood. West.

N'ai-je pas précisé dans quelle ville je voulais me rendre ? Sans doute pas ! Et le sort m'a emmenée directement de l'Arizona au restaurant *Kim Shing* le plus proche... qui se trouve en Californie. Ah !

– Il faut que j'y aille !

Je fonce de nouveau aux toilettes et m'enferme dans une cabine en claquant la porte. Je plonge les doigts dans mon sachet plastique et saupoudre les dernières miettes de sortilège Go dans mes paumes. Ça a intérêt à marcher, car après je suis à sec.

Dans l'éther, point de repère,
Chez Kim Shing, *New York City,*
Allons-y, en un éclair !

Zap !

J'ai bien précisé « New York City ». Cent pour cent. Quand je rouvre les yeux, je suis encore dans une cabine de toilettes. Une cabine unique. Du moins je pense que c'est une cabine de toilettes. Il y a un lavabo, mais au lieu d'un siège de WC, il n'y a qu'un petit trou en porcelaine dans le sol. Peut-être que le siège s'est cassé et qu'ils l'ont emporté pour le réparer ? Ou alors... je crois que je suis chez les hommes !

Oui, ça doit être ça.

J'ouvre la porte et jette un œil à l'extérieur. Je suis au bon endroit ? Pitié, pitié, pitié ! Le plafonnier est éteint. La seule lumière de la pièce tombe faiblement des deux fenêtres. Mais je suis bien dans un restaurant. Sauf que je suis la seule dans ce restaurant. Pas de personnel, pas de cuisiniers, personne. Les inscriptions au mur sont en chinois, ce qui est logique. C'est censé être un restaurant chinois. Mais où sont passés tous les gens ?

Ils ont peut-être été obligés de fermer pour une raison ou une autre ? Un problème de souris ?

La pendule au mur indique huit heures vingt-cinq. Hum. Soit j'ai perdu une heure, soit je ne suis vraiment pas au bon endroit. Où pourrais-je être une heure en avance ?

Aux Bermudes ? Au Canada ? Je suis peut-être dans un restaurant chinois là-bas ? Mais comment est-ce arrivé ? Je suis sûre d'avoir dit « New York » cette fois. Qu'est-ce qui a pu aller de travers ? Quelque chose en tout cas, car cette heure n'est pas la bonne.

Je remonte les stores. Le soleil de l'aube m'entre dans l'œil. Je regarde passer des gens devant la fenêtre. Des Chinois.

Tous les panneaux sont en chinois.

Le drapeau chinois flotte dans le vent.

Suis-je à Chinatown ? Ou alors...

Peut-être qu'il est huit heures du matin, pas du soir. Peut-être que ce siège manquant était une toilette à la turque.

J'attrape mon sachet plastique, vide à présent. Je suis coincée. Et pas coincée à Chinatown : je suis coincée en Chine.

Super. Ah çà, c'est super. Je redescends le store et fais les cent pas dans le restaurant.

Réfléchis, Rachel, réfléchis. Oui, tu es coincée dans un restaurant chinois sans poudre de sortilège, sans piles et sans ton exemplaire de l'A^2.

Eh oui, tu vas être en retard pour dîner avec Raf et sa famille, ce qui fera très mauvais effet.

Mais pas de panique. Tu es une sorcière ! Tu peux te tirer de ce bourbier !

Je devrais peut-être inventer un sort pour rentrer chez moi. C'est ça ! On a toujours besoin d'un sortilège pour rentrer chez soi. Même Dorothée en avait besoin. Mais oui, peut-être que l'incantation du magicien d'Oz pourrait marcher.

Je ferme les yeux et claque des talons trois fois, en répétant : « Je rentre auprès de ceux que j'aime, je rentre auprès de ceux que j'aime, je rentre auprès de ceux que j'aime... »

Je rouvre les yeux. Je suis toujours dans le restaurant chinois. Le restaurant chinois *chinois*.

Ce n'est peut-être pas le moment d'essayer de nouveaux sorts.

Je ferais mieux de me fabriquer un nouveau stock de sortilège Go. Oui ! J'ai toute une cuisine à ma disposition. Il suffit que je me rappelle les ingrédients. Voyons, qu'est-ce que c'était ? Il y avait du sucre roux. Il y avait... quoi d'autre ? J'effleure mon crâne du bout de mes doigts. Oui ! Il y en a encore, comme des pellicules. Ou des poux. Beurk. Je renifle et palpe la substance entre mes doigts.

Du talc. Et ces petits morceaux durs ? Ah oui ! Du poivre !

Hey ho, hey ho, je retourne au boulot (à la cuisine). Je traverse la salle à manger sur la pointe des pieds et pousse deux portes battantes. Cette fois je me bouche le nez. Du poisson ! Il y a des poissons partout ! Des anguilles ! Du saumon. Ça sent comme le rayon poissonnerie d'une supérette par une chaude journée de juillet.

Tammy se sentirait comme un poisson dans l'eau, mais je crois que je vais continuer à me boucher le nez.

Je cherche frénétiquement du poivre, que je trouve, puis du sucre roux, que je trouve également. Une chance que je lise le chinois pour l'instant. Mais ma chance faiblit avec le talc. Il n'y a pas de talc dans cette cuisine. Et pourquoi y en aurait-il ? Qui a du talc dans sa cuisine ?

Alors, que faire ?

Argh ! Il faut que j'appelle Miri.

J'ouvre mon téléphone en priant pour qu'il fonctionne. Il fonctionne. Je ne veux même pas imaginer combien va me coûter cet appel. Je compose le numéro de ma sœur, en ajoutant le code international. Elle répond à la cinquième sonnerie.

– Coucou, Rachel ! C'est d'un cool ici, c'est à peine croyable... Quoi ? Ouais, je sais ! Rachel, ne quitte pas une seconde !

– Non, Miri ! fais-je de toute ma voix, mais au lieu de m'écouter, moi et mes problèmes, la voilà qui dit à Corey ou à je ne sais qui : « Une gaufre ? Volontiers, merci beaucoup ! »

– Miri, c'est pas le moment !

– Il fallait que je l'éloigne pour te raconter ! Devine quoi ! roucoule-t-elle. J'ai demandé à Corey d'être mon cavalier au Samsorta ! Et il a dit oui !

Oh, excellent. Non seulement je vais louper la soirée du père de mon copain, mais ma sœur a un cavalier et pas moi.

Absolument parfait.

– C'est super, Miri, je suis contente pour toi, mais...

– Il est hyper-content ! Il va se zapper un smoking ! Il m'a demandé ce que je voulais comme fleurs mais je ne sais pas vraiment. Mais il ne m'a pas encore embrassée. Tu crois que je devrais l'embrasser ? Ou plutôt...

– Miri ! Arrête de parler ! J'ai besoin d'aide !

Elle se tait.

– Qu'est-ce qu'il y a ?

– Je suis coincée en Chine !

– Hein ?

– Je suis en Chine !

– Pourquoi ?

– Je voulais voir la Grande Muraille. À ton avis ? Le sort a foiré !

– Ah bon ? C'est bizarre. Il marche parfaitement bien pour moi.

– Formidable. Je suis ravie pour toi. On peut revenir à mes problèmes, vu que c'est moi qui ai échoué à l'autre bout du monde ?

– Ce n'est peut-être pas le sort qui pose problème. C'est peut-être ton *mouli*.

– Je ne comprends même pas ce que tu viens de dire.

– Tu n'écoutes pas en classe ? Le *mouli* ? Allô ? Ça veut dire ton honnêteté.

– Ouais, merci, je parle brixta aussi. Mais quel rapport avec moi ?

– Comme tu insistes pour cacher ta vraie personnalité à papa et à Raf, ta magie fait des siennes.

Qu'est-ce qu'ils ont tous avec mon honnêteté ? Franchement, ça commence à m'énerver.

– Mais je cache toujours ma vraie personnalité ! Et d'habitude, ma magie fonctionne !

– À vrai dire, tes pouvoirs ont toujours fait un peu n'importe quoi. Mais peut-être qu'ils sentent que tu culpabilises... Je ne sais pas. Je crois que ça dépend du nombre de *m* qui sont bloqués chez toi et de la difficulté des sorts.

Fantastique.

– Et alors, je fais quoi ?

– Vois si tu peux trouver un balai ?

– C'est pas drôle, dis-je, au bord des larmes. Je mettrais un mois à rentrer à la maison.

– Ne pleure pas, Rachel.

– Mais je vais pleurer si je ne trouve pas comment me tirer d'ici !

– Tu es où, déjà ?

Elle fait exprès d'être agaçante ?

– Je te l'ai dit ! Coincée ! Dans un restaurant en Chine !

– Lequel ?

– Qu'est-ce que ça peut te faire ? dis-je en criant. Aide-moi, c'est tout !

– C'est ce que j'essaie de faire, mais j'ai besoin de savoir où tu es !

Je hurle :

– Pourquoi ?

– Pour venir te chercher ! me répond-elle en hurlant à son tour.

Oh.

– Au *Kim Shing*. En Chine.

Elle raccroche. Quelques secondes plus tard elle apparaît à côté de moi, les lèvres pincées.

– Merci, fais-je d'une petite voix.

– C'est ça, ouais, grommelle-t-elle en jetant le sort en l'air.

Dans l'éther, point de repère,
À New York, chez nous...

– En fait, Mir, je suis un peu pressée. Ça t'ennuierait de me déposer au *Kim Shing* de Midtown ?

– Très bien, dit-elle en me fusillant du regard. Mais je te préviens, tu rentres en taxi.

20 PERSONNE NE NEM

Je me précipite dans le restaurant et trouve la table des Kosravi.

– Pardon, je suis vraiment, vraiment désolée.

J'ai trois quarts d'heure de retard. Je suis la pire petite amie du monde.

– J'ai eu des problèmes de transports.

Raf se lève pour m'accueillir.

– T'en fais pas. Assieds-toi.

Gênée mais heureuse de ne pas rester debout (mes jambes tremblent un peu après tous ces trajets), je prends place entre Raf et Kat à la table ronde. À côté de Kat, il y a Will ; à côté de lui, Mitch (l'aîné des frères Kosravi) ; ensuite, Janice (sa nouvelle fiancée) ; à côté d'elle, Mrs Kosravi (ou Isabel, mais elle ne m'a jamais demandé de l'appeler par son prénom) ; et à côté d'elle, Mr Kosravi. (Il s'appelle Don ! Bien sûr, maintenant je m'en souviens). Les trois fils Kosravi ont les mêmes cheveux bruns sexy, les mêmes yeux ténébreux, les mêmes corps sveltes et athlétiques. C'est Mitch qui a les cheveux les plus longs et le visage le plus anguleux. Will a les cheveux les plus courts et c'est le plus grand. Raf a le plus grand sourire et c'est sans conteste le plus mignon, si vous voulez mon avis. Tous les trois ressemblent beaucoup à leur père, sans les tempes grisonnantes.

En parlant de tempes, tous ces sorts de transport m'ont donné un sale mal de tête.

Il y a déjà des assiettes de raviolis frits, de beignets et de nems au milieu de la table. Ils se sont lassés de m'attendre, c'est bien compréhensible, et ont déjà commandé. J'espère qu'ils ont pris du poulet façon Général-Tso.

– Tout va bien ? me demande Kat en m'ôtant un grain de riz de mes cheveux.

Excellent. Des restes de riz.

– Je vais bien. Tu es superbe.

Elle porte une robe-pull rouge qui met en valeur son teint de porcelaine et ses cheveux noirs, raides et brillants.

– Merci, me répond-elle avec un grand sourire sincère.

Elle sourit tout le temps, ce qui se comprend facilement. Non seulement elle est présidente du conseil des élèves, mais après des années à craquer pour Will Kosravi, elle est enfin l'élue de son cœur. Et elle ne mène pas de double vie, elle. Du moins, à ma connaissance.

Après avoir dit bonsoir à tout le monde, je m'enfonce dans mon siège. Puisque tout le monde a commencé à manger, je me sers un nem.

– Je t'ai commandé du Général-Tso, me chuchote Raf. Je sais que c'est ce que tu préfères.

Quel amour.

– Kat nous parlait du Bal d'automne qu'elle organise à JFK, dit Will.

– J'ai hâte, dis-je. C'est quand ?

Toute l'année passée, mon vœu numéro 1 a été de me rendre à un bal scolaire avec Raf, et voilà qu'enfin ça va peut-être se faire. Ce ne sera pas le Samsorta, mais ce sera déjà quelque chose.

– Pour Halloween.

Je recrache mon eau.

– Rachel, tu vas bien ? me demande Raf en me frottant le dos.

Teuh, teuh. Je m'essuie le menton sur ma serviette.

– C'est passé par le mauvais tuyau.

Pourquoi ça m'arrive, à moi ? Pourquoi ça m'arrive encore ?

– Alors ce sera sur le thème d'Halloween ? lui demande Raf.

Kat sourit.

– Ça sera marrant, non ? On va créer un décor de maison hantée dans le gymnase. Et vous devrez être déguisés.

– On y sera, dit Raf.

Je coupe furieusement mon nem. L'an dernier, le mariage de mon père avait lieu le même soir que le Grand Bal de printemps et j'ai dû mentir à Raf puis rater le bal. Je n'en reviens pas de devoir encore en passer par là.

Peut-être que pour cette fois je devrais être une bonne fiancée et sécher le Samsorta.

Non.

Je ne peux pas louper le Samsorta. Pas parce que ma mère et ma sœur seraient furieuses, mais parce que je ne *veux pas* le rater. C'est excitant. Les invitations, le sort avec les bougies et tout le tralala. Depuis quand, d'ailleurs ?

Non, il va falloir que je mente à Raf.

Une fois de plus.

Quoique, bon, si Zach connaît la vérité… pourquoi pas Raf ?

Non. Oui. Non.

Peut-être ?

– Debout, les filles ! Réveillez-vous, réveillez-vous !

Nous sommes le lendemain matin, et ma mère est dans le couloir, en train de frapper à nos deux portes en même temps.

Elle est folle ? Je jette un œil à mon réveil. Cinq heures et demie. J'ai dormi moins de cinq heures ! Il y a eu *mucho* baisers avec Raf après le dîner ! Je me couvre le visage avec mon oreiller.

– Il y a le feu ?

– Non, mes chéries ! Mais c'est notre grand jour ! C'est dimanche !

Je grommelle :

– À peine.

– Pourquoi faut-il que notre grand jour commence si tôt ? crie Miri depuis sa chambre.

– On a rendez-vous à deux heures !

– Où ça ? demande Miri.

– Je vous donne un indice… C'est tout près du Duomo di Milano ! s'exclame maman.

Miri pousse un cri de joie.

– C'est vrai ?

– Dumbo ? dis-je sans bouger.

C'est quoi, ça ? Ah si, je crois que c'est un quartier de Brooklyn.

– Pourquoi se lever si tôt pour aller à Brooklyn ? Ce n'est pas si loin.

– Elle a dit le *Duomo*, lance Miri. C'est une cathédrale gothique à Milan. Fantastique ! Je vais pouvoir parler italien. Il paraît que si on parle une langue pendant qu'on est sous l'influence du sort Babel, on a des chances de la retenir.

Je crie à mon tour.

– On va jusqu'en Italie pour voir une cathédrale ? Saint-Patrick est sur la 5e Avenue et on n'y est jamais entrées.

Ma mère ouvre ma porte.

– Allons-y, allons-y.

– Mais tu ne te sers pas du sortilège de transport !

– Tu ne sais pas tout de moi, miss.

Elle me balance l'un de ses gros clins d'œil flippants.

Il est vrai qu'elle dispose de deux week-ends sans nous tous les mois. J'ai toujours supposé que maman passait son temps libre à regarder la télé, mais maintenant je me demande si elle ne le passe pas à se balader dans toute l'Europe. Elle est agent de voyages, après tout. Elle a sans doute des prix sur les chambres d'hôtel.

– Qu'est-ce que j'emporte ? fais-je en rejetant mes couvertures.

– Ton appareil photo, dit-elle avant de me décocher un sourire entendu. Et des chaussures à talons.

– On va à une fête ?

Ce ne sera peut-être pas si nul, le Duomo.

– Non, on va chercher des robes. Notre rendez-vous, c'est avec la meilleure styliste pour Samsorta au monde. C'est elle qui a dessiné ma robe il y a trente ans, et aujourd'hui elle va faire les vôtres.

Fantastico !

Une heure plus tard, nous frappons à une porte ornementée dans le Quadrilatero d'Oro, qui est le quartier du shopping.

Il y a un monde fou partout. Que des gens très beaux, très bien habillés. J'ai toujours cru que les habitants de Manhattan étaient les gens les plus stylés du monde, mais ceux d'ici ont l'air tout droit sortis d'un magazine de mode. Ils font tous un mètre quatre-vingts, sont tirés à quatre épingles, avec des chaussures extrêmement pointues et des lunettes de soleil gigantesques.

Soupir. En raison d'une heure de départ follement précoce, j'ai laissé mes lunettes de soleil quelque part par terre. (Dans leur étui, bien sûr. J'espère.) Miri m'a proposé de dupliquer les siennes à l'aide d'un sort temporaire (un sort permanent, ce serait du vol ; en revanche, un temporaire ressemblerait plus à un emprunt), mais je l'ai fait taire. Je caresse l'espoir que maman m'achète l'une des paires sublimes en vitrine devant lesquelles nous passons sans cesse, et elle ne le fera pas si je porte déjà des lunettes, n'est-ce pas ? De toute manière, j'ai bien besoin d'une nouvelle paire. Les miennes sont un peu bancales depuis que je les ai retransformées après m'en être servie comme lunettes de ski. Malheureusement, elle n'a pas l'air de vouloir faire de shopping, en dehors des robes de Samsorta. Elle ne veut même pas qu'on s'achète des chaussures à talons ici. Trop cher. Elle veut utiliser celles que nous avons apportées pour mesurer la longueur des robes, et a dit que ce sera plus économique d'en racheter des neuves dans la 8e Rue à New York.

Allez savoir pourquoi, elle trimballe un énorme cabas qu'elle a apporté de chez nous, mais elle refuse de nous montrer ce qu'il y a dedans. Elle veut rendre quelque chose qu'elle a acheté lors d'un de ses voyages secrets, peut-être ?

– *Ciao !* nous dit Adriana, la styliste, une femme d'un certain âge aux lèvres rouges charnues et aux yeux soulignés de gros traits d'eye-liner.

Waouh ! La pièce est tapissée de tissus scintillants. Des rames de soie, de satin et de dentelle sont drapées partout, j'ai l'impression d'avoir mis les pieds dans une tente des *Mille et Une Nuits*.

– *Ciao*, dit Miri, ce qui veut dire « bonjour ».

– *Salve*, dit ma mère, ce qui veut aussi dire « bonjour ».

– *Buon giorno*, dis-je, ce qui veut dire « bonne journée » et également « bonjour ».

C'est sûr, les Italiens ont beaucoup de manières de dire bonjour. Ils doivent parler à plus de gens que nous.

Adriana observe ma mère.

– Votre visage me dit quelque chose, dit-elle en italien. Vous ai-je déjà habillée ?

Ma mère la regarde sans comprendre.

– Je n'ai pas pris la potion de langage et je ne parle pas vraiment italien !

– Bien sûr, dit la femme.

Elle répète son dernier commentaire en anglais.

Ma mère hoche la tête.

– Vous avez dessiné ma robe de Samsorta il y a trente ans. Je m'appelle...

– Carolanga Graff ! Je me souviens de toutes les femmes que j'habille. Il y a longtemps que vous n'êtes pas revenue. J'ai vu votre sœur il y a quelques mois à peine.

Ma mère s'éclaircit la voix.

– J'étais très prise.

Adriana opine.

– Bien, que puis-je faire pour vous aujourd'hui ?

Ma mère passe ses bras autour de nos épaules.

– Mes filles vont faire leur Samsorta.

– Mais c'est merveilleux ! s'exclame Adriana. Toutes les deux ensemble ? Quelle bénédiction ! Avez-vous apporté votre robe de Samsorta ?

– Oui, dit ma mère en ouvrant son cabas.

Aha.

– Tu as apporté ta vieille robe ? demande Miri. Ça veut dire que l'une d'entre nous pourra la porter ? Je peux ? Je peux ?

Adriana éclate de rire.

– Vous la porterez toutes les deux, dit-elle en retirant soigneusement du sac la robe de satin héliotrope, que je reconnais d'après son album de Sam.

– On y va habillées en siamoises ?

– Non, me répond ma mère en secouant la tête. Adriana va diviser le tissu en deux, puis coudre une robe sur mesure pour chacune d'entre vous. C'est la tradition qui veut qu'une mère transmette sa robe à sa fille. Ma mère a transmis la sienne à ma sœur et à moi.

Miri plisse le front, perplexe.

– Mais le tissu d'une robe ne suffit pas pour deux.

Ma mère sourit.

– Adriana a ses méthodes.

Cette dernière examine la robe.

– Je vais rallonger le tissu. Je vais vous faire de superbes robes longues à l'une comme à l'autre.

Elle plonge le nez dans la robe et renifle.

– Et je vais faire disparaître cette terrible odeur d'eau de Javel. Où avez-vous conservé cette robe ? Sous un évier ?

Pas loin.

Adriana prend notre tour de taille, notre tour de poitrine (celui de ma sœur est déjà supérieur au mien. Je ne veux pas en parler), notre tour de hanches, et la longueur de la salière à l'ourlet, ce qui dans le jargon de la couture signifie la longueur de la robe.

Une fois qu'elle a terminé, Adriana déclare :

– À présent vous devez choisir un style.

Elle tape deux fois dans ses mains, et deux pièces de soie rouge s'écartent telle la mer Rouge tandis qu'un podium surgit comme une passerelle sur un bateau de pirates. Une fille franchit une porte en se pavanant. Elle porte un bustier couleur chair. Elle a les cheveux châtains bouclés et semble avoir à peu près mon âge, faire la même taille...

Ômondieu ! Je hurle :

– C'est moi !

– Un hologramme de toi, précise Adriana.

Elle tape de nouveau dans ses mains, et un mannequin Miri se met à parader, également en corset.

– Un peu flippant, marmonne Miri.

Flippant ? Tu veux rire ? C'est le truc le plus cool que j'aie jamais vu. En y regardant de plus près, je me rends compte que le mannequin Moi est translucide. Dommage. Je me disais qu'avec mannequin Moi à mes côtés, je pourrais enfin me trouver à deux endroits à la fois. Par exemple, en cours de Samsorta et en compagnie de Raf. Quoique si j'envoyais le mannequin Moi sortir avec Raf, il finirait par embrasser de l'air.

– Modèle numéro un, annonce Adriana, épaules froncées, décolleté arrondi, bustier sirène, taille empire, broderie perlée. Modèle numéro deux, longue robe bustier avec crinoline sous la jupe !

Zap !

Le mannequin Rachel porte une robe héliotrope à épaulettes froncées, décolleté arrondi, avec un bustier sirène et une taille empire. Le mannequin Miri porte une longue robe bustier, également couleur héliotrope. Toutes deux tournent sur elles-mêmes.

Adriana nous les montre du geste.

– Dites-moi ce que vous aimez, ce que vous n'aimez pas, elles changent. Bien ?

Super.

– Je peux la voir en forme trapèze ?

Adriana tape dans ses mains.

– Mannequin numéro un, robe trapèze !

Zap ! Le haut de ma robe ne change pas, mais le bas s'élargit. Je commence à avoir la tête qui tourne, comme si j'avais mangé trop de barbe à papa.

– Je peux la voir version longue ?

Zap !

– Et moi, je peux voir la mienne en moins bouffante ? demande Miri.

Zap !

– Elle peut rentrer à la maison avec moi ? dis-je.

Adriana s'esclaffe.

Une fois que nous avons choisi nos modèles préférés, nous laissons Adriana faire sa magie pendant que nous allons visiter le Duomo, puis manger une *gelato*. Nous prenons place autour d'une minuscule table ronde à la terrasse d'un café sur la *via* della Spiga, en face d'une boutique Prada gargantuesque. Je plisse ostensiblement les yeux dans l'espoir que ma mère se décide à m'acheter la paire de grosses lunettes blanches en vitrine.

– Les filles, dit ma mère en léchant son cône au cappuccino, les invitations seront prêtes aujourd'hui.

– Eh bé, elles sont rapides, ces imprimantes magiques, dis-je.

– Il manque encore un nom sur la liste, ajoute-t-elle.

– Papa, répond aussitôt Miri en prenant une bouchée de sa glace au chocolat parfum brownie.

– C'est exactement à lui que je pensais, confirme ma mère.

– Miri a envie de lui dire, dis-je. Je ne crois pas que ce soit une bonne idée.

Miri secoue la tête.

– Je ne comprends pas pourquoi. C'est notre père et il a le droit de savoir ! Tu ne peux pas continuer à mentir à tout le monde, Rachel !

Je pique un fard.

– Maman, t'en penses quoi ? Tu ne l'as jamais dit à papa. Faut-il le faire ?

Maman appuie son menton dans sa main.

– C'est votre père, et si vous voulez qu'il soit là, alors il faut qu'il y soit. Ou pas. J'appuierai votre décision, quelle qu'elle soit.

– Tu ne peux pas nous donner ton avis ?

Elle hésite.

– Faire votre Samsorta ne signifie pas seulement que vous avez des pouvoirs ; cela veut dire les assumer. Toutefois, ce que j'ai appris dans la vie, c'est qu'il vaut mieux être honnête envers ceux que l'on aime.

– Exactement, dit Miri, triomphante. Le *mouli*, Rachel, le *mouli*. L'incident d'hier ne t'a rien appris ?

Je reprends une lichette de *gelato*.

Peut-être qu'elle a raison. C'est notre père. Il doit nous aimer quoi qu'il arrive, pas vrai ? Je respire un grand coup.

– Si vous pensez vraiment qu'on doit lui dire, on lui dira.

Miri applaudit. Elle sort son portable.

– Maintenant ?

– Non, dis-je, le cœur battant. Ne sois pas dingue. On lui dira le week-end prochain. En personne.

Maman éclate de rire.

– As-tu la moindre idée du coût d'un appel entre l'Italie et Long Island ?

Mimi hausse les sourcils.

– Pas aussi cher que celui de Rachel depuis la Chine hier soir.

Maman en lâche son cornet de glace et la *gelato* se répand sur la table.

– Pardon ?

Super. Maintenant, c'est sûr que je n'aurai pas mes lunettes de soleil.

De retour chez Adriana, nous montons sur de petits piédestaux en bois pour faire les essayages.

– Vous êtes magnifiques toutes les deux, dit maman en écrasant une larme.

La robe de Miri est toute droite avec une taille empire et des épaulettes froncées. La mienne est une longe robe bustier. Adriana nous a aussi confectionné des vestes assorties, légères et ajustées, au cas où il ferait froid, ainsi que des chapeaux de sorcière pointus, également assortis.

– Mais pourquoi ? Maman, tu ne portais pas de chapeau sur tes photos.

– Vous en aurez besoin pour la cérémonie, nous dit maman. Croyez-moi.

– Vos cavaliers ne pourront pas vous quitter des yeux ! dit Adriana en serrant une main sur son cœur.

Aïe. J'examine mon moi mauve-rose dans la glace.

Certes, j'ai envie que Raf ne puisse plus me quitter des yeux... mais suis-je prête à le laisser me voir ? La vraie moi ? Ou ai-je envie de continuer à arranger la vérité ?

À propos d'arranger...

– Je pourrais avoir du rembourrage dans le décolleté ?

– Mais absolument, dit Adriana en claquant des doigts.

Immédiatement, je pigeonne nettement plus.

– Waouh ! s'exclame Miri.

– Tu n'en as pas besoin, Rachel, intervient maman en secouant la tête.

Je réfléchis à ce qu'elle vient de dire. Ai-je besoin du rembourrage ? Pas celui du décolleté : ça, c'est évident. Je veux parler du rembourrage de la vérité. Avec Raf.

Je veux que Raf connaisse la vraie moi. Je veux qu'il aime la vraie moi.

Adam avait raison. J'ai besoin d'être avec quelqu'un qui sache ce que je traverse. Mais cela ne doit pas nécessairement être Adam.

Conclusion : je dois dire la vérité à Raf.

21 LE JEU DES NOMS

La liste des participants au défilé de mode est publiée le lundi matin.

Non seulement le nom de Raf figure dessus, mais celui de Melissa aussi. Et celui de Jewel. Youppiii. Je vais passer les quatre mois qui viennent à imaginer Raf en train de danser et de bosser ferme avec mon ex-meilleure amie et mon ennemie mortelle.

Cela me contrarierait encore plus si je n'étais pas si occupée à ressasser un problème encore plus épineux : *Je vais raconter mon secret à Raf !*

Comment ? Je n'en sais rien. Quand ? Ça, je n'en sais rien non plus. Mais je crois que je devrais le dire à mon père en premier. La famille d'abord, non ? Et puis, le dire à mon père sera nettement moins effrayant que le dire à Raf. Après tout, contrairement à mon père, Raf peut toujours me quitter.

Non pas que je pense qu'il le fasse. Certainement pas. C'est un amour.

Mais il pourrait.

Quoi qu'il en soit, étant donné que mon Sam est dans trois semaines et un jour, exactement, j'imagine que j'ai trois semaines pour cracher le morceau magique. Je devrais sans doute le prévenir au moins un jour à l'avance. Il voudra m'offrir des fleurs.

Bien sûr que je vais l'inviter au Sam. Le mieux, dans le fait de lui dire la vérité, c'est que comme ça je pourrai l'amener comme cavalier ! C'est vrai, quoi, si Viv peut le faire, moi aussi !

Et d'abord, pourquoi Melissa et Jewel seraient-elles les seules à pouvoir danser avec lui ? Aucune raison.

– C'est dommage que tu n'aies pas passé le casting, me dit Raf après les cours en me passant le bras autour des épaules.

Raf doit se rendre à la première de ses nombreuses répétitions pour le spectacle.

– Nous danserons ensemble très bientôt, dis-je avec un sourire énigmatique.

– Au bal d'Halloween, tu veux dire.

– Hm-mm. Au bal.

Aux bals. Aux deux.

J'ai pris conscience de cette bonne nouvelle en rentrant d'Italie. S'il faisait nuit lorsque nous avons quitté Milan, on était encore en plein jour à New York. Ce qui m'a rappelé que, oui, le Samsorta commençait peut-être à dix-neuf heures, mais à l'heure roumaine. Ce sera forcément terminé lorsqu'il sera vingt heures à New York, soit l'heure du début du bal au lycée.

Donc en principe, j'aurais pu m'en tirer sans rien dire à Raf.

Trop tard ! Je suis déjà décidée. Il est temps qu'il sache. Et maintenant, nous avons droit à deux bals ! Youpi puissance deux !

– Tu vas te déguiser ? je lui demande.

– Bien sûr. Pourquoi pas ? On peut se déguiser ensemble si tu veux.

Ooh, ce serait tellement mignon ! Un déguisement commun avec mon amoureux ! Si ce n'est pas déclarer publiquement la relation, ça !

– C'est vrai ? Ça te dirait de faire ça ?

Il rougit.

– Pourquoi pas ? Qu'est-ce qu'on pourrait être ? James Bond et une James Bond Girl ?

– Ah ! pas question de me déguiser en James Bond Girl !

– Tu ferais une James Bond Girl sublime, me dit-il en souriant. La meilleure à ce jour.

Il est trop mignon.

– Je t'aime, dis-je en l'embrassant doucement.

– Moi aussi, je t'aime.

Il m'aime ! Et bientôt, il aimera la vraie moi !

Je devrais peut-être simplement tout lui dire. Là, maintenant. Tout. Il n'y a personne dans le couloir.

Ce n'est pas si important, après tout. Ça ne lui fera rien du tout. Je suis une sorcière, et alors ? La belle affaire ! C'est une bizarrerie, rien de plus. Il y a plein de gens un peu bizarres. Lui aussi. Il met de la moutarde partout. C'est bien une excentricité. Il parle bien à la télé, lui. Est-ce que je l'aime moins pour autant ? Non, je l'aime *en raison même* de ses petites bizarreries.

– Raf, il faut que je te dise quelque chose.

Je me dépêche de parler avant de pouvoir changer d'avis.

Il s'appuie contre le mur.

– Quoi ?

– Je... je...

Pourquoi est-ce que je n'arrive plus à parler normalement ? Pourquoi ai-je la bouche aussi sèche ?

Tiens-toi à ton plan, me crie ma petite voix. *Tu avais un plan ! D'abord papa, ensuite Raf !*

Ah oui, c'est vrai. J'avais un plan.

– Oui ? fait Raf.

– Je pense, dis-je lentement, que tu devrais t'habiller tout en jaune. Moi je m'habillerais tout en rouge, et on irait déguisés en moutarde et ketchup.

Il me répond par un nouveau baiser.

Un baiser doux, magnifique.

– Raf, entends-je. Tu viens ?

Il s'écarte de moi, et je vois Melissa qui l'attend au bout du couloir. Un sourire narquois flotte sur son visage, et je l'entends presque dire : « Ha ! »

Juste histoire de lui montrer qui commande, je murmure : « Encore un », et je l'attire à moi pour un gros baiser langoureux.

Ha-ha.

Le vendredi soir, après avoir fait mine de nous préparer à aller au lit, nous attendons que mon père et Jennifer aillent se coucher, enfilons nos tenues de soirée pour le Sim de Michael (je porte une nouvelle version modifiée de ma robe de bal de l'an dernier ; Miri porte sa robe Bloomingdale's dans une autre couleur), fourrons des oreillers sous nos couvertures, et utilisons le sort à piles pour nous rendre à L. A.

Le sortilège Go, c'est fini pour moi, merci bien.

En arrivant, nous saluons tout le monde, puis nous allons prendre les cartons qui nous indiquent où nous sommes placées à table. Le carton d'Adam est toujours là, à ce que je vois. Il est à notre table, la numéro six. Est-ce que l'ambiance sera toujours tendue ? Va-t-il m'ignorer toute la soirée ? J'aimerais vraiment que nous puissions être amis. Cela me manque de ne plus l'avoir comme ami. Nous suivons le groupe dans l'auditorium pour trouver un siège pour la cérémonie. Miri essaie de s'asseoir à côté de Corey, mais il secoue la tête.

– Les garçons doivent tous être assis derrière les filles.

Je demande pourquoi, perplexe.

Il hausse les épaules.

– C'est la tradition. Les aînées pensaient que les hommes distrayaient les femmes, elles ont donc décidé de les placer hors de leur champ de vision. Et vu que les hommes sont en général plus grands, les femmes voient mieux ce qui se passe, comme ça. Mais on est à la même table pour le dîner, ajoute-t-il avec un sourire. J'ai vérifié.

– Ah, bien ! lance Miri, avant de piquer un fard.

Nous sommes assises à côté de Karin et du reste de nos copines de Samsorta derrière les filles de la famille de Michael. En sa qualité de cavalière, la triplée glamour est au premier rang.

– J'ai trop hâte de voir comment ça se passe, me chuchote Miri.

Je jette un rapide coup d'œil alentour pour voir si je peux situer Adam. Les lumières s'éteignent juste au moment où je le repère quatre rangs derrière moi.

Une fois l'éclairage de la scène allumé, la cérémonie commence. La mère de Michael lui demande s'il veut adhérer au cercle de la magie, comme dans notre rituel. Comme il n'y a pas de cercle à proprement parler (il est tout seul), il doit faire trois fois le tour de la scène. Vu la taille de ladite scène (je vous rappelle qu'on célèbre les Oscars ici), cela prend un certain temps. Ensuite, sa mère lui coupe une mèche de cheveux. Difficile de voir la taille de la mèche de là où je suis assise, mais comme il avait déjà les cheveux assez courts, ça ne peut pas faire beaucoup. J'espère qu'elle ne lui a pas fait un trou. Il faut vraiment que je revoie cette histoire de coupe de cheveux avec maman. Et Este.

La mère de Michael apporte ses cheveux jusqu'au grand chaudron de terre qui se trouve au milieu de la scène. Il récite après en brixta le sortilège de lumière pour allumer sa chandelle.

Il ferme les yeux et déclame :

Isy boliy donu
Ritui lock fisu
Coriuty fonu
Coriuty promu binty bu
Hum...

Je n'ai pas encore appris le sortilège, mais je suis quasi certaine que « hum » n'en fait pas partie.

– Il est nerveux, me chuchote Miri.

– Non, tu crois ?

Je vois la sueur qui lui dégouline du front. Pauvre Michael !

Nous patientons. Miri me presse la main.

Michael s'essuie le front et reprend.

Gurty bu
Nomadico veramamu.

Il a terminé, mais sa chandelle ne s'allume pas.

Un murmure parcourt l'assemblée.

Ho-ho...

– Qu'est-ce qui se passe maintenant ? fais-je tout bas.

– Il faut qu'il recommence, me dit Miri.

Michael secoue la tête, inspire profondément, puis réessaie :

Isy boliy donu
Ritui lock fisu...

Miri articule silencieusement les mots avec lui.

– Comment se fait-il que tu le connaisses déjà ? Ce n'est pas demain qu'on voit ça ? je lui demande.

Il nous reste encore trois cours, et celui de demain est précisément consacré à l'apprentissage de ce sortilège, me semble-t-il.

– Je voulais avoir une longueur d'avance, me répond-elle à voix basse. Je ne veux pas que ça (elle fait un geste vers Michael) m'arrive.

Il y a intérêt à ce que ça ne m'arrive pas non plus. Soudain, j'ai la bouche sèche comme du papier de verre. Pourquoi

Fizguin a-t-elle gaspillé tellement de cours à nous enseigner l'éthique alors qu'elle aurait dû nous apprendre à éviter une grave humiliation publique ?

Michael récite de nouveau tout le sortilège, mais il se trompe dans le dernier vers et c'est un échec.

– Il est trop nerveux, me dit Miri en se rongeant l'ongle du petit doigt. Ce n'est qu'un sortilège à un balai, mais il faut prononcer chaque mot à la perfection pour que ça marche.

Il est nerveux ? C'est moi qui suis nerveuse ! Et si ça m'arrive devant toute la société de la sorcellerie ?

– Qu'est-ce qui se passe si on a un trou de mémoire complet ?

– La personne qui est à côté de toi a le droit de te le souffler, m'explique Miri, mais il faut réciter le tout d'un seule traite. C'est pour ça que la cérémonie du Samsorta dure tellement longtemps. Apparemment, l'an dernier, une fille a fait trente-sept tentatives avant d'y arriver. Tu imagines ? C'est trop la honte.

Formidable. Encore une cause d'inquiétude. Je vais l'oublier tellement de fois que je vais rater le Bal d'automne à JFK.

Miri se ronge l'ongle du pouce et je lui donne une tape sur la main.

– Tu ne veux pas avoir de jolis ongles pour ton Sam ?

Elle ne relève pas.

Grâce au ciel, la mèche de Michael s'enflamme au troisième essai. Il sourit, soulagé.

– Et maintenant, le sortilège d'émerveillement, dit Miri, les yeux rivés à la scène. Tu sais que c'est Wendaline qui a été choisie pour jeter le sort d'émerveillement à notre Samsorta ? Elle est major de notre promotion, si on peut dire.

Sorcior de notre promotion ?

– Ah bon ? Elle ne m'en a pas parlé. C'est une bonne chose ?

Miri opine.

– C'est un immense honneur. Mais c'est pratiquement le sort le plus dur au monde. C'est un six-balais.

– Ça n'existe pas !

– Mais si. C'est le sort d'émerveillement du Samsorta. Si tu veux que ça marche, il faut que tous tes *m* fonctionnent parfaitement.

Je reporte mon regard sur le pauvre Michael.

– Et s'il n'y arrive pas ?

– Quand on est tout seul, c'est seulement deux balais. C'est six balais quand on jette le sort pour quatre-vingt-quatre jeunes sorcières. Visiblement, ils considèrent que Wendaline est en parfaite possession de ses piliers.

Il est vrai qu'elle a du self-control. À sa place, j'aurais réduit Cassandra en poussière depuis longtemps.

Michael tient sa chandelle au-dessus du chaudron et récite :

Julio vamit
Cirella bapretty !

Il met le feu au chaudron.

Un tonnerre d'applaudissements s'élève de l'assemblée.

Je suis soulagée pour lui, mais j'en ai encore des palpitations dans le ventre.

C'est sans doute parce que je suis surexcitée à l'idée de le dire à papa. Eh ouais. Demain, c'est le grand jour. Nous avons un plan. Demain soir, quand Prissy sera couchée, Miri et moi allons dire à papa que nous voulons regarder *Star Wars*. Jennifer se trouvera une excuse pour ne pas le regarder, et comme ça on se retrouvera tous les trois.

On le lui dira à ce moment-là.

Et une fois qu'il sera au courant, je dirai tout à Raf.

Hourra !

Je crois que je vais l'inviter chez moi. Comme ça, je peux m'arranger pour qu'on soit tranquilles. À moins que je lui annonce la nouvelle chez lui ? Pour qu'il se sente à l'aise ? Mais si Will ou quelqu'un d'autre nous interrompait ?

Peut-être que je devrais choisir un lieu neutre, comme Central Park ?

Nous sortons tous à la queue-leu-leu de l'auditorium pour gagner la salle à manger. Adam est déjà assis mais joue de la batterie sur la table avec ses couverts au lieu de me regarder. Je m'installe à côté de Karin.

Une fois que tout le monde a trouvé sa place, le premier air de musique résonne ; Michael et la triplée glamour ouvrent le bal. Tout le monde lance des « oh » et des « ah ».

– Ils dansent vachement bien, dis-je à Karin.

– Ils ont pris un cours, me révèle-t-elle.

– Non, c'est vrai ? Et nous aussi, on est censées prendre des cours pour la première danse de notre Sam ?

– Pas besoin, on est trop nombreuses. Quand quatre-vingts couples sont sur la piste, personne ne vous regarde. Mais quand on n'est que deux...

Ses yeux retournent se poser sur la triplée glamour et sur Michael.

– Tu emmènes qui, d'ailleurs ?

– Mon copain, Raf.

Voilà, je l'ai annoncé, c'est dit, alors ça doit être vrai.

– Je ne savais pas que tu avais un copain, me dit-elle.

Elle m'indique l'autre côté de la table, puis ajoute à mon oreille :

– Je pensais que vous alliez vous mettre ensemble, Adam et toi.

– Je sors avec Raf depuis l'été dernier. Et je vais lui demander d'être mon cavalier la semaine prochaine. Mais je dois d'abord lui apprendre que je suis sorcière. C'est un norcier. Des idées ?

Elle se mord la lèvre.

– Ouais. Ne l'amène pas.

Mon cœur tombe comme une pierre dans mon estomac.

– Pourquoi pas ?

Elle se penche vers moi.

– C'est mal vu d'amener un cavalier norcier.

Maintenant, mon cœur dégringole jusqu'à mes orteils.

– Pourquoi ?

– Bah, dit Karin, tu sais que les hommes ne peuvent pas transmettre le gène de la magie à leurs enfants. Ça ne se transmet que par la mère, pas vrai ?

– Sérieux ?

Je vais tuer ma mère. Si elle nous avait gardées dans l'ignorance ne serait-ce qu'un poil plus, on se serait retrouvées les yeux bandés.

– Ben oui, dit-elle. Si un sorcier épouse une norcière, leurs enfants ne reçoivent aucun pouvoir. Ça ne passe que par la maman. Comme la calvitie.

– Mais quel rapport avec moi ? Si j'épouse Raf, mes enfants auront quand même des pouvoirs.

– C'est vrai, dit Karin, mais ce n'est pas très juste pour les sorciers. Si nous épousons toutes des norciers, qui épouseront-ils, eux ?

J'ai la tête qui tourne. On n'est pas un peu jeunes pour parler mariage ? Je n'ai même pas le permis de conduire.

– Mais... mais ma mère a épousé un norcier. Et ma grand-mère aussi. Et Viv amène son copain, qui est norcier !

– Ce sont des choses qui arrivent, dit-elle en haussant les épaules. Mais ce n'est pas très MC.

Je plisse le front, perplexe.

– Magiquement correct, m'explique Karin.

Bon, et alors ? Je m'en fiche ! J'aime Raf et je veux qu'il soit mon cavalier. Si Viv peut le faire, alors moi aussi. Non ? Pourquoi faut-il que tout soit si compliqué ?

Si seulement j'aimais Adam ! Ma vie serait tellement plus simple. Si seulement Adam ne me détestait pas.

Une fois la première danse terminée, l'orchestre invite tous les convives sur la piste. Notre tablée se lève d'un même élan pour les rejoindre. Mais j'arrête Adam avant qu'il ait bougé.

– Adam, attends une seconde, tu veux ?

Je viens prendre place à côté de lui. L'ère glaciaire entre nous est révolue.

– Salut, fait-il en m'accordant un sourire penaud.

– Il faut qu'on parle.

Comme nous sommes seuls à la table, j'y vais direct.

– Je suis vraiment, vraiment désolée de ne pas t'avoir dit que j'avais un jules. J'aurais dû le faire. Je sais que c'est nul de dire ça, mais je trouve que tu es un type formidable, et j'ai vraiment, vraiment très envie qu'on soit amis. Tu crois qu'on peut être amis ? Ou tu me détestes ?

Il incline la tête.

– Oui.

– Oui tu penses qu'on peut être amis, ou oui tu me détestes ?

Il plisse les yeux.

– Les deux.

J'éclate de rire.

– On est amis, alors.

– Oui. Et pardon de t'avoir malmenée sur le télésiège. Tu me détestes ?

– Absolument pas.

– Bien.

Il sourit. Il reprend la fourchette et la cuiller et les frappe doucement contre le bord de la table comme des baguettes de tambour.

– Et maintenant, chère amie ?

Comme la musique qui passe est rapide, je dis :

– On peut danser.

– Ça dérangera pas ton copain si on danse ?

– Ça ne dérangerait pas Raf. Il danse tout le temps avec d'autres filles.

Adam hausse les sourcils.

C'était bizarre, ce que je viens de dire.

– Il fait le spectacle de danse du lycée, dis-je en guise d'explication.

– Oh, donc c'est comme ça qu'il s'appelle, hein ? Raf. C'est le diminutif de... ?

– Hein ?

– Le diminutif. Il ne s'appelle pas Raf de naissance.

Il fait de nouveau jouer ses couverts contre la table.

– Bien sûr que si ! Non ?

Il rigole.

– Ça fait combien de temps que vous sortez ensemble, déjà ?

Je lui donne un coup de poing amical sur le bras.

– La ferme, dis-je. On est ensemble depuis longtemps. C'est un mec super. Il te plairait.

– C'est un mec super, hein ? Mais est-ce qu'il sait faire ça ?

Ses yeux étincellent, et il remue les doigts pour faire léviter un verre d'eau.

C'est moi qui rigole.

– Non, ça il ne peut pas.

– Ah non ? Et ça ?

Il soulève la fourchette.

– Eh non.

Il fait léviter la fourchette de manière qu'elle aille doucement frapper le verre.

– Non, il ne sait pas faire ça non plus. Mais je vais lui dire la vérité. Sur moi.

– Oh. Bon. C'est du sérieux, ça.

– Oui. Ça l'est.

– Eh bien, s'il ne réagit pas comme tu le souhaites, dit-il en reposant délicatement le verre et la fourchette sur la table, je serai là pour toi.

– Il réagira comme je le veux. Mais merci.

Je repousse ma chaise.

– On va rejoindre les autres sur la piste ?

– Mais certainement.

Cette fois, nous restons à la fête jusqu'au bout de la nuit. Lorsque nous nous décidons à rentrer, il est quatre heures du matin à Long Island. Nous employons le sortilège Go et atterrissons dans la salle de bains.

– Tu te laves ou tu vas au lit direct ? me chuchote Miri.

– On est maquillées, lui fais-je remarquer en soulevant mon démaquillant. Tu tiens à avoir une éruption de boutons deux semaines avant ton Samsorta ?

– Noooon. Et j'ai repensé à ce que tu as dit.

– Sur quoi ? Je dis beaucoup de choses.

– Sur mes ongles. Je vais essayer d'arrêter de les ronger.

– Tant mieux pour toi. Dis-moi si tu as besoin d'encouragements. Je me ferai un plaisir de te taper sur la main quand tu veux. Ou de t'emballer les doigts dans du sparadrap.

Une fois que j'ai enfilé mon pyjama, nous entrouvrons précautionneusement la porte de la salle de bains pour aller nous coucher.

La lumière est allumée dans le couloir. La porte de la chambre de mon père est ouverte.

Ho-ho !...

– Rachel ! Miri ! hurle mon père en chargeant droit sur nous. Où étiez-vous passées ? Nous étions malades d'inquiétude ! Je suis allé voir comment vous alliez et vos lits étaient vides ! Vous savez quelle heure il est ?

Prises la main dans le sac. Bah, on va tout lui dire demain, de toute manière...

Les veines dans le cou de mon père ont l'air sur le point d'exploser.

– Jennifer est au téléphone avec la police en ce moment même !

Miri et moi échangeons un regard. Je hoche la tête.

– Papa, commence-t-elle, on a quelque chose à te dire.

Je me redresse et ouvre la bouche. Et là je dis :

– On est des sorcières.

22 LA VÉRITÉ QUI FAIT MAL

Sitôt les mots sortis de ma bouche, je me sens allégée d'un poids. Il sait. Plus de mensonges. Plus de mensonges !

Du moins à papa.

J'observe ses veines pour voir comment il prend la nouvelle. Elles n'ont pas éclaté. C'est bon signe, non ?

– Vous êtes des sorcières, répète-t-il. Vous êtes sorties en douce au milieu de la nuit parce que vous êtes des sorcières.

À ce stade, Jennifer a raccroché le téléphone et se tient à côté de mon père dans son peignoir mi-long en soie. Ah bon, on va lui dire aussi, alors.

Miri secoue la tête.

– Non, on est sorties parce qu'on était invitées à un Simsorta, qui est un peu comme une sorte de *bar mitzvah*... mais pour les sorciers. Et...

Jennifer lève les yeux sur mon père, des yeux agrandis par la peur.

– C'est la drogue ?

Oh Seigneur. Elle se fiche de moi ?

– Ce n'est pas la drogue, dis-je, je le jure. On est des *sorcières*.

Je jette un regard inquiet vers la chambre de Prissy.

– On pourrait parler de ça ailleurs ?

Tous trois me suivent sans un mot dans la cuisine. Miri, Jennifer et moi nous glissons sur des sièges, mais mon père reste debout à côté de la table, les bras croisés, les veines saillantes à présent.

– Comme je le disais, Miri et moi, on est des sorcières.

– Qu'est-ce que tu veux dire ? me demande Jennifer en passant ses mains sur la surface de la table. Vous faites tourner les tables ?

– Pas tout à fait.

Jennifer se redresse sur sa chaise.

– Vous ne sacrifiez pas des animaux, quand même ?

– Bien sûr que non ! rétorque Miri.

– Miri a tenté de sauver un troupeau de vaches une fois, en fait, dis-je. Elle les a téléportées dans le gymnase.

Ça, c'est peut-être TDI : trop d'infos.

– Je ne comprends absolument rien à ce que vous racontez, les filles, dit mon père. C'est comme si vous parliez japonais.

– On sait parler japonais ! s'exclame Miri. On a fait un sortilège de langage.

– C'est pour ça qu'on comprenait l'italien chez *Al Dente* le mois dernier, je m'empresse d'ajouter. Vous vous rappelez ?

Ils me regardent d'un air inexpressif.

Je me tourne vers Miri.

– *Spesso non compire.*

Ils ne pigent pas.

– Papa, Jennifer. On est des sorcières. On sait faire de la magie.

Les veines du cou de papa se remettent à battre.

– Ça n'existe pas, les sorcières !

Miri pose les mains sur ses hanches.

– Si, un peu que ça existe.

Jennifer brandit l'index dans notre direction.

– Vous êtes ridicules.

Miri m'envoie un regard. Je n'ai pas besoin de comprendre une langue étrangère pour savoir qu'elle pense : « Comment leur faire comprendre sans les terroriser ? » Maman et Miri ont fait léviter mes chaussures quand elles me l'ont appris. Ça a suffi.

– Papa, Jennifer, commence Miri. Je sais que ça a l'air dingue. Mais vous voyez ce saladier de fausses pommes au milieu de la table ? Je vais le soulever. Par la pensée.

– Oh, allons, fait mon père d'un ton méprisant.

Je pose ma main sur celles de Jennifer mais garde les yeux rivés sur mon père.

– N'ayez pas peur, d'accord ?

Jennifer retire vivement ses mains pour les poser sur son ventre.

– Tu te comportes comme une enfant.

Il se met à faire froid dans la cuisine, Miri pince les lèvres, et le saladier de faux fruits en porcelaine s'élève vers le plafond. Puis les pommes montent au-dessus du saladier et se mettent à jongler.

Mon père ferme les yeux.

Jennifer hurle.

– Stop ! Stop ! Je ne veux pas qu'elles se cassent ! Elles ont de la valeur !

Miri repose doucement le saladier et les fruits sur la table.

– Vous voyez ? dit-elle doucement. On est des sorcières. On peut faire des tas de choses très cool rien que par la force de notre volonté pure.

– C'est comme la Force, dis-je à mon père. (Mieux vaut causer une langue qu'il comprend.) Et moi aussi je sais le faire. Tu veux voir ?

Qu'est-ce que je pourrais soulever ? Je promène les yeux dans la pièce. J'avise le frigo. Je me concentre. Je l'ouvre. Puis je le referme. Puis je le rouvre.

– Regarde ce que je fais ! C'est marrant, non ?

Je ferme la porte du frigo et reporte mon regard sur mon père. Toute couleur a déserté son visage, qui est blafard.

– Je ne comprends pas, murmure-t-il.

– Papa, ça va ? Tu veux t'asseoir ?

Il se laisse tomber sur une chaise.

Miri lui touche l'épaule.

– Je sais que c'est un choc pour toi, mais c'est vrai. Ça a commencé le soir des homards chez les Abramson ! Tu te souviens ? Quand j'ai ressuscité mon homard ? J'ai utilisé la magie ! C'est là que j'ai su qu'il se tramait quelque chose.

– Tu as ressuscité le homard, dit Jennifer en se frottant compulsivement le ventre comme s'il y avait un génie à l'intérieur.

– Eh oui, dit Miri, grisée. Sans le faire exprès. C'était trop cool ! Je ne l'ai jamais refait depuis. C'est réputé hyper-difficile et ramener des morts à la vie pose des problèmes moraux...

– Je n'avais pas encore mes pouvoirs à l'époque, dis-je en lui coupant la parole et en lui envoyant un regard d'avertissement.

Ça, c'est carrément TDI.

– Mais j'ai fini par les recevoir cet été. Juste avant la colo.

– Je ne sais pas quoi dire, conclut mon père en regardant ses mains.

– Tu n'as pas besoin de dire quoi que ce soit, lui dis-je.

Mais tout en le disant, je sais que ce n'est pas vrai. Je ne sais pas à quelle réaction je m'attendais, mais je crois que j'avais toujours espéré que si on lui disait, il serait impressionné. Qu'il ne resterait pas planté là à regarder ses mains.

– Je ne sais pas quoi dire, répète-t-il.

Miri, apparemment inconsciente de la morosité de mon père, continue de déblatérer joyeusement. Maintenant que les vannes sont ouvertes, elle déverse tout.

– C'est pas génial, papa ? Tu ne trouves pas ?

Jennifer parvient à immobiliser ses mains et à les serrer l'une contre l'autre. Son regard erre entre Miri et moi.

– Avez-vous déjà employé vos pouvoirs sur... moi ?

Je lance à Miri un regard censé lui signifier « Je sais que tu veux être honnête mais avançons avec prudence, je t'en prie », puis je prends la parole :

– Avant que vous soyez mariés, on a peut-être bien testé quelques petits sorts de rien du tout.

Miri opine.

– Il y a eu le sort de laideur, le sort du sérum de vérité, le sortilège amoureux qu'on a jeté à papa pour qu'il retombe amoureux de maman...

– Miri ! je hurle.

Aurait-elle ingéré un peu de ce sérum de vérité *elle-même* ? Elle est totalement incapable de comprendre la situation, là, ou quoi ? Ne pas les submerger d'infos. C'est BTDI. *Beaucoup* trop d'infos.

– Quoi ? me dit-elle en souriant bêtement.

– Il a vraiment mis maman en colère, celui-là, alors elle l'a annulé.

Mon père cligne des yeux. Puis il recligne des yeux.

– Elle l'a annulé ? Votre mère ?

Miri bat des mains.

– Bien sûr ! Elle aussi, elle est sorcière. C'est de là qu'on le tient. On sait qu'elle ne te l'a jamais dit. Elle ne voulait pas que tu saches. Mais c'est vrai, tu peux lui demander.

Boum. Mon père tombe dans les pommes et glisse de sa chaise pour aller s'effondrer par terre.

– Papa ! je m'écrie en sautant jusqu'à lui.

Miri et Jennifer sautent juste derrière moi. Nous l'attrapons toutes les trois par les bras pour le redresser.

Ses yeux s'ouvrent en papillotant.

– C'est bon, dit-il. Je vais bien. Je vais bien.

Mon père couleur Tipp-Ex se frotte l'occiput.

– Je peux avoir un peu d'eau ?

Comme je ne veux pas le lâcher, je me concentre sur le frigo, le rouvre et fais traverser la pièce à une bouteille d'eau par la force de ma pensée.

– L'eau vole ! gazouille une nouvelle voix.

Tous les regards se tournent vers la porte. Prissy. Houlà.

Je fais atterrir la bouteille.

– Comment t'as fait ça ? demande Prissy. Encore ! Encore ! Tu es magicienne ?

– Euh...

Je n'avais pas vraiment l'intention de tout lui raconter.

– Plus ou moins.

Elle grimpe sur mes genoux.

– Tu peux me faire un poney ?

– Je ne crois pas.

– Je m'en occuperais très bien. S'il te plaît ? Je peux en avoir un ? S'il te plaît ?

– Pas de poney, répond Jennifer qui se frotte toujours le ventre et dont le regard saute nerveusement de moi à Miri. À moins que vous y teniez. Tout ce que vous voudrez, les filles. Je ne vais pas vous dire quoi faire. La magie n'est pas mauvaise pour le bébé, au moins ? Comme des radiations ?

– Ça ne fera aucun mal au bébé, promis, lui dis-je. Les sorcières s'en servent tout le temps, même quand elles sont enceintes.

Les yeux de Prissy s'écarquillent pour devenir grands comme des saladiers.

– Vous êtes des sorcières ?

Oups !

– Oui, dit Miri.

– Vous savez voler ? demande-t-elle d'une voix suraiguë.

– Oui, dis-je.

Elle saute de mes genoux.

– Et moi, je peux voler ?

– Je pourrais t'emmener, dis-je.

– Je ne pense pas, non, dit Jennifer en nous envoyant un sourire crispé. Ça ne te dérange pas, Rachel, n'est-ce pas ?

Allons bon, voilà qu'elle devient toute bizarre avec nous.

– Je veux que mon poney vole, lui aussi, dit Prissy. Je peux avoir un poney magique ?

– Pas de poney ! crions-nous ensemble, Miri et moi.

– Et un chien ?

– Il faut que j'aille m'allonger, dit mon père qui regarde toujours ses mains.

– Papa ?

Je suis inquiète.

– Tu n'as pas besoin d'aller à l'hôpital, si ?

Fantabuleux. Je dis enfin la vérité à quelqu'un, et ça lui donne une crise cardiaque.

– J'ai juste mal à la tête. Il faut que je m'allonge.

Sans nous regarder, il sort de la cuisine.

– Mais, papa...

La voix de Miri faiblit.

– Je voulais tout te raconter.

– Pas maintenant, dit mon père.

– Bien, dit Jennifer, un sourire toujours forcé sur les lèvres. Vous voulez quelque chose, les filles ? Encore un verre d'eau ? Vous avez faim, peut-être ? Je peux faire des pancakes ! Des pancakes à la myrtille ? Des pancakes à la banane ? Des pancakes au chocolat ? Des pancakes chocolat-banane ?

– On n'a besoin de rien, dis-je doucement.

Je n'en reviens pas que papa se soit tout simplement tiré.

– Bon, dans ce cas, dit Jennifer en repoussant sa chaise et en évitant de croiser nos regards. Prissy, c'est l'heure de retourner au lit. Si ça ne dérange pas tes sœurs, bien entendu. Les filles, ça vous ennuie si je remets Prissy au lit ?

– Bien sûr que non.

– Tu es sûre ? me demande-t-elle nerveusement. Je ne veux vous contrarier en aucune manière...

– Emmène-la, coupe Miri.

Jennifer attrape Prissy et se dépêche de sortir de la cuisine, son sourire crispé toujours plaqué sur la figure.

Hum.

– Ça ne s'est pas bien passé, dis-je, trop abasourdie pour bouger.

Quelques instants plus tard, Jennifer nous crie de loin :

– Bonne nuit, les filles ! Si vous avez besoin de quelque chose, donnez de la voix ! Je serai là illico !

La porte se referme en claquant. Je suis sûre qu'elle regrette de ne pas avoir de verrou.

Miri croise les bras. Son visage vire au rouge. Elle cligne des yeux, recligne, et là-dessus des larmes de rage roulent sur ses joues.

– Quel crétin ! explose-t-elle. On lui raconte ce qu'il y a de plus important dans nos vies, et il ne veut même pas en parler !

– Il a du mal à faire face, dis-je d'une voix douce.

– Nous aussi, on a du mal ! Je me fiche que ce soit dur pour lui ! Il ne peut pas simplement s'en aller comme ça ! Ça ne se fait pas. Si ma fille me disait qu'elle était sorcière, j'aurais des tas de questions à lui poser. Je ne l'enverrais pas aux pelotes.

– Miri, ce qui te surprendrait, c'est si elle te disait qu'elle *n'était pas* sorcière.

– Alors si elle me disait qu'elle était autre chose. Un vampire. Ce que tu veux. Ma première réaction ne serait pas de passer dans la pièce d'à côté.

– Non, ce serait sans doute d'enfiler un col roulé.

Au lieu de rire, elle essuie ses larmes du dos de la main.

– Tu ne veux pas qu'on lui fiche la paix ?

– Et pourquoi ? Tu n'as pas paniqué quand on t'a dit la vérité, maman et moi.

– Si, quand même un peu.

– Non, tu avais des tas de questions à poser. Et c'était ça que j'attendais de lui. Des questions. (Les larmes roulent sur ses joues.) Il se prend pour qui ? Il fait tout ce qu'il veut, il quitte maman, déménage, se remarie, fait un nouveau bébé, et nous on est censées tout avaler. On est censées l'accepter, mais il n'est même pas capable de nous parler ? Laisse tomber.

Les mots lui jaillissent de la bouche comme autant de poignards.

– Tu sais quoi ? J'ai envie de rentrer à la maison.

Maintenant, ce sont les veines de son cou à elle qui menacent d'exploser.

– Miri, il est cinq heures du matin.

– Je m'en fiche. Je suis furax et je veux rentrer, dit-elle en sanglotant.

Elle sort de la cuisine en trébuchant, ouvre à la volée la porte de notre chambre et fourre toutes ses affaires dans son sac, façon tornade.

– Tu viens avec moi, oui ou non ?

Je bredouille.

– Je... je... je... Il faut bien. Laisse-moi juste leur dire qu'on s'en va.

Je prononce ces mots, mais ce que je pense au fond, c'est qu'ils ne vont pas nous laisser partir. Si je leur dis qu'on rentre chez maman, ils vont tenter de nous retenir. « Ne soyez pas bêtes, diront-ils. Ne nous quittez pas ! »

« Nous vous aimons même si vous êtes des sorcières ! »

– Je pars dans deux minutes avec ou sans toi, dit-elle en pleurant comme un veau.

Je ressors à pas de loup. La porte de mon père est toujours fermée. La maison est plongée dans le silence. Comme s'il ne s'était rien passé.

Je frappe.

– Papa ? Jennifer ?

Pas de réponse.

– Allô ?

Je tourne la poignée. Mon père et Jennifer sont assis dans leur lit, côte à côte. En me voyant, Jennifer pose la main sur son ventre dans un geste protecteur.

– Miri veut rentrer chez maman, dis-je. J'essaie de l'arrêter, mais elle est dans tous ses états.

Jennifer m'adresse de nouveau ce sourire factice.

– Oh ! D'accord ! Pas de problème ! Vous voulez que je vous y conduise ? Avec plaisir ! Tout ce que vous voudrez !

– Pas besoin, merci. On a des piles magiques et une concoction en poudre. Les deux marchent bien. Miri préfère la poudre, mais parfois on se retrouve dans des toilettes...

Ma voix s'éteint. Ce coup-ci, elle va vraiment croire qu'il est question de drogue à nouveau.

Papa ne dit rien. Rien du tout. Pas de « Ne partez pas ». Pas de « Restez ». Pas de « Je vous aime ».

Lorsqu'il finit par lever la tête pour me regarder, il a un regard choqué. Choqué et déçu.

Bon, d'accord. Assez parlé.

– Je vais partir avec elle, alors, dis-je d'une voix qui se brise.

Je ne vais pas pleurer. Je ne vais *pas* pleurer. Il faut que je sois forte pour Miri. Il faut que je sois forte. Je referme la porte et retourne dans notre chambre.

– Prête ? me demande Miri, les yeux lançant des éclairs. S'il n'est pas capable de faire face, alors on se passera de lui.

Le monde tourbillonne autour de moi. Pendant que Miri lance la poudre en l'air, je me rends compte que j'ai toujours su qu'il réagirait ainsi. C'est pour ça que je ne voulais rien lui dire. Et que je ne voulais rien dire à personne. Et pour ça que je ne raconterai plus jamais, jamais rien sur moi à personne de toute ma vie.

Et même dans le cas improbable où Raf et moi resterions ensemble pendant les cinq années qui viennent, ou les dix années à venir, même si Raf et moi nous fiançons et nous marions, je ne lui dirai jamais que je suis une sorcière, parce que je ne veux jamais le voir me regarder comme mon père vient de le faire.

C'est maman qui avait raison : la magie doit rester un secret.

Je n'en reviens pas qu'on en soit arrivés là. Moi qui brûlais d'impatience que mes pouvoirs se révèlent, voilà que j'en ai honte.

La poudre me retombe sur la tête et je disparais.

Nous atterrissons à grand bruit dans la salle de bains.

– Y a quelqu'un ?

C'est ma mère.

– Super, on l'a réveillée. Ce n'est que nous !

– Lex doit être là, gémit Miri.

Juste. Génial.

– Les filles ? Qu'est-ce qui ne va pas ? Comment se fait-il que vous soyez rentrées ?

Maman a la voix paniquée tout en ouvrant la porte de la salle de bains à la volée.

Nous sommes toutes les deux assises sur le tapis de bain, Miri en larmes, et moi en train de lui frotter le dos.

– On lui a dit, fais-je en guise d'explication.

Elle s'agenouille à côté de nous.

– Dit quoi, au juste ?

– Pour nous, sanglote Miri. Nous toutes.

Les lèvres de maman se mettent à trembler.

– Moi aussi ?

– Ayé, le secret est dévoilé pour nous trois, dis-je.

Maman hoche la tête.

– Et qu'a-t-il dit ?

Mes yeux s'embuent et je fonds en larmes.

Maman nous serre toutes les deux dans ses bras.

23 UNE NUANCE DE GRIS

Après une longue séance pleine de larmes (Lex est rentré chez lui pour laisser maman seule avec nous), Miri et moi finissons par aller nous coucher. Plus tard, nous nous réveillons épuisées pour notre cours de Samsorta. Au lieu de mettre un jean, j'enfile mon survêtement le plus douillet. Je me fiche pas mal de mon apparence. Je veux juste que ce soit confortable. Raf m'a appelée, mais je n'ai pas décroché. Je suis tout simplement incapable de lui parler en ce moment. Je suis trop bouleversée, et il ne comprendra jamais.

Juste avant de partir, nous trouvons un nouveau paquet dans le salon.

– Je crois que vous avez reçu une nouvelle invitation à un Simsorta, dit maman.

– Je parie que c'est celui d'Adam, dis-je, et un sourire apparaît enfin sur mes lèvres.

Miri, plus calme qu'hier, le déballe. Dans la boîte, il y a un trolleybus miniature, un *cable car* de San Francisco, à peu près de la taille de mon pied. Quand Miri le remonte, il s'anime brutalement et écrit en noir métallique les détails de la fête sur le tapis avec la fumée de son pot d'échappement.

– J'espère que c'est de l'encre sympathique, dit maman d'un ton méfiant.

– Je suppose qu'on est invitées parce que vous vous êtes rabibochés tous les deux, dit Miri.

– Je suppose, dis-je en lisant les instructions. La fête a lieu vendredi prochain au pont du Golden Gate.

C'est sans doute exactement ce qu'il me faut pour me remonter le moral : me retrouver parmi d'autres sorcières et sorciers. Parce qu'ils me comprennent, eux. Ils savent ce que c'est que de devoir faire semblant d'être ce qu'on n'est pas. Contrairement à mon père, ils ne vont pas me traiter comme une malade contagieuse.

Soudain, le trolley se réveille de nouveau en crachotant. « Désolé d'arriver si tard, mais j'attendais qu'on soit de nouveau amis », écrit-il.

– Ça en fait au moins un qui veut bien de nous, dit Miri avec un soupir.

– Alors, on fait quoi ce soir ? demande Karin.

En cours, nous avons fini par apprendre le sort de lumière. Et ensuite nous nous sommes entraînées. Et encore. Et encore. Pas question que je me plante devant tout le monde. Jamais de la vie. Nous sommes maintenant assises à la cafèt' en train de manger des glaces. Pour la première fois depuis longtemps, je n'ai nulle part où aller. C'est le week-end de mon père, mais nous sommes en exil. Je pourrais sans doute rentrer et appeler Raf ou Tammy, mais il faudrait alors que je trouve une explication au fait que je ne suis pas à Long Island, et franchement, je n'ai pas l'énergie de mentir pour l'instant. La confrontation avec mon père m'en a trop pompé. Raf m'a rappelée, mais je n'ai pas écouté son message. Je ne sais pas du tout ce que je vais lui raconter. Tout a changé. Je ne peux pas lui dire la vérité. Tout ce que je peux faire, c'est mentir, et mentir encore et toujours.

– Allons voir Robert Crowne, dit Adam. Il passe en concert à Madison Square Garden.

– Sérieux ?

J'adore Robert Crowne. Je l'ai vu en concert pour mon premier rencard avec Raf. Mon premier quasi-rencard.

– Et comment on entre ? je demande. Tu peux avoir des billets ?

La triplée BCBG éclate de rire.

– Depuis quand il nous faut des billets ? Il suffit de se téléporter dans les coulisses.

– Le groupe qui fait la première partie commence à huit heures, et ensuite Crowne monte en scène à neuf heures, heure locale. (Adam jette un coup d'œil à sa montre.) Je passerais bien chez moi me changer. On se retrouve en coulisse dans une heure, ça vous dit ?

Les triplées murmurent leur assentiment.

– J'appelle Michael, dit Karin. Je suis sûre qu'il voudra venir.

Michael et Fitch ne passent plus leurs samedis avec nous, maintenant que leurs Sims sont passés.

Corey se racle la gorge et regarde ma sœur.

– Miri, je pourrais passer te chercher pour qu'on y aille ensemble ?

Se pourrait-il que ?... Je crois que oui ! Premier rencard officiel de ma sœur !

Je suis allongée en diagonale sur le lit de Miri.

– Tu es bientôt prête ? je lui demande. Il va arriver d'une seconde à l'autre.

– Oh non, il me faut encore du temps !

Elle boutonne son jean et pirouette vers moi.

– Je ne sais pas quoi me mettre en haut. Tu ne te changes pas ?

Je me sens encore plutôt bien dans mon jogging.

– Bah, non.

– Mais tu n'es pas maquillée !

– Bah, non plus.

– Mais tu viens quand même nous rejoindre, hein ?

– Bôh... dis-je.

Certes, j'adore Robert Crowne, mais maintenant que je suis rentrée, j'ai un peu la flemme de ressortir.

Elle fronce les sourcils.

– Il faut que tu viennes ! Je ne veux pas que tu restes à la maison à déprimer.

– Ce n'est pas parce que tu t'es apparemment déjà remise d'hier que moi aussi, dis-je.

Je serre ses couvertures contre ma poitrine.

– Eh ben, ne te change pas. T'as qu'à venir avec Corey et moi. Mais grouille. Il ne va pas tarder à sonner.

– Je ne vais pas m'incruster dans ton rencard.

– Mais si. J'insiste. (Elle croise les bras.) Je n'y vais pas si tu ne viens pas.

– Miri ! C'est ton premier vrai rencard ! Il faut que tu y ailles.

Elle s'assoit sur le bord de son lit.

– J'ai un peu peur de me retrouver en couple. Viens avec moi ! S'il te plaît ?

J'éclate de rire.

– Bon, d'accoooooord.

Nous entendons une détonation bruyante dans la salle de bains.

– Oh non ! s'écrie Miri.

– Il ne sonne pas, apparemment, dis-je.

– Va le chercher ! m'ordonne Miri. Je t'emprunte une chemise !

Elle file dans ma chambre et claque la porte.

Je me rends à la porte de la salle de bains.

– Euh... Corey ?

– Salut, me dit-il en riant. Désolé tout l'monde. Je déteste ce sortilège.

Il ouvre la porte, un bouquet de tulipes à la main.

– Ooh, je ronronne. Miri ! Devine qui est là ! Et il a des fleurs ! Corey, j'espère que tu ne m'en voudras pas, mais je risque de faire du stop avec... vous.

Hi, hi.

– Pas de problème, dit-il avec un grand sourire soulagé.

J'ai l'impression qu'il est nerveux, lui aussi. Pas étonnant qu'il leur faille si longtemps pour arriver à leur premier baiser.

Ooh. Il est trop mignon. *Ils sont* trop mignons.

Ma mère arrive en trombe.

– Corey, bonjour !

Corey rougit.

– Bonjour, madame.

– Oh, appelle-moi Carol, je t'en prie. Je suis enchantée de te rencontrer. J'ai beaucoup entendu parler de toi.

Miri ouvre ma porte juste à temps pour entendre cette proclamation. Elle réprime un gémissement.

– Maman, dis-je d'une voix étouffée pour l'avertir.

– Oh ! Je ne veux pas suggérer que Miri parle de toi. Car ce n'est pas le cas. (Ses mains volettent autour d'elle.) Sauf, enfin... (Sa voix s'éteint). Oh là là.

Hum. Je montre du doigt les fleurs de Corey.

– Miri, regarde le bouquet !

Miri piétine nerveusement sur place.

– Merci, Corey. C'est très gentil.

Silence gêné.

– Maman, dis-je, tu veux bien mettre les fleurs de Miri dans l'eau pour qu'on y aille ?

– Mais certainement, dit-elle d'un air soulagé. Bien sûr. Amusez-vous bien !

Honnêtement, sans moi, je ne sais pas comment survivrait ma famille.

Du moins ce qu'il en reste.

The feeling never fades
My sixteen shades...

Robert Crowne chante d'une voix langoureuse sur scène, et pour la première fois depuis une éternité, je parviens à oublier temporairement le reste – mon père, Jennifer, l'absence de cavalier pour mon Sam – et à vivre, tout simplement. Mon téléphone vibre à plusieurs reprises mais je le laisse faire. Je me perds dans les chansons.

Le fait que nous ayons réussi à nous faufiler jusqu'à des places VIP sur le côté de la scène ne gâte rien. Au début, le manager s'est plus ou moins demandé qui nous étions, mais Michael a dû exécuter un tour mental façon Jedi, car à présent le type n'arrête plus de nous faire des clins d'œil.

Bien sûr, je ne peux pas me retenir de jeter des regards répétés à Miri et à Corey, qui sont juste derrière nous.

Pas de baisers pour l'instant, mais ils se tiennent par la main.

Quelle veinarde, cette Miri ! Tomber amoureuse d'un garçon qui la comprend. Qui sait ce que ça fait d'avoir des pouvoirs magiques. À qui l'on n'a jamais besoin de mentir.

J'aimerais bien tenir la main de quelqu'un. Bien sûr, cela ne dérangerait pas Adam que je prenne la sienne, mais ce serait vraiment me jouer de lui. En même temps, ce serait facile.

Mais mon cœur appartient à Raf.

Au lieu de cela, je lève les mains en l'air et danse sur la musique.

– C'était incroyable, dis-je au groupe alors que nous sortons lentement de la salle de concerts.

Ce serait bien plus facile de sauter la file d'attente et de nous téléporter directement depuis nos sièges, mais nous essayons de ne pas nous faire remarquer.

– C'était dément, dit Viv. L'idée du siècle, Adam.

– Rachel !

Quelqu'un vient bien de crier mon nom ? Je regarde mon groupe, mais apparemment personne ne me parle. La musique résonne encore à mes oreilles, alors j'entends peut-être des voix ?

– Rachel ! entends-je de nouveau.

– Ce type t'appelle, là-bas, me dit Viv en pointant le doigt.

Sur Raf.

Ômondieu. Il est avec son pote Justin et quelques autres types. Et tous me regardent fixement.

Je le vois me faire signe au loin. Il porte une nouvelle veste en cuir. Une qu'il a dessinée ? Il est magnifique dedans. Et il a mis cette chemise marron qui fait ressortir ses yeux. Celle que nous avons achetée ensemble. J'ai l'impression qu'on m'écrase le cœur.

Que pourrais-je bien dire pour lui expliquer ce que je fais ici ? Que mon père a eu une urgence ? Qu'il nous a fait la surprise de nous acheter des billets ? Que je me suis trompée dans mes week-ends ?

– Excusez-moi, dis-je à mes amis avant de me frayer un chemin jusqu'à l'endroit où Raf m'attend.

La peur a un goût de vinaigre dans ma bouche. Que vais-je lui dire ? Quel mensonge vais-je inventer cette fois ? En arrivant à sa hauteur, j'ouvre le bec pour dire bonjour, pour dire quelque chose, mais rien ne sort.

– Je n'en reviens pas que tu sois là !

Son regard est perplexe, mais il sourit.

– Je t'ai appelée toute la journée pour te dire que j'avais trouvé des billets. Mais dis-moi, tu n'es pas censée être chez ton père ?

J'ouvre la bouche, mais toujours rien.

– Pourquoi tu ne m'as pas appelé, si tu étais en ville ?

J'essaie de dire quelque chose. N'importe quoi. Mais je suis tellement lasse d'inventer des excuses. D'arranger la vérité.

Son sourire s'évanouit.

– Rachel, il y a quelque chose qui ne va pas ?

Rien ne va. Nous deux, ça ne va pas. Comment pourrais-je être avec toi et te mentir pour le reste de ma vie ? Je ne pourrai jamais te dire la vérité. Tu ne sauras jamais qui je suis réellement.

Mes yeux s'emplissent de larmes.

– Raf, parviens-je à articuler, je suis désolée.

– Pourquoi ? Qu'est-ce qui ne va pas ?

Il passe son bras autour de moi.

Ne pleure pas, me dis-je. *Surtout ne pleure pas.* Je n'arrive pas à croire à ce que je suis sur le point de faire. Je n'aurais jamais cru faire ce que je suis sur le point de faire. Mais il le faut.

– Je ne peux plus être ta copine, dis-je lentement.

Il a l'air blessé, comme si je l'avais giflé.

– Mais qu'est-ce que tu racontes ? Pourquoi ?

Comment pourrais-je lui expliquer ? Dois-je lui dire que c'est mieux pour nous deux si nous nous quittons maintenant ? Je ne peux pas lui révéler la vérité. Si mon propre père ne veut plus entendre parler de moi, pourquoi Raf voudrait-il continuer à me voir ? Et quel est l'autre choix ? Mentir toute ma vie ? Me marier et continuer à mentir ? Avoir deux enfants mais ne jamais montrer entièrement à mon mari qui je suis ?

Finir par divorcer ? Il mérite mieux que ça. Moi aussi, je mérite mieux. Adam a raison. Karin a raison. Une sorcière et un norcier, ça ne peut pas marcher.

Mais que pourrais-je bien lui dire qu'il puisse comprendre ? Je promène mon regard dans la pièce à la recherche de réponses. Je regarde mes amis sorciers, qui m'observent. Et qui attendent. Miri. Corey. Karin. Viv. Adam.

Et là, je dis la seule chose qu'il comprendra forcément.

– Je suis venue avec quelqu'un d'autre.

Il suit mon regard en direction d'Adam.

– Oh, dit-il.

Il recule d'un pas. Retire son bras. Son visage se durcit.

– Je comprends.

Sa voix se brise.

– Pardon, dis-je encore à voix basse, et là, avant que mes larmes ne débordent, je lui tourne le dos et cours rejoindre mes amis.

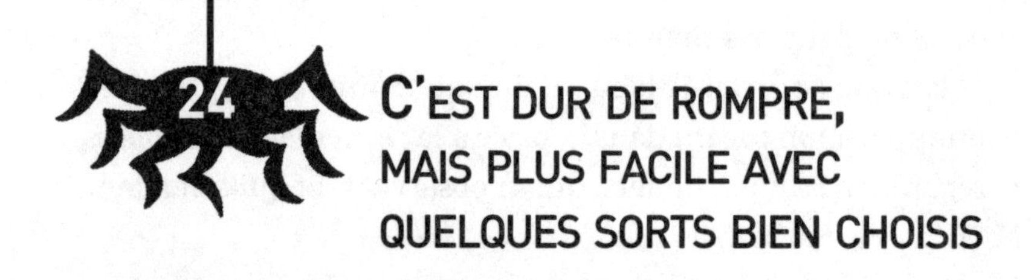

24 C'EST DUR DE ROMPRE, MAIS PLUS FACILE AVEC QUELQUES SORTS BIEN CHOISIS

Miri nous ramène illico à la maison.

Raf et moi sommes séparés.

Raf et moi sommes séparés.

Mon père me déteste, et Raf et moi avons rompu. Et pour ajouter du sel sur mes blessures, en écoutant mes messages, j'en trouve trois de Raf, datant d'*avant*. Les deux premiers, c'est lui qui me dit qu'il va au concert et qui me demande si je peux revenir à New York pour y aller avec lui. Justin a eu deux billets en plus à la dernière minute. Le dernier, c'est Raf au concert. C'est une minute entière de « Sixteen Shades of Love », car Raf sait que c'est une de mes chansons préférées.

Miri et moi grimpons dans le lit de maman, et je sanglote encore et encore jusqu'à ce que je n'aie plus de larmes. Je n'en reviens pas d'avoir rompu avec le type le plus adorable du monde. Je n'arrive pas à croire que je n'embrasserai plus jamais Raf. Cent trente et un. C'est le nombre de baisers que nous avons échangés. C'est tout ce que nous aurons eu. Oui, j'ai compté. Quoi, vous pensiez que j'avais établi toute une équation pour calculer les quantités de baisers et que je n'allais pas essayer de la confirmer ? Laissez-moi rire.

Mais il fallait que je rompe avec lui. Que pouvais-je faire d'autre ?

– Eh bé... dit ma mère, vous m'aurez usé tous mes Kleenex ce week-end !

Je me mets à rire et à pleurer en même temps.

– J'ai faim, dit Miri. Si je fais des pop-corn, vous en voudrez ?

– Oui, répondons-nous en chœur, ma mère et moi.

Je me tourne vers ma mère et je renifle.

– Tu crois que j'ai fait une erreur ?

Elle me caresse la tête.

– Je crois que refuser une relation fondée sur le mensonge est une décision très mûre. Je pense que tu aurais pu lui dire la vérité. Mais je sais que ce n'est pas facile à faire. Surtout après la réaction de ton père.

Mes yeux se noient de nouveau.

– Tu avais raison dès le départ. Tu aurais mieux fait d'épouser Jefferson Tyler.

Elle me serre dans ses bras.

– Mais je ne vous aurais pas eues, les filles.

Miri revient dans la chambre avec notre saladier à pop-corn blanc, celui qui fait aussi office de chaudron.

– T'inquiète. Tu as pratiquement déjà un nouveau mec. Un mec sorcier. Adam m'a déjà contactée sur Mywitchbook.

– Ma vie tombe en lambeaux et toi tu vas sur Mywitchbook ?

Elle fait sauter un pop-corn dans sa bouche.

– J'ai juste jeté un œil. Ça ne t'intéresse pas de savoir ce qu'il a dit ?

– Non, dis-je rapidement. Bon, d'accord, peut-être.

– Il m'a demandé si vous aviez rompu, Raf et toi.

– Ne lui dis pas ! Je ne veux pas que tout le monde soit déjà au courant !

Si tout le monde le sait, c'est que ça doit être vrai.

– Je ne lui ai rien dit, je te le jure. Je n'ai fait que jeter un œil, je te dis !

Elle lèche le sel sur ses doigts.

– Tu veux que je lui réponde ?

– Non. Oui.

Est-ce bien ce que je veux ? Qu'Adam soit mon nouveau copain ? Je sais que je l'aime bien comme ami, mais est-ce que je l'aime *de cette façon* ? À la pensée d'être avec quelqu'un d'autre, n'importe qui, même quelqu'un d'aussi mignon qu'Adam, je me sens... beurk.

Je m'endors avec un trou dans le cœur, et je rêve de Raf.

Je déprime presque toute la journée du dimanche. J'alterne entre rester couchée sur le ventre sur mon lit et rester couchée sur le ventre sur le canapé. Au moins, dans le salon, je peux écouter (et regarder de l'œil qui n'est pas enfoncé dans le coussin) la télé. La chaîne Voyage passe un marathon d'émissions sur le thème « Les plus beaux... ». À quatre heures de l'après-midi, j'ai déjà vu les plus beaux hôtels du monde, les plus beaux WC du monde (oui ! Il y a vraiment des gens pour tester et noter les WC ! Sans doute une sorcière, car qui d'autre se zappe si souvent là-dedans ?), les plus beaux restaurants du monde, et les plus belles plages du monde. La plus belle plage du monde se trouve en Grèce, pour ceux que ça intéresse.

À cinq heures, Miri m'informe que nous sortons.

Je lève la tête du canapé.

– On va où ? En Grèce ?

– Non. À Lozacea.

– Mais on est dimanche.

– C'est un centre public. C'est ouvert. Karin et Viv sont là-bas pour réviser et traîner ensemble.

Je soupire.

– J'ai pas envie d'y aller.

– Juste pour une heure. C'est un ordre.

Je me lève.

– Depuis quand c'est toi qui commandes ?

Nous utilisons le sortilège Go et nous retrouvons aux toilettes.

Miri en profite pour faire pipi, et j'observe mon reflet dans la glace. J'ai les yeux bouffis. Ça m'ennuie ? Pas vraiment. Je sens les larmes monter de nouveau, et je me passe de l'eau sur le visage. Tout ira bien. Absolument. J'ai fait ce qu'il fallait faire.

Mon téléphone se met à vibrer.

Raf ?

Je regarde rapidement le nom. Adam. Je décroche.

– Allô ?

– Quoi de neuf, mon amie ? me demande-t-il.

Je laisse échapper un rire étoufé.

– Pas grand-chose.

– Tu es partie un peu vite hier soir.

– Non, sans blague ?

– Tu veux en parler ?

Je détourne les yeux du miroir.

– Pas des masses. Au fait, comment tu as eu mon numéro ? Je ne me souviens pas de te l'avoir donné.

– Je suis sorcier. J'obtiens tout ce que je veux. Bon alors, tu es où, là ? Chez toi ?

– En fait, je suis à Lozacea.

– Sérieux ? Moi aussi. Je suis dans la salle de jeux. Viv et Karin viennent de me quitter pour aller répéter leurs sortilèges de lumière. Tu viens jouer au billard avec moi ?

– Où est la salle de jeux ?

Il y a combien de salles, dans cet endroit ?

– Prends à gauche après la cafèt', ensuite tu continues jusqu'à ce que tu voies une porte rouge. Frappe trois fois et dis : « *Balio !* »

– Compris. On arrive dans deux minutes.

Du moins j'espère. Si je trouve mon chemin. Je raccroche tandis que Miri tire la chasse puis vient me rejoindre face au miroir. Je brandis un index plein de reproches.

– Tu ne m'avais pas dit qu'Adam était là.

Elle fait l'innocente.

– Non ? Ça alors, tu m'as bien eue. Viv m'a peut-être vaguement dit qu'il était ici à réviser. Ou à faire semblant.

C'est vrai qu'il est mignon. Et gentil. Et drôle. Et sorcier. Pourrais-je l'aimer plus qu'en ami ?

Miri s'en va retrouver les filles tandis que de mon côté je cherche, et trouve, la salle de jeux.

– Bienvenue, me dit Adam.

Je promène mon regard dans la pièce. Ping-pong. Baby-foot. Échecs. Monopoly. Adam, plutôt mignon, qui réalise un score impressionnant au billard. Je me racle la gorge.

– Ces jeux m'ont l'air assez ordinaires.

– Tu t'attendais à quoi ? me demande-t-il. À du Quidditch ?

Je me force à rire.

– On pourrait s'attendre à ce que des sorciers pratiquent un sport plus ou moins magique.

Il plisse les yeux.

– Tu veux faire une course de balais ?

Je m'appuie au billard.

– C'est dépassé, les balais.

– Tu fais ta poule mouillée ?

Le mot « poule » me rappelle le poulet Général-Tso, ce qui me fait penser à Raf, et mon cœur s'arrête. Super. Je ne pourrai plus jamais manger mon plat préféré, maintenant.

– Non, dis-je. Vraiment pas.

Je repousse la pensée de Raf et m'empare d'une queue de billard.

– Qu'est-ce qu'on pourrait gagner ? La propriété du balai ?

– Ha. Qu'est-ce que tu dis de ça : si je gagne...

Il s'arrête.

– Si tu gagnes quoi ? La course ou la partie de billard ?

– L'une ou l'autre. Si je gagne l'une ou l'autre, tu seras ma cavalière à mon Simsorta le week-end prochain.

Je manque lâcher ma queue de billard.

– Ah. Mais...

– Il n'y a pas de « mais ». Juste en amie. Je te promets de ne plus essayer de sortir avec toi. Sauf si tu en avais envie. (Il me fait un gros clin d'œil exagéré.) Mais pour être honnête, mes parents n'arrêtent pas de me demander pourquoi je n'amène pas une cavalière, et si j'y vais seul, je vais devoir ouvrir le bal en dansant avec ma mère. Tu ne peux pas m'obliger à ça. S'il te plaît. Sauve-moi. (Il lève les yeux sur moi.) Sauf si ton copain ne veut pas.

Je secoue la tête. Il faut croire que Miri ne lui a vraiment rien dit.

– On s'est séparés, Raf et moi.

Il incline la tête sur le côté.

– Je me demandais ce qui se passait hier soir... (Il hausse les sourcils.) Tu te sens comment ?

Ne pas pleurer. Ne pas pleurer. Je m'oblige à hausser les épaules.

– Ça va. C'était la bonne décision.

Je crois. J'espère.

– C'est trop dur d'être avec quelqu'un avec qui je ne peux pas être honnête, tu vois ?

– Oh oui, dit-il, je vois.

Pendant une seconde, nous gardons le silence. Nous entendons des rires qui viennent de l'extérieur.

– Alors, ça veut dire que tu m'accompagneras ? En amie ?

Il m'adresse un sourire plein d'espoir.

J'ai une idée.

– Je vais te dire ce qu'on va faire. Oublie la course et le billard. Faisons un deal. Je serai ton amie-cavalière ce week...

– Marché conclu !

– Si tu es le mien la semaine prochaine.

Il sourit.

– Ça, c'est un marché comme je les aime.

Le lundi, je ne vois pas Raf de la journée.

Certains appelleraient ça de la chance, mais moi j'appelle ça le sort d'évitement, que j'ai trouvé page 376 du livre de sortilèges. Il projette un halo orange sur quinze mètres autour de lui, que je suis la seule à voir. C'est le meilleur truc au monde pour tenir un ex à l'œil. Ou pour prendre quelqu'un en filature. Ce n'est pas que je défende la filature. Car tout le monde sait que c'est mal. Mais quel que soit l'usage qu'on en fait, il va falloir que je découvre quelle sorcière a inventé celui-ci pour la couvrir de louanges.

Je révèle à Tammy la nouvelle de la rupture ce matin-là en classe.

– Mais je ne comprends pas ! s'écrie Tammy une fois que sa mâchoire a littéralement cogné contre son bureau tellement elle était sous le choc. Comment avez-vous pu vous quitter ? Vous étiez dingues l'un de l'autre !

Qu'est-ce que je peux dire, moi ? Parce que je suis une sorcière et pas lui ? Parce que ça ne marchera jamais ?

– On était juste sur deux planètes différentes, dis-je.

– Mais qu'est-ce que tu racontes ? Quelles planètes ? Vous êtes sur la même ! Ici !

– C'est compliqué, dis-je tout en sentant monter un mal de tête lancinant.

– Ce n'est quand même pas à cause du défilé de mode, si ? me demande-t-elle, le front plissé par la perplexité.

– Non, c'est juste...

Que suis-je censée lui dire ? Je peux lui donner l'explication inexacte que j'ai servie à Raf : que c'est à cause d'Adam. Mais Tammy se demanderait pourquoi je n'ai jamais parlé de lui. Elle me demanderait comment j'ai rencontré cet Adam. Elle voudrait le rencontrer.

– Tu sais quoi ? Je n'ai pas très envie d'en parler.

Je sens son regard me sonder.

– Mais je suis ta meilleure amie ! Il faut que tu en parles.

– Tammy, je ne peux pas.

Ma gorge se ferme. Il y a tant de choses que j'aimerais pouvoir lui dire ! Sur Raf, sur le Sam, sur Adam, sur mon père... Mon père, dont nous sommes toujours sans nouvelles. Deux jours et pas un coup de fil.

Tammy comprendrait. Ses parents sont divorcés aussi, et elle saurait quoi dire. Comme toujours. Mais comment lui faire confiance ? Certes, c'est ma meilleure amie aujourd'hui, mais demain ? Elle a rompu avec Bosh. Qu'est-ce qui l'empêcherait de rompre avec moi ? Et si je m'étais confiée à Jewel ? Elle aurait peut-être tout raconté au lycée entier à l'heure qu'il est. Je ne peux pas le dire à Tammy. C'est tout bonnement impossible. Comme les larmes menacent de déborder, je me détourne d'elle pour les essuyer.

Je sens ses bras autour de mon dos, qui me serrent fort.

– Je suis vraiment désolée. Tu me parleras quand tu seras prête. Je suis toujours là pour toi, vu ? Toujours.

Je hoche la tête et cligne des yeux pour refouler les larmes.

Mon portable sonne en plein déjeuner.

– Pardon, dis-je en voyant s'afficher le numéro d'Adam.

Je m'approche en hâte de la fenêtre pour m'éloigner de mes camarades curieux avant de répondre.

– Allô ?

Je leur dirai que c'était Miri qui m'appelait pour une urgence familiale.

– Qu'est-ce que tu fais ? me demande Adam.

– À ton avis ? Je suis au lycée. Je suis sur le point d'entamer des macaronis au fromage.

Mes yeux se sont bien embrumés à la vue de la moutarde, mais là je me suis dit : « De la moutarde ? Il faut être dingue pour mettre de la moutarde sur des macaronis au fromage. » Non mais, sérieusement.

– Miam. C'est le jour des boulettes de viande ici. On échange ?

– Quoi de neuf, sinon ?

– Promets-moi de ne pas rire quand je vais te demander ce que je vais te demander, dit-il.

– Je ne peux pas faire ce genre de promesses. Et si ce que tu me dis est vraiment drôle ?

– Ça l'est, plus ou moins.

– Vas-y, envoie.

– Ça t'ennuierait de prendre un cours de danse pour mon Sim ?

Rire ? Gémir, plutôt.

– Tu ne plaisantes pas ?

– Ça t'embête ? Il y en aurait juste pour une heure, demain soir. Est-ce que cette idée te rend très malheureuse ?

– C'est parce que je t'ai raconté l'histoire du défilé de mode ? Tu as peur que je te rende complètement ridicule ?

– Non ! s'empresse-t-il de répondre. Ce n'est pas ça du tout. Je te jure. C'est moi qui ne sais pas danser. Et je me suis dit que ça pourrait être marrant.

C'est ça, oui. J'aperçois Melissa et Jewel dans la queue de la cantine et repense au défilé de mode.

– On ne va pas devoir apprendre une chorégraphie, hein ?

– Pas de chorégraphie. Peut-être apprendre la valse, ou le surky.

– Euh... c'est quoi, au juste, le surky ?

– La danse des sorcières, que tu apprendras demain à cinq heures, heure de Lozacea ?

Je soupire. Surky-surka, c'est du boulot tout ça, ma foi.

Nous sommes le lendemain, et nous répétons depuis trois heures. Nous sommes encore dans l'une des salles secrètes de Lozacea. Cet endroit est un vrai labyrinthe. Je n'aimerais pas m'y retrouver toute seule en pleine nuit. Je ne trouverais jamais la sortie.

Enfin bref, ça fait une heure et demie que nous répétons ce fameux « surky ». Cela implique quelques révérences, deux ou trois pirouettes et tout un tas de pas coordonnés. Matilda, la femme qui a testé mes pouvoirs magiques, est également la prof de danse. Elle m'a zappée dans des escarpins, un justaucorps et une jupe assortie à mon arrivée, n'appréciant pas mon uniforme de lycéenne, jean-baskets. J'ai tout de suite porté la main sur ma chaîne avec le cœur pour être sûre qu'il était toujours là, puis me suis rappelé que je l'avais remplacé par l'amulette-balai de Wendy.

Eh oui, c'était bien triste de faire ça.

Au moins, Wendy a été ravie de voir que je le portais enfin.

Raf n'a pas remarqué le changement, puisque le sort d'évitement est toujours en service, et à fond. C'est vraiment génial. J'ai pu l'éviter toute la journée. Je pourrais l'éviter toute l'année si je voulais. Ce que je n'ai pas pu éviter, ce sont les ragots concernant notre rupture.

J'ai entendu mes copines demander des détails à Tammy, et elle leur répondre que ça ne les regardait pas.

J'ai vu la lueur dans l'œil de Melissa. Je suis sûre qu'elle brûle d'impatience de remettre ses pattes sur lui.

J'ai entendu la pitié dans la voix de Kat quand je lui ai dit que je ne pourrais pas aller au bal d'Halloween.

– Viens toute seule ! m'a-t-elle dit.

Elle supposait que je ne venais pas parce que je n'avais pas de cavalier. Allons ! Louper une soirée pour cause d'absence de cavalier, c'est tellement dépassé ! Tous mes amis ont l'intention d'y aller en solo. Mais pas moi. Halloween me stresse déjà assez, merci bien. Et de toute manière, le gymnase mesure à peine cent cinquante mètres de long, et Raf sera forcément là, puisque c'est la copine de son frère qui organise la réception.

– Rachel, il faut que tu te concentres ! crie Matilda pour me faire atterrir et revenir à la danse. Un, deux, trois, ça va être ton tour.

– On ne peut pas prendre une potion pour apprendre ça ? fais-je tout bas à Adam.

Je commence à avoir mal aux pieds.

– Si, dit-il en souriant et en resserrant le bras autour de ma taille. Mais c'est plus agréable qu'une potion, non ?

Hum. Il s'amuse bien. Il trouve vraiment ça marrant.

Et moi qui voudrais être chez moi à regarder la télé.

Quand j'étais avec Raf, j'aimais tout ce que nous faisions ensemble. Répéter pour le défilé de mode. Coller des affiches. N'importe quoi.

Si seulement j'étais ici avec Raf... Non, non, non !

Je ferme les yeux très fort et tente de chasser les pensées qui le concernent.

– Six, sept, huit ! Tourne, Rachel, tourne ! Non, non, non, ne tourne pas !

Je garde les yeux fermés et tourne. J'étais obligée de quitter Raf ! Il le fallait ! Qu'aurais-je pu faire d'autre ?

– Non, non, non, Rachel, tu as tourné dans le mauvais sens ! Une fois de plus, grommelle-t-elle.

Dans le mauvais sens, peut-être. Mais la bonne décision, certainement.

Le vendredi qui suit, en compagnie de cinq cents de ses amis les plus proches, je regarde Adam exécuter son Sim. Oui, cinq cents sorciers sur le pont du Golden Gate. Des sorciers à gogo.

Contrairement à Michael, Adam réussit tout du premier coup. Pas besoin de répéter. Pas de public gêné se tortillant sur les sièges. Tous ses piliers sont dégagés et fonctionnent à la perfection.

Malheureusement, en tant que cavalière, je suis forcée d'être assise avec sa famille pendant la cérémonie.

– Vous formez un couple absolument adorable, mon neveu et toi, me chuchote sa tante, ce qui me donne une grosse envie de me tortiller sur mon siège.

Les mots « Nous ne sommes pas en couple » menacent de sortir, mais je les ravale énergiquement et souris poliment. C'est vrai, elle n'a pas tort. Nous formons en effet un couple plutôt mignon. Et de toute manière, il faut bien que je finisse par sortir avec un sorcier, pas vrai ?

Après la cérémonie, une grande femme appelée Jenny (organisatrice de Sims pour les meilleures familles de sorcières, d'après la triplée glamour) nous guide jusqu'à un toboggan qui nous emmène sous le pont. Ils ont gelé la baie pour qu'on ait l'air et l'impression de marcher sur l'eau. Ils ont aussi placé un sort d'évitement sur toute la zone, si bien que les passants et les touristes sont aiguillés ailleurs.

Avant même que je sois assise vient le moment d'ouvrir le bal.

Adam me prend par la main.

Je respire un grand coup. Je suis capable de le faire. Ce n'est qu'une chanson. La musique commence, j'exécute correctement les mouvements (enfin... la plupart d'entre eux), et les milliards d'invités applaudissent.

– Tu t'amuses bien ? me demande-t-il.

– Tout à fait, dis-je.

Et je suis sincère. En quelque sorte. Qu'y a-t-il de désagréable ? Nous sommes vendredi soir, nous dansons sous les étoiles, les lumières de San Francisco étincellent au loin, mes amis sont là, les serviteurs distribuent des mini-rouleaux de printemps.

La vie est belle. Non ?

Lorsque le morceau se termine, Miri, Corey, Viv, Karin, Michael, Fitch, les triplées et même Wendy viennent nous rejoindre sur la piste. J'envoie balader mes chaussures et me laisse entraîner par la musique. Quand on danse, on a besoin de penser à rien. Du moins, moi. Ce qui explique peut-être en partie que je ne sois pas la meilleure danseuse au monde, mais bon.

– Ça va ? me demande Miri quelques chansons plus tard.

– Très bien ! Super ! Pourquoi ?

– Tu as l'air... possédée.

Je lui donne une petite tape sur le bras.

– Ah ben, *merci*. Comme si je n'étais pas déjà assez gênée par ma façon de danser.

– Ce n'est pas ce que je voulais dire. Je trouve juste que...

– Je vais bien ! Tout va bien.

La musique résonne à plein tube, on danse et je m'éclate. Vraiment.

Je suis chez moi, ici. Dans l'univers sorcier.

Lorsqu'un nouveau slow commence, Adam fonce droit sur moi. Il me prend par la main et m'attire à lui.

– Je t'aime bien, tu sais, murmure-t-il dans mon oreille.

– Ah. Ouais. Euh... moi aussi, dis-je.

Et c'est vrai que je l'aime bien. Vraiment. Adam et moi, ça tombe sous le sens.

Il sourit et ferme les yeux.

Je me balance d'avant en arrière et contemple les lumières de la ville qui vacillent comme des flammes de bougie, ce qui me rend nostalgique de New York.

Après la fête, nous atterrissons avec un bruit sourd dans la salle de bains.

J'ai les oreilles qui résonnent, les pieds en compote, mais c'était une bonne soirée. Vraiment.

– T'as l'air bizarre. Tu as du chagrin à cause de Raf ? me demande Miri.

– Oui ! Arrête de me casser les pieds ! J'ai passé une super-soirée.

Elle secoue la tête.

– M'man ? On est rentrées !

– Miri, chut, il est quatre heures du matin ici !

Elle se couvre la bouche de la main.

– Oups ! J'ai oublié. Mais pourquoi toutes les lumières sont allumées, alors ?

– Les filles ? fait ma mère. Vous pouvez venir au salon, s'il vous plaît ? Vous avez de la visite.

Nous nous dirigeons lentement vers l'autre pièce.

Sur le canapé, à côté de notre mère, se trouve notre père.

25 HISTOIRES DE FAMILLE

Je recule d'un pas, une boule dans la gorge. Qu'est-ce qu'il fait là, lui ?

Miri croise les bras.

– Je ne veux pas lui parler.

– Les filles... commence-t-il.

– J'ai dit que je ne voulais pas lui parler, répète ma sœur avec un regard inflexible.

– Miri, dit ma mère, je sais que tu es bouleversée. Mais il faut que tu écoutes ce que ton père a à dire.

Elle a un reniflement de mépris.

– Pourquoi ? Il n'a pas voulu nous écouter.

– Je suis désolé, dit mon père en baissant la tête. Je suis désolé d'avoir réagi comme je l'ai fait.

– C'est tout ? dit Miri. Tu es désolé. Et alors ?

Depuis quand Miri est-elle si forte ?

– Vous avez absolument le droit de m'en vouloir. J'aurais dû mieux réagir. J'aurais dû vous écouter. Mais pouvez-vous essayer de vous mettre à ma place une seconde ? Je n'avais pas la moindre idée (il agite les mains en l'air) de tout cela. Ç'a été un sacré choc. J'ai découvert que mes deux filles étaient des sorcières, et que la femme avec qui j'avais été marié plus de dix ans en était une aussi. Et moi qui ne me doutais de rien. Ça m'a complètement dépassé.

Je veux bien croire que ça ait pu lui mettre un coup.

– Mais c'était il y a une semaine, dis-je. Tu aurais pu téléphoner.

– Je sais.

Il lève la tête vers moi et croise mon regard. Il a les yeux rouges.

– Je suis désolé.

Personne ne dit rien.

– Je suis désolée, moi aussi, dit ma mère. Je sais que vous en voulez à votre père, mais c'est principalement ma faute. J'aurais dû lui en parler voilà des années. Cela nous aurait peut-être épargné beaucoup de peine à tous.

– Et beaucoup d'argent en thérapie de couple, ajoute mon père dans sa barbe.

Ma mère rigole.

– Ça aussi, oui. Mais plus récemment, je n'aurais pas dû vous laisser cacher un si gros secret à votre père. Élever des enfants, c'est une responsabilité partagée, et j'aurais dû insister pour que vous lui racontiez ce qui vous arrivait.

– Je regrette que tu ne m'aies rien dit, pour toi, lui dit mon père. J'aurais sans doute été surpris au début, mais je m'en serais remis.

Il ferme les yeux puis se tourne vers nous.

– Alors, ça veut dire...

Un sanglot m'échappe avant que j'aie pu le retenir.

– Ça veut dire que tu nous aimes encore ?

– Oh, mes filles, bien sûr que je vous aime encore. Je vous aimerai toujours. (Il ouvre les bras.) Venez ici. Et moi, vous m'aimez encore ?

Sans réfléchir, je cours vers mon père. Les larmes me roulent sur les joues, et je sanglote et hoche la tête, et il me caresse les cheveux en me disant que tout ira bien. Oui, d'accord, il s'est trompé, mais il est là, désormais. Il lui fallait du temps pour se faire à l'idée.

Contrairement à moi, Miri se tient toujours à l'écart.

– Tu vas venir à notre Samsorta ?

Elle se mordille les doigts. Je manque lui crier de ne pas se bousiller les ongles maintenant (épargnés depuis une semaine, ils commencent tout juste à repousser), mais le moment ne semble pas particulièrement bien choisi.

– Si vous voulez bien de moi, dit mon père, j'y serai. Qu'est-ce qu'un Sumsorta ?

– C'est comme une *bat mitzvah* de groupe pour les sorcières, dis-je. Et je veux que tu y sois.

Il sent bon. Il sent la maison. Il sent le papa. J'essuie mes larmes toutes fraîches du dos de la main.

– Et toi, tu veux que j'y sois ? demande-t-il à Miri.

– Je veux que *toi*, tu aies envie d'y être, réplique-t-elle en joignant les mains derrière son dos.

– Dans ce cas, rien ne me ferait plus plaisir que de venir à votre Sumsorta, dit-il.

Je pouffe de rire.

– Samsorta.

– Samsorta, reprend-il. Je crois bien que je vais avoir beaucoup à apprendre. Et peut-être que le week-end prochain, vous pourriez me montrer ce que vous savez faire avec ces pouvoirs.

– Un petit numéro de Jedi ? fais-je.

– Exactement.

Je le serre encore plus fort dans mes bras.

Aujourd'hui, c'est la répétition générale, mais sans les robes. Et à Lozacea, parce que apparemment les sorcières n'ont le droit de se rendre à Zandalusha qu'une fois par an, ce qui me convient très bien. Ça m'a toujours l'air aussi flippant, cette affaire.

L'autre élément nouveau dans le cours d'aujourd'hui, c'est que nos aînées, c'est-à-dire nos mères, sont là aussi.

Maman reconnaît la mère de Karin, qu'elle a connue naguère, après quoi la mère de Karin la présente à celle de Viv. Dites, peut-être qu'elles pourraient devenir copines sorcières à New York, ces deux-là ?

Une fois toutes rassemblées dans l'auditorium et sur scène, nous passons la cérémonie en revue, du début jusqu'à la fin. Du moins tout ce que nous pouvons faire sans les autres écoles.

Pour commencer, nous répétons la marche d'ouverture.

Puis le passage avec les aînées. On rit beaucoup sous cape, et on écoute beaucoup nos mères nous dire que « J'ai l'impression que c'était hier que j'étais de l'autre côté du cercle », ce qui fait un drôle d'effet. Nos mamans ! Faisant leur Samsorta ! Ça paraît impossible, mais j'ai vu les photos, je sais que c'est arrivé.

Ensuite, les aînées nous demandent tour à tour si nous désirons adhérer au Cercle de la magie. Cette séquence commence par l'aînée des Samsortas, dont je supposais plus ou moins que c'était moi. Mais Fizguin annonce que la plus âgée est une Australienne de vingt-quatre ans de l'école de Kanjary.

J'avoue. Je suis un peu déçue.

Enfin bref, une fois que nos mères nous ont posé la question, nous nous entraînons à acquiescer, puis elles font mine de nous couper une mèche de cheveux à l'aide du couteau d'or.

Miri et moi avons toutes les deux rendez-vous chez Este le lundi matin (maman nous a autorisées à sécher l'école toute la journée), et en plus de nous faire coiffer, nous recueillerons son opinion sur ce qu'on peut couper sans gâcher toute notre coiffure.

Ensuite, les aînées s'entraînent toutes à marcher vers le chaudron central et à faire semblant de lâcher la mèche de cheveux au milieu. Une fois qu'elles ont terminé, c'est le moment de la cérémonie de la Chaîne de lumière. Nous tournons en cercle en prononçant le sort de lumière, allumant la bougie une dernière fois.

Je suis environ à la moitié du cercle, et je me racle la gorge avant de commencer.

Isy boliy donu
Ritui lock fisu...

Je fais le tout sans problème. Une fois ma chandelle allumée, j'écoute Miri passer à son tour, et lui adresse un clin d'œil quand elle a fini.

La chaleur de la flamme est agréable contre mes joues. Je repense au fait que même si mon père a dit qu'il viendrait,

Miri a tout de même refusé de l'embrasser. Il a eu l'air de comprendre.

– Prends ton temps, lui a-t-il dit. Je n'ai pas l'intention de m'en aller.

Il ne voulait pas le dire au sens propre, visiblement, puisqu'il n'allait pas revenir vivre chez nous. Mais vous savez... Nous avons décidé que Jennifer et lui viendraient au Sam, et qu'ils prendraient une baby-sitter pour Prissy. Mon père a pensé préférable pour tout le monde que Prissy ne sache rien de nos pouvoirs avant d'être plus grande. Ils lui ont raconté que la scène à laquelle elle avait assisté l'autre jour était un rêve. J'ai le cœur comblé à l'idée que mon père se soit remis.

Mais tandis que la cire me coule sur les doigts, je ne peux pas m'empêcher de me demander si Raf ne s'en serait pas remis, lui aussi.

Nous terminons tôt, vers trois heures, heure de Lozacea.

– Couchez-vous tôt lundi soir ! nous ordonne Fizguin. Et je vous retrouve à dix-huit heures, heure roumaine, c'est-à-dire neuf heures à l'heure de l'Arizona, ou midi sur la côte Est. Ne soyez pas en retard !

Toutes les mères rentrent chez elles, et nous nous dirigeons vers l'atrium pour décider de ce que nous allons faire à présent. Après tout, on est samedi.

– Qu'est-ce que vous faites là ? dis-je en tombant sur Adam et les autres garçons dans l'atrium.

– On vous attendait, dit-il. On a pensé qu'on devrait fêter votre dernier jour.

– Vous avez faim, tous ? demande Karin.

– Une faim de loup, répond Michael.

– Je mangerais bien une pizza, fait la triplée BCBG.

– Je connais le meilleur des nouveaux restaurants, dit Miri. Ça s'appelle *T's Pies*.

– Yo, j'en ai entendu parler, intervient Viv. Je voulais justement l'essayer.

Quoi ? Chez *T's* ? C'est ça qu'elle veut manger ? Je fusille Miri du regard, mais elle refuse de croiser le mien. Au lieu de quoi elle regarde Corey.

– On peut en commander à la cafétéria, dis-je.

– Mais faire apparaître de la nourriture, c'est un peu comme une livraison, et les pizzas *T's* sont meilleures quand elles sortent du four, dit Miri. Si on allait tous à New York ?

– Bonne idée, dit Adam en m'entourant de son bras.

Mes épaules se tendent sans que je le veuille, mais je les décontracte rapidement. Alors comme ça, on va chez *T's Pies* ? Pas de problème. Il a un bras autour de moi, et alors ? Pas de problème non plus. Il m'aime bien. Je l'aime bien. Nous aimons tous la pizza. C'est ça le plan.

– Sortilège Go ? demande Karin.

– Piles, dis-je. Les WC sont tout petits là-bas.

Nous nous téléportons dans la ruelle à l'arrière du restaurant avant de nous diriger vers l'entrée. À mesure que nous approchons, mon cœur se met à battre plus vite. Miri m'évite toujours du regard.

Nous prenons une table pour huit. Je prends place face à la porte, et Adam se glisse sur la chaise à côté de la mienne.

En prenant la carte, je me rends compte que j'ai les mains toutes moites. Je relis sans cesse la même description de pizza.

– Rachel ? Ça te va ? Deux grandes pizzas pour toute la table, une au fromage, une avec un peu de tout ?

J'opine en me tortillant sur ma chaise. Qu'est-ce que j'ai ? Qu'est-ce que ça peut faire si c'est le repaire de Raf ? C'est terminé avec lui. Je suis mieux sans lui. Il est mieux sans moi.

J'ai à peine pris quelques bouchées de ma pizza, que patatras. La porte s'ouvre à la volée.

Cheveux bruns. Chemise marron. Veste en cuir. Mon estomac descend en piqué. Il est là ! Sauf que...

Mêmes cheveux. Même chemise. Même veste. Mais pas Raf. Mon cœur coule à pic.

Mes yeux s'emplissent de larmes. Je repose ma part. Pourquoi Miri m'a-t-elle amenée ici ?

– Qu'est-ce qui ne va pas ? me demande Adam. Tu manges à peine.

Je regarde de nouveau vers la porte. Ce type ne ressemblait pas du tout à Raf. Pas ses yeux, pas son sourire... Je baisse les yeux vers ma part de pizza presque intacte.

– Ce n'est rien, dis-je.

Pourquoi est-ce que je pense toujours à Raf ? C'est de l'histoire ancienne, Raf ! Adam est mon avenir. Il est drôle. Il est mignon. Il est sorcier. Il me comprend.

Je me force à relever la tête pour croiser son regard et à sourire, avant de repiquer du nez dans mon assiette.

La conversation tourbillonne autour de moi jusqu'à ce que nous ayons terminé de dîner. Enfin, nous payons l'addition et nous répandons dans la rue.

– Yo, et maintenant, on fait quoi ? demande Viv.

– Allons à l'Empire State Building ! dit la triplée BCBG. Je n'y suis jamais allée. Si j'étais un garçon, sûr que j'y ferais mon Sim !

La bande est d'accord pour y aller. Nous regagnons la ruelle et commençons à disparaître. Adam pose sa main sur mon bras avant que je puisse partir.

– Attends, Rachel, une seconde.

– Bien sûr.

Miri me lance un regard interrogateur.

Je lui fais un signe du menton pour qu'elle parte sans m'attendre.

– Tu es sûre ? me demande-t-elle. Parce qu'on peut rentrer, aussi. Et rester ensemble.

– Vas-y, dis-je en lui tournant le dos, lui en voulant toujours de m'avoir amenée ici.

Je l'entends disparaître avec Corey.

Je regarde Adam.

– Qu'est-ce qu'il y a ?

Il fait un pas vers moi. Lève la main. Passe les doigts dans mes cheveux.

Mon cœur s'arrête de battre.

Il va m'embrasser. Adam va m'embrasser. On y est. Adam va m'embrasser et nous formerons le couple de sorciers idéal et nous serons heureux pour toujours. Et ce sera vraiment terminé entre Raf et moi.

J'aurai la sensation que c'est terminé. Enfin.

Il s'incline vers moi. De plus en plus près. Et presse ses lèvres contre les miennes.

Et...

J'attends. La charge héroïque. Le feu d'artifice. La magie.

Mais il n'y a rien. Ses lèvres sont froides. Minces. Embrasser Adam me fait le même effet qu'embrasser mon oreiller.

Je m'écarte et lui touche l'épaule.

Il cligne des yeux, désarçonné.

– Je ne peux pas, dis-je.

Il regarde le sol. Aucun de nous ne dit mot. Dans le lointain, nous entendons une succession de coups de klaxon.

Finalement, il dit :

– Tu ne l'as pas oublié, hein ?

J'aimerais lui dire que si. Sincèrement. Mais je ne peux pas. Je ne peux pas lui mentir. Pire, je ne peux pas me mentir. Je secoue la tête.

Il incline la sienne et m'offre un demi-sourire.

– Tu crois que tu l'auras bientôt oublié ?

Je déglutis avec difficulté.

– Je suis vraiment désolée, Adam.

Et c'est vrai, je suis désolée. Tellement désolée. Désolée que ça n'ait pas marché, désolée de ne pas partager ses sentiments, désolée qu'il ait de la peine.

Il ferme les yeux une seconde, puis les rouvre.

– Moi aussi, je suis désolé.

– Ne me déteste pas, dis-je tristement.

– Je ne pourrai jamais te détester, me dit-il avant de soupirer de nouveau. Alors, amis ?

Je hoche la tête.

– Rien ne me ferait plus plaisir.

Il agite nerveusement les pieds.

– Mais tu me détesterais si je n'étais pas ton cavalier mardi ? Je crois que ce serait un peu trop bizarre pour moi.

Je lui presse l'épaule.

– Je comprends parfaitement. Mais tu y seras quand même, pas vrai ?

– Ouais. Les triplées m'ont réservé une place.

Nous gardons tous les deux le silence.

– On va les rejoindre ? me demande-t-il finalement.

– Pars devant. Il y a quelqu'un à qui je dois parler.

– Raf ? dit-il avec une pointe d'amertume.

– Non, fais-je en secouant la tête. Mais quelqu'un de tout aussi important.

– Prépare-toi à un choc, dis-je à Tammy.

– OK. Je suis prête. Qu'est-ce qui se passe ?

Je l'ai appelée depuis la ruelle et lui ai dit que j'avais vraiment besoin de lui parler. Elle était chez Annie mais elle est aussitôt venue chez moi sans poser de questions. Bien sûr je suis arrivée avant elle, vu que la téléportation va plus vite que le métro. En tout cas, dès qu'elle est arrivée, je l'ai emmenée dans ma chambre et j'ai fermé la porte. Comme elle s'est assise sur mon lit, j'ai pris la chaise de l'ordi. Je veux lui laisser de l'espace en cas de panique. Elle risque de paniquer. Mais j'espère que non. J'espère qu'elle sera toute prête à m'écouter... parce que c'est ma meilleure amie et que les meilleures amies devraient pouvoir parler de tout. Et j'ai besoin de parler.

Mais reprenons dans l'ordre.

Je respire un grand coup, ferme les yeux, et lâche tout.

– Je suis une sorcière.

Pas de réponse. Rien. Elle est tombée dans les pommes ? J'ouvre un œil et constate que Tammy arbore le plus grand sourire que j'aie jamais vu.

J'ouvre les deux yeux.

– Hein ? Quoi ?

– Je le savais ! s'exclame-t-elle en donnant un coup de poing en l'air.

– Comment ça ? Attends un peu. Ne me dis rien.

Comment pourrait-elle être au courant ? À moins que...

– Toi aussi, tu es sorcière ?

Elle éclate de rire.

– J'aimerais bien. Mais non. J'ai deviné. Tu sais, j'ai bien observé Wendaline – oh pardon, Wendy, j'oublie toujours qu'elle veut qu'on l'appelle comme ça – et la semaine dernière, elle a comme qui dirait disparu. Au sens propre. Cassandra arrivait vers elle et elle s'est jetée dans une salle de classe, et là – vlouf ! – elle a disparu. Je la regardais, et la seconde d'après elle n'était plus là. Elle ne savait pas que je la regardais, mais je me souviens qu'elle a dit qu'elle était sorcière le jour de la rentrée. Je ne l'avais pas prise au sérieux sur le moment, mais en la voyant disparaître, je me suis dit qu'elle n'avait peut-être pas menti. (Elle reprend rapidement sa respiration.) J'ai trouvé ça dingue, mais je me suis dit : on ne sait jamais, tu vois ? Qui suis-je pour dire ce qui est réel et ce qui ne l'est pas ? Du coup, quand je l'ai retrouvée plus tard, je lui ai demandé si elle était réellement une sorcière. Elle est devenue toute nerveuse et s'est mise à bafouiller que tu serais furax. Mais ensuite, elle a avoué. Qu'elle était sorcière ! Alors je lui ai demandé si tu le savais, et elle a complètement paniqué et m'a dit que non, mais ensuite elle m'a fait promettre de ne rien dire à personne, et surtout pas à toi. Et tu te comportais bizarrement depuis un moment. Et il y a eu le défilé de mode l'an dernier, et cet épisode louche avec une langue étrangère cette année, et le petit gâteau, et je ne sais plus quoi encore. Je me demandais. Et c'est vrai ! Tu es une sorcière, toi aussi !

Je pousse sur ma chaise pour me rapprocher du lit de quelques centimètres.

– Alors, tu n'as pas peur de moi ?

Ses yeux sont brillants.

– Non ! Non, pas du tout !

Quelques centimètres de plus.

– Et tu ne trouves pas ça bizarre ?

– Non ! Je trouve que c'est le truc le plus cool du monde.

– Sérieux ?

– Sérieux. Je suis tellement contente que tu me l'aies dit. Je suis honorée que tu me l'aies dit. Que tu penses que tu peux me faire confiance.

Ooh. Je me jette à son cou.

– J'ai trop de questions à te poser, me dit-elle sitôt que je la relâche. Tu as toujours su que tu étais sorcière ? Ça fait quel effet, un sortilège ? Est-ce que...

– Je vais tout te dire, mais d'abord, j'ai un truc à te demander.

– Tout ce que tu veux.

Bon.

– Il y a un genre de bal de débutantes-*bat mitzvah-quinceañera* pour sorcières lundi. Ça se passe pendant la journée, sur une île au large de la Roumanie. J'ajoute que ça se déroule dans un cimetière, totalement top secret, tenue de soirée exigée. Ça te dit de m'accompagner ?

– Et comment ! dit-elle en levant le pouce. Et maintenant, raconte-moi tout depuis le début.

26 LE GRAND JOUR

Joyeux Halloween !

Après notre rendez-vous très tôt chez le coiffeur, je traîne Miri à sa toute première manucure. Mais pendant que nous attendons notre tour, elle m'ignore royalement et jacasse au téléphone.

– Miri, fais-je d'un ton geignard. Je m'ennuie. Parle-moi.

– Une seconde, dit-elle. Cor ? Il faut que je te laisse. Y a ma sœur qui râle. À bientôt ? Ouais... OK, tu raccroches... Non, c'est toi qui raccroches !... Non, toi ! ... Non, c'est toi qui raccroches !

– Alors, qui c'est qui parle avec son amoureux en faisant le bébé ? dis-je en prenant moi-même une voix de bébé. Hein, c'est qui ? C'est toi ? Je préférais quand tu ne faisais que couiner.

Elle vire au rouge vif.

– Faut que je te laisse, lui dit-elle, et elle raccroche.

Trop drôle.

Évidemment, je lui parle en faisant le bébé pendant tout le rendez-vous.

Au moins, quand nous avons terminé, ses doigts ont l'air à peu près normaux. C'est même moi qui régale. Je lui suis un peu redevable de m'avoir forcée à aller chez *T's Pies* et à affronter mes sentiments pour Raf. Les sœurs, c'est sournois. Malin, mais sournois.

Après notre manucure, direction *Bloomingdale's* pour une petite séance de maquillage.

Bien sûr, j'achète les nouveaux produits en question. Ben quoi, c'est malpoli de ne pas le faire.

De retour chez nous, nous enfilons nos tenues et nous préparons pour l'arrivée de tout le monde.

Il a été prévu de se retrouver à notre appartement, de faire quelques photos (peut-être pour les montrer un jour à nos filles ?), et ensuite de partir pour Zandalusha.

Quand je dis « tout le monde », je ne veux pas dire toute la liste de nos invités, je parle juste de ceux de l'espèce non magique, c'est-à-dire papa, Jennifer, Tammy et Lex. Ah, et Corey.

Pas Raf.

J'ai bien pensé l'inviter. Évidemment que je l'ai fait. Mon père s'en est remis, et Tammy est surexcitée. Alors, peut-être que Raf le prendrait bien aussi ? Peut-être que je m'excuserais, lui dirais la vérité... et l'inviterais ensuite à être mon cavalier.

Mais j'en ai discuté avec Tammy et voici son conseil : « C'est une grande décision de le dire à Raf. Une très grande décision. Et elle ne doit pas être précipitée par un bal. Dis-le-lui si tu veux qu'il soit au courant, mais ne le lui dis pas juste parce que tu le veux comme cavalier. »

Tellement mûre, cette Tammy. Le lui dire *à elle* a été ma meilleure décision jusqu'à présent. Et elle a raison. J'ai peut-être envie de mettre Raf au courant. Mais il faut d'abord que j'aie les idées – et le cœur – clairs. Terminons cette histoire de Samsorta, et je déciderai ensuite de ce que je dois faire.

En m'habillant, je raccroche à ma chaîne le cœur qu'il m'a offert pour mon anniversaire. Pour me porter bonheur.

Bref, Tammy pousse des cris aigus en nous voyant, Miri et moi, vêtues de nos belles robes héliotrope. Elle est très jolie dans sa robe noire, celle qu'elle portait pour le dernier bal de promo.

– Tu veux l'essayer dans une autre couleur ? je lui demande. Ce n'est pas qu'elle ne soit pas fabuleuse, mais je peux te la changer par magie.

– Sérieux ? me demande-t-elle avec des yeux ronds.

– Absolument.

– Bien sûr !

– Le vert t'irait super-bien, dis-je. Ça mettrait tes yeux en valeur.

– Vas-y.

J'emploie le sort de changement de couleur, et zap !

– Alors ça, dit Tammy en contemplant sa nouvelle robe, c'était le truc le plus cool du monde.

Lorsque mon père arrive, ses yeux s'embuent à la vue de ses filles.

– Vous êtes superbes toutes les deux, et vous faites tellement adultes !

Il est plutôt élégant lui-même, dans son smoking avec nœud papillon noir. Je suis sur le point de proposer de changer la couleur de son nœud, mais décide de ne pas exagérer. Il verra suffisamment de magie comme ça ce soir.

Malgré le fait que Jennifer affiche toujours son sourire « S'il vous plaît ne me zappez pas » et qu'elle serre à mort la main de mon père, elle est plutôt splendide dans sa longue robe de bal noire. J'espère qu'il ne lui faudra pas trop longtemps pour surmonter la peur qu'on l'utilise comme cobaye pour nos sorts.

Dad serre la main de Lex, embrasse Tammy et ma mère, et fait la connaissance de Corey. Ce dernier l'appelle « monsieur », ce qui est tout à fait adorable. Mon père s'esclaffe et lui dit de l'appeler par son prénom.

Corey est déjà dans mes petits papiers. Non seulement il a apporté des fleurs à Miri, mais il m'en a offert à moi aussi.

Lui, il faut le garder.

Après une bonne centaine de photos (« Oh allez, encore quelques-unes avec les chapeaux. S'il vous plaît ? » supplie ma mère), maman nous demande si nous sommes tous prêts.

– Juste le temps de mettre un bol de friandises dehors pour les enfants de l'immeuble fêtant Halloween qui viendront demander : « Un bonbon ou un sort ? », et on est partis.

– On se sert des piles, je suppose ? dis-je.

Je ne sais pas qui va emmener qui, mais je sais que je ne veux pas abîmer ma coiffure avec le sortilège Go. Mes cheveux seront déjà assez traumatisés comme ça aujourd'hui par la coupe de la mèche.

– J'ai pris mon passeport ! s'exclame Tammy. Juste au cas où.

– Pas besoin, lui dis-je.

– Euh, ça marche comment ? demande nerveusement mon père.

Corey lui donne une tape dans le dos.

– Montez et fermez les yeux, monsieur.

Jennifer agrippe mon père et semble au bord de l'hyperventilation.

Maman sort une longue tresse de corde dorée du placard à produits d'entretien.

– En fait, j'ai un moyen plus facile. Je tiens les piles, et vous vous accrochez tous à ceci. Ce sera comme les gamins du centre aéré quand ils descendent la 5e Avenue à la queue-leu-leu.

– Trop chou, dis-je.

C'est maintenant. Enfin.

Ils ont distribué les chandelles.

Le cimetière n'est pas aussi lugubre que je l'aurais imaginé. En fait, il est même plutôt magnifique, dans le genre beauté hantée. On dirait le Grand Canyon, avec des falaises et plein d'espace. L'auditorium est creusé dans la roche et me rappelle le Panthéon. Les sièges de pierre sont en réalité des pierres tombales, et alors qu'on s'attendrait à ce que ce soit suprêmement flippant, ça ne l'est pas. Cela me donne plutôt l'impression que nous sommes protégés par toutes les femmes venues ici avant nous. Fizguin explique qu'une fois la cérémonie terminée, les sièges s'enfonceront dans le sol et que toute la zone se tranformera en salle de bal sous les étoiles.

Mais pour l'instant, c'est l'heure de la cérémonie. Nos amis, nos parents proches ou lointains jamais rencontrés auparavant sont installés à leur place, silencieux, dans l'attente. Toute ma famille est arrivée intacte. Jennifer a hurlé presque tout le temps, mais au moins mon père n'est pas tombé dans les pommes. De fait, il sifflotait lorsque nous avons atterri, et il a qualifié l'expérience d'« ébouriffante ».

À présent, notre école est alignée derrière les filles de l'École des charmes et devant les Asiatiques de celle de Shi. Je fais signe à Wendy, qui est tout à l'avant. Elle est jolie dans sa longue robe flottante couleur héliotrope. Jolie, mais nerveuse. Elle a une tâche importante à accomplir aujourd'hui, puisque c'est elle qui est chargée du sort d'émerveillement.

– Allons-y, les filles, dit une grande femme en longue robe noire.

Miri me presse la main. Et c'est parti.

La cérémonie commence exactement comme à la répétition.

Sauf qu'au lieu de nos seules mères comme public, plus d'un millier de paires d'yeux sont posées sur nous.

L'autre chose qui est posée sur nous, ce sont ces chapeaux ridicules. Oui, il faut croire que maman avait raison. Tout le monde porte le même chapeau de sorcière. J'espère que personne ne se fera éborgner. Ces machins sont d'un pointu !

Une fois que nous sommes toutes en place, le passage avec les aînées commence. Le couteau d'or met un moment à arriver jusqu'à maman, mais lorsque c'est le cas, elle demande, d'une voix qui porte loin dans la nuit :

– Es-tu prête à te joindre au Cercle de la magie ?

– Oui, dit Miri en baissant la tête pour que maman puisse facilement lui couper une mèche de cheveux.

Lorsque c'est fait, elle s'avance vers moi.

– Es-tu prête à te joindre au Cercle de la magie ? me demande-t-elle.

– Oui, dis-je en lui montrant précisément quelle mèche de cheveux couper.

Aucune raison de prendre des risques inutiles, pas vrai ?

Ensuite, c'est l'allumage des chandelles. Nous parcourons lentement le cercle, chacune récitant son sortilège.

Je croyais que j'aurais le trac, mais non. Je connais ce sort et je maîtrise mes piliers. J'ai été honnête avec moi-même, je fais confiance à mes proches, j'ai eu le courage de me confier à mon amie, je me sens aimée et suis aimée, et j'ai un karma passable. J'espère. J'ai beaucoup appris depuis juin et je suis prête.

Lorsque vient mon tour, je récite le sort d'une voix forte et claire.

Isy boliy donu
Ritui lock fisu
Coriuty fonu
Corunty promu binty bu
Gurty bu
Nomadico veramamu.

La mèche de ma chandelle s'enflamme. Waouh !

Miri passe après moi et psalmodie le sortilège, d'une voix tout aussi forte et claire. Sa flamme s'élance tout aussi haut.

Je cogne ma hanche contre la sienne et nous échangeons un grand sourire. On y est arrivées.

– Youpi ! fais-je silencieusement.

– Youpi ! articule-t-elle en retour.

Nous continuons à tourner en cercle. La triplée glamour s'y reprend à une, deux, puis trois fois, mais ses sœurs lui pressent les épaules et elle y parvient. Le pouvoir des sœurs !

Pour finir, nous complétons le cercle avec Wendy.

Elle allume sa chandelle, aucun problème, puis se dirige lentement vers le chaudron central.

C'est le grand moment. La dernière étape. Après ça, c'est la fête !

Wendy tient sa chandelle au-dessus du chaudron. Elle doit la tenir bien fermement pendant que nous répétons toutes le sortilège d'enchantement après elle.

– *Julio vamity*, commence-t-elle.

– *Julio vamity*, reprenons-nous.

Ça veut dire : « Sur les piliers ».

– *Cirella bapretty !* termine-t-elle.

– *Cirella bapretty !* répétons-nous.

Ça, ça veut dire : « Fleurit quelque chose de merveilleux. »

Et voilà ! Tout court et tout joli.

Nous attendons toutes que le chaudron s'enflamme.

Et nous attendons.

Et nous attendons toujours.

Hum, hum.

Au bout de quelques secondes, Wendy essaie de nouveau.

– *Julio vamity*, dit-elle d'une voix tremblante.

– *Julio vamity*, entonnons-nous en écho.

Que se passe-t-il ? Elle devrait y arriver sans aucun problème. C'est une des meilleures sorcières que j'ai jamais vues. Elle sait tout faire !

– *Cirella bapretty !* redit-elle.

– *Cirella bapretty !* lui répondons-nous.

Et nous attendons.

Toujours rien. Ses mains se mettent à trembler et elle recommence le sortilège depuis le début.

– Pauvre Wendaline, me chuchote Miri.

Wendaline.

Oh, non. J'en lâche presque ma chandelle, mais je redresse la main.

Je lui ai fait changer de nom. Je lui ai fait changer de vêtements. Je lui ai fait changer de coiffure. Je lui ai fait changer de maquillage. Je l'ai obligée à mentir à ses amis. Je repense à la fois où mon sortilège Go n'a pas marché et à ce que m'a dit Miri. Lorsque je dissimulais mon vrai moi, ma magie partait de travers. Mes piliers se retrouvaient bloqués.

Wendy – non, *Wendaline* – a besoin que tout soit parfait, sinon notre sort d'émerveillement ne fonctionnera jamais.

C'est à moi de tout arranger.

ON NE SAIT JAMAIS

Il faut que je fasse quelque chose, mais quoi ? Il faut que je fasse en sorte qu'elle redevienne celle qu'elle était avant que je l'embrouille.

Elle doit redevenir Wendaline.

Je ferme les yeux, me concentre sur elle, et pense de toutes mes forces :

Tous les changements par moi voulus
Sont à proscrire, et révolus.
Wendy, redeviens notre Wendaline,
La vraie toi manque, à moi, à nous...

En le disant, je prends conscience que c'est la vérité. Ses cheveux longs me manquent. L'appeler Wendaline me manque. Ses tenues extravagantes me manquent. Elle est comme elle est, et elle devrait en être fière. C'est moi qui devrais avoir honte.

Une bouffée de froid me traverse et je couvre ma flamme pour qu'elle reste allumée.

Ça marche. Devant tout le monde de la sorcellerie, les cheveux de Wendaline repoussent jusqu'à sa taille. Ses ongles passent du rose au noir, et son maquillage s'assombrit. Les couleurs de sa robe deviennent plus riches, sa traîne s'allonge, et tout son être semble étinceler.

Les mille membres de l'assistance retiennent leur respiration.

Elle a l'air aussi surprise que tout le monde, et cherche une explication autour d'elle. Je lui fais un clin d'œil.

– Merci, articule-t-elle silencieusement à mon intention.

– Pardon, Wendaline, fais-je en retour.

– *Julio vamity*, reprend-elle d'une voix forte et claire.

– *Julio vamity*, répétons-nous avec une intensité croissante.

– *Cirella bapretty !* conclut-elle en souriant.

Elle sait que ça y est. Nous aussi, nous le savons.

– *Cirella bapretty !* crions-nous d'une même voix.

Abrakazam ! Le chaudron s'embrase.

Nous poussons toutes des cris de joie et des acclamations.

Je jette mon chapeau en l'air, et tout le monde suit.

Je demande à mon père de danser la première danse avec moi, et il accepte avec joie. Je tente de lui enseigner le surky. Nous nous trompons dans tous les pas, mais ça ne fait rien.

– Je suis très fier de toi, me dit-il, et ma joie décolle en flèche.

Le chanteur est Robert Crowne. Deux fois en deux semaines ! C'est pas de la veine, ça ? Remarquez, la chance n'a pas grand-chose à voir là-dedans. Ce n'est qu'une question de magie. Il doit être envoûté. À moins qu'il ne soit sorcier lui-même !

Il y a un repas gargantuesque, mais comment peut-on manger dans un moment pareil ? Nous préférons tous, jeunes sorciers (et amis des jeunes sorciers) danser et nous éclater comme des dingues.

Le seul caillou dans ma chaussure est que je suis obligée de parler avec ma cousine Liana. Lorsque je regagne ma table pour boire un verre d'eau en vitesse, elle s'approche furtivement de moi.

– Tu es devenue la reine des soirées de sorcières, on dirait, observe-t-elle en rejetant ses longs cheveux brillants derrière son épaule.

– Pas précisément, non, dis-je.

– Où est ton petit ami ? Il n'a pas pu venir ?

– On s'est quittés, lui dis-je.

– Ah bon ? me demande-t-elle. Il t'a plaquée ?

– Non !

– C'est toi qui l'as plaqué ? Je croyais que tu l'aimais beaucoup.

– C'est vrai.

– Alors pourquoi l'as-tu quitté ?

Une excellente question, cadeau de Liana. À laquelle je n'ai pas de réponse toute prête.

– Eh bien...

– Hé ! me coupe-t-elle à sa manière typique. Tu es copine avec Adam Morren ?

– Ouiii, fais-je avec méfiance.

– Tu pourrais me le présenter ? Il est sexy.

– Euh...

Ce n'est peut-être pas le bon pour moi, mais cela ne veut pas dire que je vais le caser avec ma vilaine cousine. Pas question.

– Je ne pense pas.

Sans attendre la réponse, je tourne les talons et regagne la piste de danse.

Ben ça alors, où sont-ils tous passés ? Mon père et Jennifer sont en train de danser, et ma mère et Lex discutent avec un couple. De vieux amis ? Le type me dit quelque chose. Est-ce que je connais son fils ?

Non ! C'est le mec de l'album ! Jefferson Tyler ! Ha ! Le monde est petit, dites donc.

Le sourire aux lèvres, je repars à la recherche des autres. Je traverse la piste en jouant des coudes et repère Miri et Corey. Miri a les bras autour de son cou, et ils se regardent très sérieusement. Et là...

– Ômondieu, il va l'embrasser ! fais-je pratiquement en hurlant, avant de plaquer ma main sur ma bouche.

Non pas qu'ils risquent de m'entendre par-dessus la musique.

Je regarde, fascinée, Corey presser ses lèvres contre les siennes. Ô. Mon. Dieu. Ça y est ! Ça y est ! J'ai envie de foncer la féliciter, mais je me retiens. Ce serait bizarre, en effet. Je me sens un peu mal de regarder, mais je ne peux pas détourner les yeux ! Mais elle a la bouche ouverte ! Ils se roulent un palot !

Elle se rappelle tout ce que je lui ai appris, dirait-on. OK. Maintenant, j'arrête de regarder.

Regarde ailleurs. Regarde. Ailleurs.

Je me retourne à la recherche de quelqu'un d'autre à qui parler. Et c'est là que j'avise une scène tout aussi stupéfiante. Non, encore plus stupéfiante. La chose la plus stupéfiante que j'aie jamais vue. Les cheveux roux. Le nez en l'air.

Est-ce possible ?

Non.

Mais si.

– Melissa ? fais-je, incrédule.

Mon ennemie jurée se retourne pour me faire face. Elle est superbe dans sa longue robe noire.

– Je pensais bien que c'était toi là-haut, grommelle-t-elle.

– Que... qu'est-ce que tu fais là ?

Elle est sorcière ? J'ai vraiment une intuition d'enfer. N'ai-je pas demandé à Miri si elle était sorcière ? Je le savais ! Enfin, plus ou moins.

– Tu vois bien que je ne fais pas mon Sam, me répond-elle en croisant les bras. C'est nul. Pourquoi c'est toi qui as tout ?

– Moi ? Qu'est-ce que tu racontes ?

C'est la fille qui m'a piqué ma meilleure amie et qui essaie sans cesse de me voler mon amoureux. Je veux dire mon ex.

– Mais que... qui... pourquoi es-tu là, alors ?

Je n'arrive pas à me faire à l'idée qu'elle est là.

– Les triplées sont mes cousines.

– Et toi, tu es sorcière aussi ?

– Non, fait-elle sèchement. Pas encore. Ma mère est sorcière. Mon père est sorcier. Mes deux grandes sœurs sont sorcières. Mais moi ? Pas une fibre de sorcellerie dans le corps, apparemment. Même mon copain, Jona, est sorcier.

Copain ?

– Je ne savais pas que tu avais un copain. Je croyais...

Ma voix se brise.

– Que je courais encore après Raf ? Pas du tout. Raf, ce n'était qu'une passade. Jona, c'est du sérieux. On s'est rencontrés cet été. C'est le plus mignon de tous. Il est ici. (Elle se hausse sur la pointe des pieds et regarde autour d'elle.) Quelque part.

– Je n'en reviens pas, dis-je, toujours abasourdie.

– De quoi ?

– De tout, dis-je en riant.

– Ouais, ben crois-moi. Me voilà. Sorcière en puissance, mais c'est tout.

Après l'avoir haïe toute une année, je culpabilise soudain.

– On ne sait jamais, dis-je. Je parie que tes pouvoirs vont bientôt s'activer.

– Ça fait trois ans que je dis ça. Je me suis même inscrite à des cours de Samsorta cette année au cas où, mais je n'ai pas été qualifiée... Je vais être la plus vieille sorcière à recevoir ses pouvoirs de toute l'histoire mondiale.

Alors c'est elle qui simulait ! Je me surprends à poser le bras sur son épaule.

– Mais non. Je sais que non.

Maintenant, je sais pourquoi elle fait tout le temps la tête.

– C'est vrai ? me demande-t-elle avec intensité. Et pourquoi ça ?

– Appelle ça de l'intuition.

D'accord, en général je me trompe, mais bon.

Pour la première fois depuis que je la connais, elle me sourit.

– Merci, Rachel. Tu ne sais pas à quel point ça craint d'attendre que tes pouvoirs se déclenchent.

Hi, hi !

Elle fait mine de me laisser mais je la retiens par le bras.

– Attends, Melissa. Une question en vitesse ?

– Quoi ?

– Est-ce que tu l'as dit à Jewel ?

– Dire quoi à Jewel ?

– Au sujet de tes pouvoirs. Ou de ton absence de pouvoirs. Tout ça, quoi.

– Jamais de la vie ! s'écrie-t-elle avant de disparaître dans la foule.

Quelle ironie. Jewel m'a laissé tomber pour Melissa, et pourtant elle ne sait même pas qui est Melissa en réalité.

Et voilà Jewel toute seule chez elle alors que Tammy, ma *nouvelle* meilleure amie, est ici avec moi à s'amuser comme une folle. C'est fou, le karma.

Souriant pour moi-même, je m'en vais retrouver mes amis. J'aperçois les triplées ; Viv et son copain norcier mignon mais le cheveu un peu gras et la peau moite, Zach ; Karin et son mec, également super-élégant, Harvey ; Fitch, Rodge ; Adam ; et Tammy. À part Zach, qui porte un costume de toile à fines rayures, ils sont tous très élégants dans leurs smokings noirs.

Attendez. Adam danse avec Tammy. Comment c'est arrivé, ça ?

– Coucou ! s'exclame Tammy en me voyant. Je te cherchais, mais j'ai trouvé Viv et Zach.

J'ai présenté Viv à Tammy tout à l'heure et elles se sont tout de suite bien entendues.

Puis Tammy se penche vers moi pour me parler à l'oreille.

– Et ce mec est *trop* mignon. Ça doit faire dix minutes que je danse avec lui. Tu le connais ?

– C'est Adam, dis-je en remuant les sourcils.

– Oh purée ! Désolée. Je ne savais pas du tout, glapit-elle. Je ne redanserai pas avec lui, promis !

– Mais non, ne t'en fais pas, vraiment, lui dis-je très sincèrement. Danse avec lui autant que tu veux. Il est super. Mais pas pour moi.

Elle secoue la tête.

– Danse avec lui ! J'insiste. Ma cousine est intéressée, et j'aimerais beaucoup beaucoup beaucoup mieux le voir avec toi qu'avec elle.

Elle secoue de nouveau la tête.

– Adam, fais-je d'une voix de stentor.

Il se retourne.

– Rachel, dit-il avec un sourire. Félicitations.

– Merci, dis-je. Je voulais te présenter ma très bonne amie Tammy, et j'aimerais que vous continuiez à danser ensemble. Parce que vous êtes deux des personnes que je préfère au monde, et que je trouve que vous feriez un très beau couple.

Ils virent tous deux au cramoisi.

Bon, d'accord, c'était peut-être TDI.

– Enfin bref, amusez-vous bien, les enfants, dis-je.

– D'accord, dit-il en exécutant un petit salut comique.

Je sens qu'on me tire par le bras : ce sont Miri et Corey, enfin décollés, tout sourire tous les deux.

– On a réussi ! fais-je à pleine voix en lui tapant dans la main.

Sur quoi j'ajoute à voix basse :

– Et je vous ai vus vous embrasser.

– Enfin ! me dit-elle en me serrant dans ses bras. Merci.

– De quoi ?

– Tout. D'avoir fait le Samsorta pour moi. D'être la meilleure grande sœur du monde.

– Non, c'est toi la meilleure sœur du monde, dis-je en reprenant la voix de bébé.

– Non, toi ! réplique-t-elle sur le même ton.

Sur ce, Crowne entonne sa reprise de « Every Little Thing She Does is Magic », la chanson de Police, et la foule se déchaîne.

28 UN BONBON OU UN SORT

La fête dure jusqu'à deux heures du matin. Tous les vieux (mon père, Jennifer, maman, Lex – en gros, tous les plus de trente ans) ont déclaré forfait, et ne restent plus que les jeunes. (« Vous êtes sûres que ça ne vous ennuie pas si on y va ? a demandé Jennifer avant de partir. Sûres et certaines ? C'est comme vous voulez, les filles, dites-moi ! Et je le ferai ! ») Mais lorsque les pierres tombales reprennent en glissant leur position d'origine, nous savons que c'est l'heure.

– Et on va où maintenant ? demande Karin. Il nous faut une after !

– La parade d'Halloween dans East Village ? suggère Miri. Ça doit commencer à peu près maintenant.

– Oh oui, trop bien ! s'écrie joyeusement tout le monde.

Nous nous téléportons donc à New York et nous trouvons une place sur la 6e Avenue. Comme nous avons remis nos chapeaux, nous ne déparons pas. Nous acclamons tous les gens costumés à mesure qu'ils passent devant nous : diables, anges, hamburgers, gratte-ciel, personnages de dessins animés. Tous ces gens qui sortent en l'honneur de notre Samsorta sans même s'en douter !

– Tu t'amuses bien ? je demande à Tammy en la prenant par le bras.

– Comme jamais ! me dit-elle en me faisant avec ses doigts le signe de plongée qui signifie « OK ».

Elle a le nez tout rouge de froid.

– Et Adam ?

J'ai bien remarqué comment il la regardait. Comme s'il était ensorcelé.

– Il est vraiment mignon, dit-elle. Mais je ne lui reparlerai jamais si tu tiens encore à lui, même rien qu'un peu.

– Tammy, rien ne me ferait plus plaisir que de vous voir ensemble tous les deux. Si seulement Raf et moi étions toujours ensemble, on pourrait sortir tous les quatre, entre sorciers et norciers !

– Il te manque ? me demande Tammy.

– Plus que tout.

Elle se détourne de la parade pour me regarder bien en face.

– Alors, allons-y, dit-elle.

– Où ça ?

– Tu le sais très bien.

– Ah bon ?

Mais là je comprends. C'est vrai que je le sais.

– Sors-moi cette pile, m'ordonne-t-elle. Il est temps de récupérer Raf.

Je hoche la tête. Il est plus que temps de récupérer Raf.

– Je crois qu'on peut y aller à pied. Le lycée n'est qu'à quelques rues d'ici.

– Oh, allez, quoi ! dit-elle avec une étincelle dans le regard. C'est plus marrant, les piles !

Le monstre de Frankenstein défile devant nous.

– J'espère que je n'ai pas créé de monstre, dis-je.

Le gymnase du lycée est décoré comme une maison hantée. Des squelettes découpés dans du papier sont collés à la porte, et la machine à brouillard est réglée à fond à l'intérieur.

Lorsque nous payons le billet d'entrée, Kat se jette à nos cous.

– Comme je suis heureuse que vous soyez là ! Je croyais que vous ne viendriez plus ! Waouh, vous êtes magnifiques ! Et vous avez amené plein de monde ! Vous êtes les meilleures !

Je n'avais pas prévu de traîner toute la bande avec moi, mais c'est plus difficile qu'on ne croirait de se débarrasser d'un groupe de sorcières et de sorciers.

Je renifle une odeur familière.

– Tu sens bon ! On dirait... Qu'est-ce que c'est ?

– Mon nouveau parfum ! Je l'ai acheté il y a quelques heures, à peine ! Qu'est-ce que tu en penses ? C'est censé sentir Paris !

Intéressant. Se pourrait-il que ce soit notre *donoro* du Sam ? Ce n'est pas le Grand Canyon, mais c'est marrant, en tout cas.

– Magique ! dis-je.

Je fouille la salle des yeux.

– Raf est là ?

– Il est parti, dit-elle en me lançant un regard plein de sous-entendus. Il n'avait pas l'air de s'amuser beaucoup.

– Il est parti ? dis-je en écho.

– Il y a à peine deux secondes. Il est sans doute encore dans les parages.

Je fonce. Il faut que je le trouve. Il faut que je lui dise. Ce soir.

Je cours dans la rue et le vois qui va tourner au coin. Je sais que c'est lui car je distingue le sort d'évitement.

Je hurle :

– Raf !

Il porte encore une nouvelle veste en cuir, avec des super-coutures vertes cette fois. Création originale de Raf, je suppose.

Il fait demi-tour et me voit.

Je suis trop loin pour lire l'expression sur son visage, mais je ne cesse pas de courir avant d'être arrivée à sa hauteur.

– Raf, dis-je, essoufflée.

– Salut, fait-il, mais je n'arrive pas à déchiffrer son regard.

De près, je vois que sous sa nouvelle veste mode, il est tout en jaune. Il est en moutarde. La moutarde sans son ketchup.

– Il faut que je te parle, dis-je.

Il regarde ses chaussures.

– De l'autre type ?

– Il n'y a pas d'autre type, dis-je en secouant la tête. Il n'y en a jamais eu. Enfin si, il existe. Mais je n'ai jamais eu de sentiments pour lui.

– Mais alors, pourquoi tu m'as quitté ?

Ses yeux sont remplis de perplexité. Ses beaux yeux noisette.

Nous y sommes. Le véritable instant de vérité. Mais j'ai besoin qu'il sache. D'accord, il risque de flipper. Il pourrait même prendre peur. Mais il faut que j'essaie. Il faut que je lui laisse une chance de me *comprendre*. Je prends ses deux mains dans les miennes. Il lève la tête pour me regarder. Et je me lance.

– Je sais que ce que je vais dire a l'air dingue. Mais écoute-moi. Je suis une sorcière. Et je ne veux pas dire « déguisée en sorcière », ce que je suis aussi. En quelque sorte. Je veux dire une vraie sorcière avec des pouvoirs magiques.

Mes paroles se bousculent, mais je veux – non, j'ai besoin de – tout sortir.

– Et au départ je voulais te le dire. Mais ensuite, tu vois, je l'ai dit à mon père, et il a paniqué. Il ne m'a pas parlé pendant une semaine. Du coup, j'ai décidé de ne rien te dire. Jamais. Mais ensuite je me suis dit que tu méritais mieux que ça. Que nous méritions mieux que ça. Alors j'ai rompu avec toi. Et je t'ai dit que j'étais avec Adam. Alors que ça n'avait rien à voir avec Adam. Ce n'est qu'un ami sorcier… Un ami qui est peut-être bien en train de sortir avec Tammy à l'heure qu'il est, d'ailleurs. M'enfin bref.

Je m'arrête pour jauger son expression, mais il me regarde toujours avec des yeux ronds. Il n'a pas lâché mes mains, toutefois. C'est bon signe, non ? Certes, il est possible qu'il soit paralysé par le choc. Je reprends ma respiration et continue.

– Tu vois, mon père s'en est remis, et j'espère que tu t'en remettras aussi. Parce que je t'aime. Vraiment, réellement. Tu vois ? (Je lui montre mon collier.) Je porte toujours ton cœur. Je porte aussi un charme en forme de balai qu'on m'a offert, parce que mes pouvoirs comptent aussi beaucoup pour moi. Les deux comptent pour moi. Mais voilà. Je t'aime. Et j'espère que tu m'aimes encore. Je sais que tu as sans doute besoin de preuves, alors voilà ce que je vais faire. Je vais rendre ta tenue toute rouge. (Je respire un grand coup.) Prêt ?

Il ne m'a toujours pas lâché les mains. Il hoche la tête.

Je psalmodie :

Comme le neuf devient vieux,
Comme les vivants meurent un jour,
Costume d'Halloween de Raf mon amoureux,
Je t'en prie, deviens rouge !

Bon, d'ac', je sais que parler de la mort risque de l'épouvanter, mais la seule autre solution était « Comme les célibataires s'épousent un jour », et ça, ça l'aurait certainement fait partir en courant. C'est vrai, quoi, ce n'est qu'un ado !

(Et, quoi qu'il arrive, j'ajoute mes sortilèges de couleur dans le manuel ce soir. Il est juste que je partage mes sorts brillants avec le monde, non ?)

Une bouffée de froid, et zap !

Son pantalon et sa chemise frémissent puis foncent et virent au rouge. Il en reste bouche bée.

– Dingue, non ?

Il hoche la tête. Referme la bouche. Il ne m'a toujours pas lâché les mains.

– Raf ? Tu es toujours avec moi ?

Il hoche de nouveau la tête, l'air abasourdi.

– Et je veux juste te redire à quel point je t'aime. Parce que c'est vrai.

Il rouvre la bouche.

– Oui ? fais-je, le cœur battant à tout rompre.

– Je crois que je suis sous le choc, dit-il, et je sais qu'il va me falloir du temps pour digérer tout ce que tu viens de dire. Mais la seule chose que je n'arrête pas de me redire, c'est : *Elle m'aime !*

Mon cœur s'envole.

– C'est vrai ?

– Ben oui. (Il baisse les yeux sur son costume.) Mais j'aurai sans doute quelques questions à te poser demain.

En tout cas il n'en a pas pour l'instant. Et c'est bien, parce qu'il est temps de s'embrasser et de se réconcilier.

– Attends, dis-je soudain. Moi, j'ai une question pour toi. Raf, c'est le diminutif de quoi ?

– Raphaël, dit-il.

– Raphaël. J'aime bien.

Je me penche pour mon baiser. Le baiser cent trente-deux.

Au lieu de rester au milieu de la rue, nous décidons de retourner au bal. Et quand je dis « retourner », je veux dire en passant par la porte. Je pourrai lui montrer des sorts demain. Je pourrai aussi lui donner plus d'infos à ce moment-là. Ce soir, amusons-nous tout simplement. (Je suppose qu'il n'a pas besoin de connaître le passage « Un jour j'ai jeté un sort à ton frère parce que je l'ai pris pour toi » tout de suite, n'est-ce pas ?)

Lorsque nous entrons, je vois que toute ma bande est toujours là. À danser.

– Encore des sorcières ? me demande-t-il en repérant les autres robes héliotrope et les chapeaux.

J'opine.

– Cool, dit-il.

Cool ! Il a dit « cool » ! C'est encore un bon signe, pas vrai ?

Croâ-ââ.

Qu'est-ce que c'était que ça ? Je regarde tout autour de moi.

Croâ-ââ.

Wendaline me prend par le bras.

– Rachel, murmure-t-elle. Je crois que j'ai fait une bêtise.

– Quoi ? fais-je en pivotant vers elle.

Croâ-ââ.

– Eh bien, Cassandra était ici, et dès qu'elle nous a vues, elle a recommencé. Tu sais, à dire mon nom à sa manière. Et tu ne vas pas croire en quoi elle était déguisée ! La méchante sorcière du *Magicien d'Oz* ! Avec un gros faux nez, un chapeau noir et une robe noire ! J'ai essayé de faire comme si je ne la voyais pas, mais là je l'ai vue chercher des poux à Tammy ! Et je sais que tu voulais que je laisse la magie à la porte du lycée, mais...

– Wendaline, oublie ce que je t'ai dit. Honnêtement. Sois toi-même. Fais de la magie, n'en fais pas, apparais, disparais... fais ce que tu veux.

– Ça me fait plaisir que tu penses ça.

Elle lève la main et me montre une grenouille posée dessus. Une grenouille vêtue d'un mini-déguisement de sorcière tout noir.

Croâ-ââ.

– Parce que j'ai plus ou moins pété un plomb. Je la retransformerai après le bal. Aucun souci. Et je la garde dans ma main pour qu'elle ne se fasse pas marcher dessus.

J'éclate de rire. C'est plus fort que moi. Je repense à la grenouille que Cassandra a mise dans le casier de Wendaline.

– S'il y a bien une personne qui méritait d'être transformée en grenouille, c'était Cassandra.

Elle sourit.

– Je suis contente que tu sois dans cet état d'esprit. Mais je dois t'avertir : je pense qu'elle sait que je suis sorcière, maintenant.

– À ta place, je ne m'inquiéterais pas pour elle, dis-je. Ça m'étonnerait qu'elle te pose encore des problèmes.

La grenouille bondit de sa main, et Wendaline part à sa poursuite dans toute la salle.

Alors, comme ça, Cassandra est au courant. Et Tammy. Et Raf. D'autres vont-ils comprendre aussi ? Que penseront-ils ? Auront-ils peur de moi ? Vont-ils m'exclure ? Ou trouver ça cool ?

– Je suppose que Wendaline aussi est une sorcière ? me demande Raf en passant un bras autour de moi.

– Ça, il faudrait que tu lui poses la question.

L'honneur des sorcières, tout ça.

– Mais elle court après une grenouille. Est-ce que cette grenouille était quelqu'un au départ ?

– Aucun souci, lui dis-je en l'entraînant vers la piste de danse. Je t'expliquerai tout demain. Ce soir, on danse.

Il m'attire contre lui. Et nous oscillons, d'avant en arrière. Nous dansons. *Nous dansons !* Yahou ! Il aura fallu presque un an, mais mon vœu numéro un – danser avec Raf à un bal du lycée – s'est enfin réalisé. Et je n'ai même pas eu besoin d'un charme.

Il m'a suffi d'être charmante moi-même.

Au milieu de la chanson, Raf me demande :

– Tu pourrais juste me dire *qui* Wendaline a transformé en grenouille ?

– Son jules, je crois, dis-je. Alors tu ferais mieux d'être gentil avec moi.

Il rigole.

– Tu plaisantes, n'est-ce pas ?

– Évidemment que je plaisante !

Je lui plaque le baiser numéro cent trente-trois sur les lèvres. Je plaisante à cent pour cent.

Euh, enfin peut-être quatre-vingt-dix-neuf pour cent.

On ne sait jamais, hein ?

Profil de Rachel Weinstein sur Mywitchbook.com :

Lieu de résidence : Manhattan

Magicalité : rose ! Non, mettez rose scintillant... rose scintillant pétard !

Activités préférées : maths (oui, je sais, je suis un peu space), inventer mes propres sortilèges, faire du vélo sur mon nouveau vélo (bon, d'ac', pas encore, mais très prochainement, sûr !)

Héros/héroïnes : Miri, ma sœurette

Situation : sincèrement, follement amoureuse de son Raf/Raphaël/choubidou-choubibi !

REMERCIEMENTS

Merci mille milliards de billions de fois à :

Laura Dail, mon agent superstar, et Tamar Rydzinski, la reine des droits étrangers.

Tous les bosseurs du département Jeunesse chez Random House : Wendy Loggia, Beverly Horowitz, Elizabeth Mackey, Chip Gibson, Joan DeMayo, Rachel Feld, Kenny Holcomb, Wendy Louie, Tamar Schwartz, Tim Terhune, Krista Vitola, Adrienne Waintraub, Isabel Warren-Lynch, et Jennifer Black.

Robin Zingone, qui prête chaque fois des traits adorables à Rachel.

Aviva Mlynowski, ma Miri – je t'aime, Petite Morveuse !

À mes quatre déesses lectrices, je serais perdue sans vous. Sérieusement. Perdue et sans emploi. Merci merci merci merci à :

Lauren Myracle, la déesse de la motivation (elle a renoncé à son week-end pour m'aider !)

E. Lockhart, la déesse du langage (et pour m'avoir dit que je pouvais mieux faire),

Jess Braun, la déesse des réactions honnêtes (détail scabreux : elle m'a fait supprimer une ligne en m'avouant qu'elle l'avait fait vomir),

Et ma mère, Elissa Ambrose, la déesse qui-sait-toujours-ce-que-je dois-dire (et qui a lu chaque livre chapitre par chapitre !).

Remerciements et tendresses également à ma famille et aux amis : Larry Mlynowski, Louisa Weiss, John et Vickie Swidler, Robert Ambrose, Jen Dalven, Gary Swidler, Darren Swidler, Shari Endleman, Heather Endleman, Lori Finkelstein, Gary Mitchell, Leslie Margolis, Ally Carter, Bennett Madison, Alison Pace, Lynda Curnyn, Farrin Jacobs, Kristin Harmel, David Levithan, Bonnie Altro, Robin Glube, Jess Davidman, Avery Carmichael, Renee et Jeremy Cammie (qu'il fallait bien mentionner cette fois-ci !), et BOB.

Et à Todd Swidler, mon formidable mari ! Je t'aime !

D'autres livres

Jodi Lynn ANDERSON, *Peau de pêche*
Jodi Lynn ANDERSON, *Secrets de pêches*
Jennifer Lynn BARNES, *Felicity James*
Meg CABOT, *Une (irrésistible) envie de sucré*
Meg CABOT, *Une (irrésistible) envie d'aimer*
Elizabeth CRAFT et Sarah FAIN, *Comme des sœurs*
Melissa DE LA CRUZ, *Un été pour tout changer*
Melissa DE LA CRUZ, *Fabuleux bains de minuit*
Melissa DE LA CRUZ, *Une saison en bikini*
Melissa DE LA CRUZ, *Glamour toujours*
Melissa DE LA CRUZ, *Les Vampires de Manhattan*
Melissa DE LA CRUZ, *Les Sang-Bleu*
Chloë RAYBAN, *Les Futures Vies de Justine*
Chloë RAYBAN, *Dans la peau d'un garçon*
Chloë RAYBAN, *Justine sérieusement amoureuse*

www.wiz.fr
Logo Wiz : Cédric Gatillon

Composition Nord Compo
Impression : Imprimerie Floch, mars 2009
Éditions Albin Michel
22, rue Huyghens 75014 Paris

ISBN : 978-2-226-18969-1
ISSN : 1637-0236
N° d'édition : 18407. N° d'impression : 73328
Dépôt légal : avril 2009
Loi n° 49-956 du 16 juillet 1949 sur les publications destinées à la jeunesse.
Imprimé en France.